Mémoires d'un quartier

• TOME 7 •

Marcel

À vous, chers lecteurs
de Québec Loisirs

Marcel... celui qui
gagne à être connu!
Amitiés

[illegible]

LOUISE TREMBLAY-D'ESSIAMBRE

Mémoires d'un quartier

• TOME 7 •

Marcel

1965 – 1966

www.quebecloisirs.com

UNE ÉDITION DU CLUB QUÉBEC LOISIRS INC.
Avec l'autorisation de Guy Saint-Jean Éditeur inc.

Dépôt légal – Bibliothèque et Archives nationales du Québec, 2011
ISBN Q.L. : 978-2-89666-057-5
(Publié précédemment sous ISBN: 978-2-89455-365-7)

Imprimé au Canada par Friesens

À Jacques et Micheline, avec toute ma tendresse.

NOTE DE L'AUTEUR

Ce cher Marcel !

Vous vous rappelez sûrement, n'est-ce pas, que j'ai déjà dit que les personnages me parlaient ? Que je n'avais qu'à rester attentive pour qu'ils se décident à me raconter leur histoire ? Bien sûr que vous le savez, je le répète à qui veut l'entendre, et je vous jure que c'est vrai. Que c'était vrai jusqu'à aujourd'hui...

Alors, où donc est Marcel ? Qu'attend-il pour me rejoindre ? Pourtant, je lui avais donné rendez-vous dans mon bureau, ce matin, et j'avais hâte de le rencontrer, de discuter avec lui. Malheureusement, pour l'instant, il brille par son absence.

Non. Ce n'est pas tout à fait vrai. Il est là, installé au petit bureau devant la fenêtre de sa chambre, mais il ne s'occupe pas de moi. Un crayon sur l'oreille et un autre à la main, il griffonne ses papiers en grommelant. Depuis quelques jours, je passe le plus clair de mon temps à ses côtés et jusqu'à maintenant, il n'a même pas daigné lever les yeux vers moi. À part ses marmonnements inintelligibles et quelques « calvaire » bien sentis, je n'entends rien. Absolument rien.

Je le regarde à la dérobée. Il soupire, remue ses papiers, recommence à calculer et à noter certaines choses.

Pauvre naïve que je suis !

Comment ai-je pu imaginer que Marcel finirait par se confier à moi, lui qui ne parle à personne, sauf peut-être pour élever la voix et lancer quelque platitude ou bêtise bien senties ? Depuis toujours, Marcel ne parle pas de ces choses essentielles qui traversent nos vies. À personne. Ni à Bernadette, ni à Évangéline, ni à son frère Adrien, ni même à ses amis Lionel et Bertrand.

Et je croyais qu'il allait s'ouvrir à moi comme un grand livre ?

Allons donc ! Même si je suis persuadée que Marcel a quelque chose à dire, parce qu'on a tous quelque chose à dire, n'est-ce pas, je crois que je vais devoir passer par personnage interposé pour le rejoindre.

Et pour ce faire, malgré les apparences, la personne la plus proche de Marcel est probablement Bernadette.

Vous ne me croyez pas ?

Pourtant, je suis certaine d'avoir raison. Le but premier de Marcel, dans la vie, est de faire en sorte que sa famille ne manque de rien. Il en tire une grande fierté personnelle, bien sûr, mais le bien-être des siens a aussi une grande importance. Et celle qui partage cette famille, justement, c'est Bernadette. Et peut-être aussi Évangéline, jusqu'à un certain point.

Je me tourne donc vers elles.

Pour l'instant, Bernadette est plus préoccupée par Laura qui n'en finit plus d'étudier et par Antoine qui, lui, veut se rendre à New York pour exposer ses toiles, que par les états d'âme de son mari.

New York !

Rien qu'à y penser, Bernadette en frémit d'inquiétude, d'autant plus que cette fois-ci, Adrien ne peut l'accompagner. Lui et la petite Michelle, ils se préparent pour un long voyage en Europe. Dès qu'il obtient le feu vert de la thérapeute qui s'occupe de la petite fille depuis son opération, Adrien s'en va. Il a besoin de recul pour prendre certaines décisions concernant leur avenir, a-t-il annoncé à Bernadette en la regardant droit dans les yeux. À ce même instant, Bernadette, elle, a baissé la tête pour qu'Adrien ne puisse voir les larmes qui montaient. Après tout, Michelle va bientôt avoir trois ans. Elle est jolie, intelligente et, quelque part dans le sud du Texas, elle a une mère qui commence à manifester un certain intérêt pour elle. Bernadette comprend qu'Adrien doive partir. Mais en même temps…

Quant à Laura, elle est une autre source d'inquiétude pour Bernadette. Après une année d'études en psychologie, alors que tout le monde croyait qu'elle allait enfin se trouver un poste d'enseignante, Laura a décidé de poursuivre dans ce domaine, au grand désespoir de Bernadette. Comment Marcel va-t-il prendre cette nouvelle, lui qui se plaint que ses enfants commencent à ressembler à des poids morts ? Entre ses nombreux voyages en direction de Québec et ses longues heures devant ses livres et cahiers, Laura n'a de temps que pour quelques heures de travail au casse-croûte.

Même Évangéline, jusqu'à maintenant très fière du talent de sa petite-fille, commence à trouver qu'elle exagère.

La présence des Gariépy, frère et sœur, y serait-elle pour quelque chose ?

C'est bien la première fois que cela arrive, mais je ne sais vers qui me tourner pour poursuivre l'écriture de ces livres. Alors, je vais plonger tête première dans leur univers. Je ne sais pas qui sera le premier personnage que je vais rencontrer, mais ce sera par lui que je vais tenter de rejoindre tous les autres.

Êtes-vous prêts ? On y va !

PREMIÈRE PARTIE

Printemps – été 1965

CHAPITRE 1

Tombe la neige
Tu ne viendras pas ce soir
Tombe la neige
Et mon cœur s'habille de noir
Ce soyeux cortège
Tout en larmes blanches
L'oiseau sur la branche
Pleure le sortilège

Tombe la neige
SALVATORE ADAMO

Montréal, mercredi 12 mai 1965

Marcel venait de reconduire jusque sur le trottoir la dernière cliente à quitter l'épicerie. Sans prendre le temps d'apprécier la douceur de l'air en cette fin de journée de printemps, Marcel revint à l'intérieur et, d'un geste vif et déterminé, il tourna le loquet pour verrouiller la porte.

Enfin ! Une autre journée finie !

Les toiles de plastique jaunâtre, que Marcel avait baissées sur le coup de midi parce que le soleil était passablement chaud, donnaient un air vieillot à son commerce. Machinalement, il prit note qu'il faudrait bien penser à les remplacer par un auvent de toile rayée, comme la plupart des commerces de la rue en exhibaient. C'était joli et pratique.

Marcel soupira.

Un jour, oui, il y viendrait, mais, en attendant, les vieilles toiles achetées des lustres auparavant par Benjamin Perrette, l'ancien propriétaire, permettaient de réduire efficacement la chaleur sans trop diminuer la luminosité. N'était-ce pas là le but premier de leur présence devant les grandes vitrines ? En plus, elles ne coûtaient rien et dans la lumière ocre qu'elles diffusaient, la poussière n'était pas visible.

Pourquoi vouloir changer ce qui, de toute évidence, était encore efficace ?

Pourtant, Marcel Lacaille aimait bien être à l'avant-garde. Bien avant tout le monde, dans son quartier, il avait acheté une télévision et une automobile flambant neuves. Et il en était très fier. À ses yeux, c'était le signe indiscutable de sa réussite. C'est pour cette même raison qu'il avait accepté que Laura aille à l'université. Une fille poursuivant des études, c'était audacieux, probablement visionnaire, comme se plaisait à le dire son ami Lionel, et Marcel aimait l'image que cela éveillait. Même s'il grognait un peu, il avait laissé Laura agir à sa guise, croyant naïvement qu'une partie de l'intérêt suscité retomberait sur lui.

Alors, jusqu'à l'an dernier, tout allait pour le mieux sous le toit d'Évangéline Lacaille. Marcel se permettait de hausser le ton régulièrement, question de rappeler que l'exagération n'était pas de très bon goût, mais dans l'ensemble, la vie familiale se portait bien. Son compte en banque aussi, surtout depuis que Bernadette avait choisi de travailler comme vendeuse Avon.

C'est à ce moment qu'il avait décidé d'acheter l'épicerie, encouragé en ce sens par Bernadette qui y voyait d'intéressantes perspectives d'avenir.

Quelle drôle d'idée d'avoir souscrit à cette vision !

Depuis ce jour, Marcel envisageait le quotidien d'une tout autre façon.

Si, pour lui-même, il rêvait toujours d'une voiture sport qui en mettrait plein la vue et d'une télévision couleur comme on commençait à en voir dans les revues américaines, pour son commerce, il ne voyait pas les choses sous le même angle.

Du bout d'un ongle, il gratta une petite déchirure sur le côté de la toile avant de reculer d'un pas.

Cette craquelure était à peine visible. Alors, pourquoi vouloir modifier ce qui était fonctionnel depuis des décennies ?

— L'an prochain, murmura Marcel en détournant les yeux. Je penserai aux toiles l'an prochain quand je ferai assez de profit. Pour astheure, ça peut encore aller. Faut que je renfloue mon compte en banque avant.

Lentement, il remonta l'allée des conserves, replaçant une boîte de macédoine, alignant correctement celles des petits pois. Puis, plus par habitude que par réel besoin, il se mit à rectifier la présentation de toutes les variétés de légumes qu'il rencontrait, repoussant d'un pouce une conserve de carottes, avançant d'un autre celle des petites fèves vertes, inversant toutes celles dont l'étiquette illustrée n'était pas en évidence.

Il arriva ainsi au bout de l'allée et se retourna pour considérer l'épicerie d'un œil critique. Ce qu'il vit aurait dû le réjouir. Pourtant, il n'en était rien.

À sa droite, le moteur du comptoir réfrigéré ronronnait doucement. Comme Marcel l'exigeait, le jeune commis qu'il avait engagé pour lui donner un coup de main avait retiré les fruits et les légumes les plus fragiles et les avait rangés dans l'arrière-boutique.

Marcel esquissa un sourire, imaginant sans peine, dans quelques années, son fils Charles qui serait là à l'aider, du matin au soir, avant d'être en mesure de reprendre le commerce à son compte. Si Marcel s'était finalement décidé à acheter l'épicerie Perrette, quand l'ancien propriétaire avait pris sa retraite, c'était en grande partie pour son plus jeune fils qu'il l'avait fait.

C'est pour Charles que Marcel avait eu l'idée un peu folle de se porter acquéreur de ce commerce.

Un jour, tout cela appartiendrait à son fils, Marcel s'en était fait le serment. Alors, qu'importe si pour l'instant, il trouvait cela difficile. Se répéter que Charles serait le bénéficiaire de ses efforts aidait à passer à travers une transition pénible. Car elle était pénible, cette transition entre le métier de boucher et celui d'épicier. Au-delà de tout ce que Marcel avait pu anticiper.

Inconsciemment, comme attiré par un aimant, Marcel tourna sur sa gauche et se dirigea vers l'arrière du magasin, tout au fond de la grande pièce, là où se trouvait la boucherie. Là où, heureux, il avait passé vingt-cinq ans de sa vie.

— Calvaire !

La nostalgie d'une époque où il s'était senti en contrôle de son existence et le vague à l'âme qui portait Marcel depuis la fermeture de l'épicerie venaient d'être balayés par un vent de colère.

Marc, le jeune boucher qui l'avait remplacé l'été dernier, n'avait pas lavé les bacs servant à disposer les coupes préparées dans le comptoir, comme Marcel lui avait enseigné à le faire. Il restait même quelques côtelettes et du porc haché derrière la vitrine.

— Calvaire d'imbécile ! Après ça, y' va se plaindre qu'y' perd de la viande pis moé, je ferai pas mes frais ! Voir que j'ai le temps de toute faire icitte, moé !

Contrairement à ces quelques mots et sans hésiter, Marcel se glissa derrière le comptoir. Il attrapa le linge mis à sécher sur le bord de l'évier. Sans même y penser, rompu à faire ces gestes qu'il avait répétés des milliers de fois dans sa vie, il humecta le linge à l'eau tiède, prit la boîte de savon désinfectant et fit coulisser la vitre qui fermait le comptoir. Après avoir retiré les deux bacs contenant encore de la viande, Marcel se mit à frotter énergiquement, canalisant ainsi la fureur qu'il ressentait à l'égard de son jeune employé.

Maintenant qu'il y pensait, Marcel se rappelait l'avoir vu quitter l'épicerie précipitamment avant même l'heure de fermeture. Il avait même remarqué, sans y porter attention sur le coup, qu'une jeune femme l'attendait en faisant les cent pas sur le trottoir.

Marcel n'avait pas son pareil pour remarquer les jolies femmes. C'est ainsi qu'il avait repéré Bernadette alors qu'il avait tout juste vingt ans.

Mais pour l'instant, il n'avait pas la tête aux jolies femmes, Marcel !

Tout en lavant les bacs à grande eau, dans le profond évier de la boucherie, il marmonnait sur sa mauvaise fortune d'homme d'affaires trop occupé pour profiter de la vie. En effet, depuis un an, il n'avait plus le temps de détailler les jolies femmes qui passaient dans la rue comme il se plaisait à le faire auparavant, sans que cela ne porte à conséquence, comprenons-nous bien. De la même façon, il n'avait plus le temps d'aller prendre une bière à la taverne Chez Phil avec ses amis Bertrand et Lionel, une ou deux fois par semaine, parfois plus, prenant plaisir, fort sérieusement, à rebâtir le monde avec eux.

En fait, depuis un an, c'est tout juste si Marcel trouvait un peu de liberté pour regarder ses chers Canadiens à la télévision, le samedi soir, et quelques heures pour laver et cirer son auto le dimanche matin. Pour le reste, depuis un an, Marcel Lacaille était épicier à plein temps et il commençait à en avoir assez !

Marcel arrêta de frotter durant un bref moment et regarda fixement devant lui.

À bien y penser, il venait de vivre la pire année de toute sa vie.

Marcel prolongea sa courte réflexion le temps de s'apitoyer sur son triste sort. Puis, la faim aidant, il haussa les épaules en soupirant. Il avait perdu assez de ses précieuses minutes à ruminer inutilement sur sa vie. De toute façon, ce n'est pas demain qu'elle allait changer. Aussi bien prendre son mal en patience ! Il était grand temps de rentrer à la maison, Bernadette allait s'inquiéter.

En un tournemain, Marcel replaça les bacs dans le comptoir réfrigéré après avoir rangé la viande déjà préparée dans le congélateur.

— Bon ! Là, ça a plus d'allure, lança-t-il en déposant la guenille tachée dans un sac de papier brun pour la remettre à Bernadette qui pourrait ainsi la laver et la javelliser avec ses chemises blanches.

Le comptoir brillait de mille feux sous la clarté blanche des fluorescents.

— Va falloir que j'y parle encore une fois, souligna Marcel, toujours à voix haute, en reculant d'un pas pour admirer son ancien domaine. Pis si y' comprend pas encore, m'en vas le sacrer à porte, le maudit Marc pas fiable ! J'aurai pas le choix, calvaire ! Je peux pas toute faire icitte, moé !

D'avoir pris cette décision et surtout de se sentir justifié de le faire, aida Marcel à se calmer.

Le temps d'éteindre toutes les lumières, de récupérer sa boîte à goûter qu'il avait laissée sur un coin de son bureau et Marcel quitta l'épicerie. Pourvu que Bernadette ait pensé à faire le spaghetti aux tomates qu'il avait demandé ce matin avant de partir de la maison. « Savoir que toutes ces tomates-là ont pas été perdues, ça ferait que ma journée aurait été pas si pire », pensa-t-il en fermant la porte à double tour.

Puis, il se tourna face à la rue.

Les ombres étaient déjà longues. Elles avaient envahi la chaussée, d'un trottoir à l'autre, ne laissant que quelques flèches de lumière pour souligner la présence des ruelles.

Marcel accéléra le pas.

Pas de doute, il devait être près de sept heures. S'il voulait avoir le temps de jouer une partie de ballon au parc avec son fils Charles, ce qui arrivait de moins en moins souvent, il devait se dépêcher, car Bernadette était intraitable au sujet de l'heure du coucher de leur plus jeune fils.

— Grouilleux comme y' est, c't'enfant-là, faut qu'y' aye des bonnes nuits de sommeil. Tu viendras pas m'ostiner là-dessus, Marcel, j'ai raison ! Ça fait que t'es revenu icitte, dans maison, avant huit heures et quart ou ben tu vas avoir affaire à moé.

Marcel tourna le coin de la bâtisse, une main au fond de sa poche pour récupérer les clés qu'il venait d'y laisser tomber par habitude.

Son Oldsmobile d'un rouge rutilant, propre à se mirer sur la carrosserie, l'attendait au fond de la cour de livraison. Dans deux petites minutes, il serait chez lui.

Par réflexe, du revers de la manche, Marcel essuya une poussière imaginaire sur la portière avant d'y insérer la clé. Puis, il se glissa derrière le volant.

Avec un peu de chance et s'il mangeait assez vite, Charles et lui auraient le temps de jouer deux parties de ballon avant l'heure fatidique du coucher !

* * *

Bernadette ne savait plus où donner de la tête.

Jamais mois de mai ne lui avait paru aussi long ni aussi chargé en émotions de toutes sortes.

Elle qui détestait être bousculée, elle avait été servie ! Tout le monde autour d'elle, d'Évangéline à Marcel en passant par les enfants et Adrien, son beau-frère, tout le monde, donc, semblait avoir trouvé une raison particulière susceptible d'attiser ses inquiétudes. Et Dieu sait que Bernadette avait une prédisposition naturelle aux inquiétudes en tous genres !

Elle n'en dormait plus, ou si peu. C'est pourquoi, ce matin au saut du lit, elle avait décidé que la journée lui appartiendrait en entier. Elle avait besoin de faire le point sur chacun de ceux qui faisaient partie de son quotidien, et ils étaient nombreux. Elle espérait seulement qu'une seule journée lui suffirait, car elle était débordée et ne pouvait se permettre de négliger sa maison plus d'une journée à la fois.

Sur le coup de huit heures, Charles était donc parti pour l'école en trimbalant, au bout de la main, une boîte à goûter pour le dîner.

— Comment ça, manger à l'école ? avait-il regimbé quand sa mère lui avait remis la boîte en fer-blanc. Tu le sais, moman, que j'aime pas trop ça manger à l'école quand y' fait chaud de même. On crève depuis quèques jours ! C'est toi-même qui passes ton temps à dire qu'y' fait chaud sans bon sens. Pis si je mange à l'école, je pourrai pas passer par le casse-croûte de Laura m'acheter un popsicle comme je fais d'habitude pour me rafraîchir.

— Justement, tu viens de le dire, avait rétorqué Bernadette en haussant les épaules avec une bonne dose d'indifférence devant les doléances de son plus jeune fils. C'est rendu une habitude pour toé, de manger un *pops* à tous les jours. Un vrai bebé gâté ! Ça va juste te faire du bien de sauter une journée. Tu vas voir ! Demain, ton *pops* va être ben meilleur que d'habitude. Pis arrête de dire que le casse-croûte est à Laura, ça m'énerve, tu sauras. Le casse-croûte au boutte de la rue, c'est celui de monsieur Albert. Ta sœur, elle, a' fait juste y travailler... quand a' l'a le temps. C'est toute. Astheure, chenaille à l'école. Tu vas être en retard.

Après s'être assurée qu'Évangéline passait toujours la journée chez sa sœur comme elle l'avait annoncé entre deux bouchées, la veille au souper, et qu'Antoine, qui traversait justement la cuisine en coup de vent, allait toujours manger chez son ami Ti-Paul, Bernadette quitta la maison à son tour.

Il était encore assez tôt. Le soleil frôlait à peine la cime des arbres et l'air gardait une certaine fraîcheur venue de la nuit.

Avant de se glisser dans sa petite voiture beige et brune dont les rondeurs caractéristiques trahissaient le passage des années, Bernadette inspira profondément, les yeux mi-clos, curieusement émue de s'offrir ces quelques heures de liberté. Elle était fébrile et excitée comme une gamine faisant l'école buissonnière.

Arrivée au coin de la rue, elle faillit cependant faire demi-tour.

Les deux mains sur le volant, profitant de ce que le feu de circulation était au rouge, Bernadette regarda à droite, puis à gauche, avant de revenir à droite.

Elle était décontenancée, presque désorientée.

En vingt-deux ans, c'était la première fois qu'elle sortait de chez elle sans avoir un but précis pour le justifier. Elle qui avait tant à faire dans une journée, elle se sentit brièvement coupable de fuir ainsi, en cachette… avant de se sentir perplexe !

Sans commissions à faire, médecin à visiter ou cliente à rencontrer, Bernadette ne savait où aller.

Un coup de klaxon, bref et impatient, la fit sursauter et elle tourna à sa droite sans plus réfléchir. C'est ainsi qu'elle se rendit, en ligne directe ou presque, jusqu'à la rue Notre-Dame.

Bernadette gara son auto à proximité de l'hôtel de ville, qu'elle reconnut facilement pour l'avoir vu régulièrement au bulletin de nouvelles quand le maire Drapeau donnait une de ses nombreuses entrevues. Avec l'Exposition universelle qui approchait, pas une semaine ne se passait sans qu'on ait l'occasion d'entendre le maire en parler. Cette exposition était sa grande fierté.

Maintenant qu'elle avait une petite idée du quartier où elle se trouvait, Bernadette sut, sans la moindre hésitation, vers où diriger ses pas.

À quelques rues d'ici, vers le sud, elle devrait avoir une vue imprenable sur le fleuve et les îles qu'on était en train d'y faire pousser.

L'idée de bâtir des îles lui avait toujours paru saugrenue et elle était heureuse d'avoir enfin l'occasion de constater, par elle-même, l'avancement de travaux que l'on qualifiait de titanesques.

Maintenant qu'elle avait trouvé un but à son escapade, Bernadette se sentit curieusement beaucoup moins coupable.

Au détour d'une rue, exactement comme elle l'avait pressenti, le fleuve fut devant elle, miroitant sous le soleil du matin. Du regard, Bernadette chercha les îles. Elle fut grandement déçue. À part quelques grues et autre machinerie lourde dans le lointain, en partie cachées par le pont Jacques-Cartier, elle ne vit pas grand-chose. Une île, faite de main d'homme ou selon la volonté du Créateur, resterait toujours une île. Par contre, le va-et-vient du port était intéressant et tout à fait nouveau pour elle. Bernadette, curieuse de nature, s'y intéressa dans l'instant.

Elle s'installa sur un banc, à l'ombre d'un gros orme.

Durant un bon moment, elle s'amusa à écouter l'effervescence qui l'entourait, à observer tous ces gens qu'elle ne connaissait pas. Du marché Bonsecours jusqu'aux quais, tout n'était que voix, appels et rires sur fond de ferraille malmenée et de moteurs bruyants.

Sollicitée de toutes parts, Bernadette prenait conscience à quel point elle connaissait peu la ville qu'elle habitait depuis près d'un quart de siècle. Hormis son quartier et ses quelques rues avoisinantes, Montréal était encore une inconnue pour elle. Le regard qu'elle posait tout autour était bel et bien celui d'une étrangère, d'une visiteuse.

La sirène d'un bateau arrivant au port enterra tout ce joyeux vacarme durant quelques secondes.

Oubliant aussitôt cette sensation déconcertante d'être en voyage, Bernadette tourna la tête vers un immense paquebot blanc, et le plaisir qu'elle avait à détailler la ville autour d'elle s'éclipsa aussitôt.

Son cœur se serra.

Dans moins d'un mois, ce serait sur un bateau comme celui-là qu'Adrien et Michelle partiraient pour l'Europe. Depuis quelques semaines, la photo du gros transatlantique sur lequel Adrien avait réservé une cabine trônait, bien collée sur la porte du réfrigérateur, pour qu'Évangéline se fasse à l'idée de voir repartir son fils aîné.

— Je le sais-tu, moé, si Adrien va nous revenir après c'te voyage-là, grommelait régulièrement la vieille dame quand elle passait devant le réfrigérateur. Comment c'est que je pourrais le savoir, rapport que lui-même le sait pas encore ? Ça me fait penser au jour où y' est parti pour la guerre. J'étais sûre que si le Bon Dieu me le gardait en vie y' reviendrait une fois que la guerre serait finie. Ben non ! Ça a pris douze ans, j'pense, pour qu'y' me revienne. Fait que de le voir partir avec sa fille pour un long voyage de réflexion, comme y' dit, ça me fait peur, Bernadette. Ben peur. Ça me tente pas que mon gars retourne dans son Texas, une fois que son voyage dans les vieux pays va être fini. Que c'est que ça donnerait de plus que Michelle rencontre sa mère ? Non, non, Bernadette, coupe-moé pas la parole. Je le sais ce que tu vas me dire à propos de Maureen pis j'ai pas envie de l'entendre. Toute ce que je sais, pour astheure, c'est que la p'tite Michelle est ben avec nous autres. Si a' l'était pas heureuse, a' rirait pas comme ça tout le temps ! Pis j'ai pour mon dire que, quand un enfant est heureux comme elle, tu changes rien dans sa vie. C'est toute.

Hier encore, Évangéline lui avait tenu pareil discours et si Bernadette n'avait écouté que les battements de son cœur, désordonnés et rapides, elle aurait soutenu inconditionnellement sa belle-mère.

Elle non plus, elle n'avait pas envie de voir partir Adrien et Michelle.

Adrien était l'homme qu'elle aimait dans le secret de son cœur depuis de longues années maintenant. Il était le père de son fils Charles et même si personne ne le savait, à part Évangéline, et qu'elle-même n'en parlait jamais, Bernadette y pensait tous les jours en se répétant que Michelle était la petite sœur de son Charles. Les voir jouer ensemble lui faisait toujours chaud au cœur.

La venue d'Adrien et Michelle avait permis d'établir une sorte d'équilibre dans sa vie. Un équilibre précaire et visible d'elle seule, un équilibre fait de silence et de non-dit, soit, mais aussi de partage d'idées et d'émotions. Cet état de choses permettait ainsi de poser un jalon bien tangible entre la relation plutôt froide qui l'unissait à Marcel et celle, plus chaleureuse et surtout autorisée aux yeux de tous, qui l'unissait à son beau-frère.

Depuis qu'Adrien était à Montréal, Bernadette avait la sensation d'être vraiment heureuse.

Alors non, bien égoïstement, elle n'avait pas envie de voir partir son beau-frère. Pourtant, depuis l'automne dernier, ses paroles proclamaient le contraire. Elle se faisait l'avocat du diable en répétant que Maureen avait le droit de connaître sa fille, d'autant plus que la lointaine mère commençait à manifester un certain intérêt.

— T'as pas le droit, Adrien, de faire comme si Maureen existait pas.

— Ah non ? Pourtant, Maureen a agi exactement de la même façon quand Michelle est venue au monde !

— C'est niaiseux ce que tu dis là. Pis ça a rien à voir avec le fait que Maureen restera toujours la mère de Michelle. Quand la p'tite est née, Maureen était malade, Adrien. Faudrait surtout pas l'oublier. Jamais. Que quèqu'un soye malade d'angoisse pis d'inquiétudes, ça vaut autant que d'être malade dans son corps.

— Je le sais.

— Ben si tu le sais, agis en conséquence, bâtard !

— Plus tard ! Quand Michelle aura fini ses traitements pis que...

— C'est juste des excuses, toute ça ! Voir qu'y a pas de spécialistes au Texas ! Attends pas que ta fille te reproche de pas avoir bougé plus vite, Adrien ! Là, c'est toé qui pourrais regretter tes hésitations.

La virulence que Bernadette mettait dans ses propos était proportionnelle à l'envie qu'elle avait de se blottir tout contre Adrien pour lui murmurer de ne jamais l'abandonner. Lui trouver des défauts permettait d'endiguer certains élans du corps qu'elle n'avait pas le droit de ressentir.

C'est pourquoi, depuis qu'elle savait qu'Adrien partait pour l'Europe afin d'être seul pour faire le point, elle était déchirée entre la satisfaction de voir qu'il tenait compte de ses avertissements et le désespoir de le voir partir loin de Montréal, accompagné de la petite Michelle qu'elle aimait comme ses propres enfants. Comme le disait si bien Évangéline: s'il fallait qu'ils ne reviennent jamais...

Un long frisson secoua les épaules de Bernadette et avant qu'elle ne se mette à pleurer, elle détourna les yeux du gros bateau qui manœuvrait pour se ranger contre le quai.

S'il n'y avait eu que le départ d'Adrien comme sujet de réflexion, peut-être bien que Bernadette se laisserait aller à sa peine de le voir partir et qu'elle permettrait aux larmes de couler. Qu'importe les passants qui se pressaient tout autour, elle avait tellement l'impression d'être dans une ville étrangère que leur présence la laissait indifférente.

Mais Adrien et Michelle n'étaient pas les seuls à susciter tristesse et inquiétude. Il y avait aussi Laura, et Antoine, et Marcel...

Un long soupir d'accablement gonfla la poitrine de Bernadette, remplaçant sur-le-champ les larmes qu'elle aurait peut-être eu besoin de verser.

Chez Bernadette, les inquiétudes avaient toujours été plus nombreuses et importantes que les tristesses et c'est probablement pour cela que le nom d'Antoine éclipsa aisément celui d'Adrien.

Antoine...

Depuis quelques mois déjà, son fils s'était mis en tête d'aller passer l'été à New York pour y travailler et tenter d'intéresser quelques propriétaires de galeries afin qu'ils exposent ses toiles.

— C'est là que toute se passe, moman!

Antoine devait revenir sur le sujet au moins deux fois par semaine depuis la fin de l'hiver.

— T'es-tu en train de me dire, toé là, que Paris ça valait rien? Que ta sœur, ta grand-mère pis moé on a vidé nos cochons pour t'envoyer là-bas pour rien?

— Ben non! C'est pas ça que j'ai dit.

— Ben c'est quoi d'abord? Pasque moé, mon gars, j'ai ben de la misère à te suivre dans ton raisonnement.

— Me semble que c'est pas dur à comprendre. Mautadine, moman, je te l'ai déjà dit! Les peintures, le monde des tableaux, comme dit madame Émilie, c'est comme si ça se passait dans un grand village. La terre entière est un grand village pour les amateurs de peintures. Ça fait que mes toiles que le monde a vues pis aimées à Paris, ceux de New York en ont entendu parler.

— Ouais? Si tu le dis, avait déclaré Bernadette, une bonne dose de scepticisme dans la voix. Pis? Que c'est ça...

— Ben le gros des acheteurs, c'est par New York qu'y' passent, avait coupé Antoine. C'est pour ça que c'est important que je...

— Voir que le monde achète des toiles juste à New York!

— C'est pas ça que j'ai dit, non plus!

— Ben moé, c'est ça que j'ai compris.

— Ben t'as compris tout croche !

— Sois poli, jeune homme ! Chus encore ta mère !

— Je le sais que t'es ma mère, voyons don ! Pis laisse don faire ! Je pense qu'on finira jamais par s'entendre !

Invariablement, les discussions avec Antoine tournaient en eau de boudin !

Invariablement, Bernadette en ressortait inquiète et tourmentée. Triste aussi, car elle était tout à fait consciente que, du petit garçon anxieux et fuyant, Antoine était en train de devenir un jeune homme capable de défendre ses idées et elle détestait avoir à lui mettre des bâtons dans les roues. Si Antoine avait eu quelques années de plus, la discussion n'aurait même pas été nécessaire !

Malgré tout cela, et sachant sans l'ombre d'un doute qu'Antoine avait toujours été un enfant raisonnable, pouvait-elle donner sa bénédiction à ce projet insensé et dangereux ?

Allons donc !

On n'envoie pas un gamin de seize ans vivre tout un été, seul, dans une ville de fous comme New York.

Où logerait-il, comment se nourrirait-il ?

Encore une fois, Bernadette n'aurait pas le choix et il lui faudrait puiser dans ses économies pour qu'Antoine puisse mener son projet à terme et par les temps qui couraient, les économies étaient moins substantielles. Avec Laura qui continuait d'étudier et l'achat de l'épicerie par Marcel…

Marcel !

Juste à imaginer la réaction de Marcel devant une telle escapade, Bernadette en avait des frissons dans le dos.

Non, pas question, Antoine n'irait pas à New York cet

été, point à la ligne! Quitte à revivre quelques mois de bouderies, Bernadette tiendrait son bout. Car c'est ce qu'il ferait sans doute, le bel Antoine! Quand quelque chose n'allait pas à son goût, il s'enfermait dans sa chambre et il boudait!

À cette pensée qui ressemblait à une prédiction de malheur, Bernadette secoua la tête. Elle se souvenait trop bien de toutes ces années où Antoine avait vécu, plus souvent qu'autrement, enfermé dans sa chambre.

En fait, il avait passé de nombreuses années à bouder dans sa chambre sans que Bernadette arrive à savoir pourquoi. Mais un fait demeurait: quelque chose avait traversé la vie de son fils. Son intuition ne pouvait s'être trompée sur ce point: un événement ou quelqu'un avait bouleversé la vie d'Antoine, Bernadette en était convaincue. Par contre, elle n'aurait pu dire ce qui était arrivé. Comme maintenant c'était chose du passé, elle ne tenait pas à le savoir. À ses yeux, cela n'avait plus la moindre importance. La vie au quotidien suffisait amplement à lui encombrer l'esprit, nul besoin de revenir en arrière pour trouver des sujets d'inquiétude ou de réflexion.

Peu habituée à rester assise et désœuvrée, Bernadette se releva et fit quelques pas sur le trottoir pour désankyloser ses jambes.

Le paquebot était maintenant bien arrimé au quai. Quelques matelots étaient en train d'installer une longue passerelle.

Bernadette tenta d'imaginer ce que serait un long voyage sur un tel bateau. « Ça doit être comme vivre un conte de fées », pensa-t-elle, revoyant mentalement toutes les belles photos qu'Adrien leur avait montrées.

Aurait-elle, un jour, les moyens de s'offrir un tel voyage ?

Bernadette ne s'attarda pas à cette question. C'était une pure perte de temps que d'essayer d'imaginer un tel voyage.

Et du temps à perdre, elle n'en avait pas !

De toute façon, pour entreprendre une traversée vers l'Europe, il faudrait d'abord et avant tout que Marcel soit d'accord et cela, c'était plutôt improbable. Avec l'achat de l'épicerie qui occupait tout son temps et l'Exposition universelle qui s'en venait à grands pas, il ne voyait pas l'intérêt d'un voyage vers l'Europe.

— Je comprendrai jamais mon frère, avait-il souligné l'autre soir en se préparant pour la nuit. Pourquoi dépenser une fortune pour aller en Europe quand toutes ces pays-là vont s'en venir icitte, à Montréal, dans deux ans ? Calvaire qu'y' est innocent, Adrien. J'ai toujours l'impression qu'y' fait les choses à l'envers. Mais on sait ben ! C'est facile de toute faire ce qu'on veut sans réfléchir pis de gaspiller sans bon sens quand c'est l'argent des autres qu'on dépense. Moé, j'ai pas le choix de travailler. Pis c'est correct de même. Je virerais fou à passer mes journées à catiner un bebé, comme y' fait. C'est une job de femme, ça, pas une job d'homme.

Bernadette n'avait rien répliqué, car, sur le sujet, elle partageait en grande partie l'opinion de son mari. Elle ne comprenait pas qu'Adrien n'ait pas envie de travailler comme tous les hommes sensés le faisaient. Aux yeux de Bernadette, il était normal qu'un homme travaille pour subvenir à ses besoins et à ceux de sa famille. L'excuse servie par Adrien pour justifier son inertie ne tenait pas. Avec Estelle, Évangéline, Laura et elle-même, la petite Michelle ne manquait ni d'amour ni d'attentions. Mais Adrien restait inflexible. Il ne trouverait d'emploi que le jour où sa fille irait à l'école, pas avant.

Cet entêtement incompréhensible faisait partie de ce que Bernadette appelait les défauts d'Adrien, et pour arriver à accepter son départ, elle se faisait un devoir de les cultiver, de les entretenir avec acharnement. C'est pourquoi, en ce moment, alors qu'elle marchait nonchalamment le long du quai, Bernadette se répéta qu'au fond, Adrien n'était qu'un paresseux. Tant mieux s'il partait pour l'été avec Michelle; il y aurait ainsi moins d'ouvrage pour elle.

Même si Bernadette était tout à fait consciente que cette façon de voir les choses était passablement biscornue, elle s'entêta à se répéter qu'Adrien était un lâche qui profitait des largesses de son beau-père.

— Pas sûre, moé, murmura-t-elle sans se soucier des passants qui lui jetaient certains regards en coin, pas sûre que le pauvre monsieur Prescott serait aussi généreux si y' voyait comment c'est que la p'tite Michelle a pas l'air d'une vraie infirme. Verrat, a' fait toute ce qu'a' veut avec ses mains, c't'enfant-là. Pis est maligne comme un singe, en plus ! A' me fait penser à Laura au même âge.

À ces mots, Bernadette poussa un long soupir contrarié. Avec Adrien, elle avait souvent l'impression de tourner en rond, comme présentement. Elle savait qu'il devait partir — l'état de Michelle le justifiait — et en même temps, elle ne voulait pas qu'il s'éloigne.

De façon délibérée, Bernadette s'efforça de chasser

Adrien de ses pensées. S'il y avait un élément de sa vie sur lequel elle n'avait aucune emprise, c'était bien Adrien et sa fille. Son beau-frère agissait toujours selon ses volontés, sans vraiment tenir compte des avis autour de lui.

— Finalement, quand j'y pense ben comme faut, Adrien pis Marcel se ressemblent en verrat. Pis pas juste dans leur allure. Dans leur manière de penser avec. Deux belles têtes de cochon, ouais… Sont ben comme leur mère !

Cette dernière remarque permit à Bernadette de reprendre le contrôle sur ses pensées et ses émotions. Même si elle aimait tendrement Évangéline, certains traits de caractère étaient plus difficiles à accepter que d'autres. Reconnaître qu'à certains égards Adrien ressemblait à Évangéline suffisait, pour l'instant, à le chasser de son esprit. L'entêtement de sa belle-mère, tout comme celui de Marcel et d'Adrien d'ailleurs, était un défaut familial que Bernadette n'arrivait toujours pas à accepter. Aujourd'hui encore, après plus de vingt ans de vie commune, les Lacaille, mère et fils, arrivaient encore à la faire sortir de ses gonds quand ils faisaient preuve de mauvaise foi.

Elle revint donc à son fils Antoine le temps de se répéter que sa décision serait irrévocable et qu'il ne partirait pas pour New York cet été, puis ses pensées se tournèrent vers Laura.

Un sourire fugace illumina son visage.

Dire que Bernadette était fière de sa fille serait un euphémisme… même si elle trouvait qu'elle exagérait un peu. Trois années d'université à inscrire sur une demande d'emploi, c'était amplement suffisant, non ?

— Oui, murmura Bernadette, cherchant des yeux un

autre banc installé à l'ombre où elle pourrait s'asseoir. Trois ans d'université, c'est ben en masse pour impressionner un boss… même si c'te boss-là est un directeur d'école.

Malgré cette évidence, Bernadette savait qu'elle ne s'obstinerait pas avec sa fille. Comme celle-ci voulait poursuivre ses études, Bernadette la seconderait. Laura était si peu exigeante ! Comment, alors, lui refuser des études qu'elle-même payait en grande partie ?

— Même si je comprends pas qu'a' l'aime l'école autant que ça, y' est pas dit que ça va être moé qui va y mettre des bâtons dans les roues, à notre Laura, murmura Bernadette en se laissant tomber sur un second banc.

Elle jeta un regard flâneur autour d'elle.

Le soleil était maintenant très haut dans le ciel, chauffant la pierre des vieux bâtiments. Les gens sur les trottoirs étaient toujours aussi pressés. Bernadette s'amusa à les détailler.

Depuis quelques années, la mode avait rapidement et diamétralement changé, et constater que de nombreuses personnes respectaient les nouveaux critères en matière d'habillement intéressa Bernadette durant un bon moment. La vendeuse de produits de beauté en elle n'était pas très loin. Les couleurs vives des vêtements rejoignaient celles de ses rouges à lèvres !

Puis, croisant son regard, deux jeunes femmes passèrent à côté d'elle en pouffant de rire.

Bernadette détourna aussitôt les yeux.

Même si elle se targuait d'être une femme à la mode, ouverte aux changements et aux nouveautés, Bernadette était mal à l'aise.

Comment pouvait-on marcher sur la rue si court-vêtus ?

La tenue des deux jeunes femmes frôlait l'indécence avec leurs jupes qui dévoilaient le genou et même une bonne partie de la cuisse. Heureusement, Laura n'avait pas souscrit à cette nouvelle mode qui avait vu l'ourlet des jupes monter de plusieurs pouces au-dessus des genoux.

Bernadette secoua la tête, soulagée. Non, vraiment, il n'y avait pas de problèmes majeurs avec Laura.

« En fait, pensa Bernadette en ramenant les yeux devant elle, le seul problème avec Laura, c'est pas elle-même, c'est Marcel. Pas sûre, moé, que ça va y faire plaisir d'apprendre que sa fille va rester un poids mort pour une autre année. Pasque c'est de même qu'y' voit ça, lui, y' me l'a dit assez souvent. Surtout depuis qu'y' a acheté l'épicerie. »

Durant une brève mais fulgurante seconde, Bernadette regretta d'avoir encouragé Marcel à acheter l'épicerie de monsieur Perrette. Avant, quand son mari était simple locataire chez Ben Perrette et qu'il n'avait que sa boucherie à gérer, financièrement parlant, tout allait pour le mieux. Au fil des années, Bernadette et les enfants n'avaient jamais manqué de quoi que ce soit, même s'ils n'avaient jamais été très riches.

Depuis un an, les choses avaient changé. Même si Marcel ne disait rien, Bernadette sentait qu'il avait peur de ne pas y arriver. Le temps qu'il passait à calculer, installé dans leur chambre, était suffisamment éloquent. L'allocation qu'il lui versait, chaque premier du mois, aussi. Si le montant baissait, Bernadette savait alors que le mois précédent avait été plus difficile que prévu.

Alors, quand Marcel apprendrait que sa fille ne lui donnerait toujours pas de pension, puisqu'elle poursuivait ses études, cela risquait de déclencher un de ses orages dont on se souviendrait longtemps.

Et cette fois-ci, Bernadette savait qu'elle ne pourrait pas compter sur le soutien d'Évangéline qui ne s'était pas gênée, l'autre jour, pour faire savoir à sa petite-fille que l'exagération n'avait jamais été une vertu.

— Trop, ma fille, c'est comme pas assez, avait-elle lancé à brûle-pourpoint alors que les trois femmes faisaient la vaisselle. Faudrait que tu te décides à faire de quoi de ta personne, Laura.

De toute évidence, Laura avait compris l'allusion puisqu'elle avait répliqué sans la moindre hésitation:

— Mais j'étudie, grand-moman! Il me semble que c'est quelque chose, ça.

— Étudier, étudier... J'ai jamais été contre, tu le sais comme moé. Mais faudrait que ça finisse par aboutir, ton affaire. À ton âge, c'est normal de travailler. Moé, à vingt et un ans, j'étais mariée, j'avais un p'tit, pis Alphonse pis moé, on construisait notre maison. T'es loin de toute ça, ma pauvre fille!

Laura avait haussé les épaules avec une certaine désinvolture.

— Aujourd'hui, c'est plus comme dans ton temps.

— Regardez-moé don ça!

Tout en répondant, Évangéline avait donné un coup de coude à Bernadette, comme pour la prendre à partie.

— C'est pas comme dans mon temps!

De sa voix rauque et d'un ton moqueur, Évangéline avait parodié Laura.

Bernadette soupira. Elle se rappelait fort bien s'être dit, à ce moment-là, que ce n'était pas bon signe.

— Une belle manière de me faire assavoir que je comprends rien, avait poursuivi la vieille dame avec humeur. C'est des phrases de même qu'on dit quand on a pus d'arguments. Chus pas née de la dernière pluie, Laura. C'est la même chose pour tes voyages à Québec.

— Comment ça, mes voyages à Québec ? Qu'est-ce que mes voyages ont à voir avec le fait que je veux continuer à…

— J'ai pas dit que tes voyages à Québec avaient un rapport avec le fait que tu veux étudier. Je dis juste qu'y' faut pas me prendre pour une imbécile.

— Ben là, grand-moman ! Va falloir que tu m'expliques parce que moi, je ne te suis pas.

Le ton montant entre Laura et sa grand-mère, Bernadette s'était bien gardée d'intervenir. À trois, les discussions viraient toujours au vinaigre. De toute façon, Laura avait la langue aussi bien pendue que sa grand-mère et elle pouvait très bien défendre son point de vue toute seule.

— Non, Laura, c'est pas moé qui vas expliquer les choses, c'est toé, avait poursuivi Évangéline tout en frottant une assiette qui devait être sèche depuis un bon moment déjà. Tu vas me dire pourquoi c'est faire que pendant des années, tu voyais la Gariépy une fois ou deux par année pis là, astheure qu'est rendue à Québec, tu veux la voir quasiment deux fois par mois. Tu sais ce que j'en pense des Gariépy, non ? Pis viens pas me parler de son p'tit, ça serait pas une excuse. J'en connais d'autres, moé, qui se sont débrouillées tuseules. Tu vois de qui je veux parler, hein ? Viarge, Laura, où c'est que t'as la tête, coudon ? Tu dis que tu veux continuer d'étudier, ça fait que tu dois ben avoir besoin d'argent, non ? Pourquoi, d'abord, au lieu de travailler, tu passes ton temps à Québec ? C'est ça que je comprends pas, pis ça m'achale ben gros de te voir aller. C'est ça aussi que je veux dire quand je parle d'exagération. Comme tu vois, le fait d'aller à Québec peut petête avoir un certain rapport avec le fait d'étudier comme tu le fais. Dans les deux cas, j'ai le sentiment que t'exagères pas mal. Ça serait-tu dans ta nature, les exagérations, coudon ? Pourtant, jusqu'à y a pas si longtemps, j'aurais plutôt dit que t'étais une fille raisonnable.

À ce moment-là, à voir ses mâchoires se crisper, Bernadette avait vite compris que si sa fille avait été moins bien élevée, elle aurait levé les yeux au ciel ou quitté la pièce sans répondre. Son impatience, son exaspération étaient visibles comme le nez au beau milieu du visage. Et Bernadette pouvait le comprendre. Il n'y avait qu'Évangéline pour ficeler une conversation de telle façon que vous vous y perdiez complètement et finissiez par dire comme elle pour mettre un terme à votre supplice. Habituellement, Évangéline réservait ce genre de discussion à son fils Marcel quand elle jugeait qu'il agissait de mauvaise foi. Cette fois-là, par contre, il semblait bien que ce serait Laura qui ferait les frais de l'humeur capricieuse de sa grand-mère, et Bernadette s'était vite doutée du pourquoi de la chose, avant même que sa belle-mère mentionne le nom des Gariépy.

En fait, les études de Laura n'avaient été que le prétexte un peu grossier pour en venir aux Gariépy, qu'Évangéline détestait à s'en confesser. Voir Laura les côtoyer aussi régulièrement, faisant même la route seule aux côtés de Bébert, le frère de Francine, devait irriter Évangéline au plus haut point. Pourtant, elle était au courant de la situation de Francine depuis de nombreux mois et jusqu'à maintenant, elle n'avait émis aucune objection. Seule avec un enfant de deux ans, Francine devait avoir terriblement besoin de la compagnie de son amie et de son frère, d'autant plus que ses parents l'avaient bannie de la maison, pour ne pas dire de la famille, et Bernadette se disait qu'Évangéline l'avait compris.

Il semblait bien que non.

Après ce que sa sœur Estelle avait vécu, conséquence de l'abandon par un Gariépy, justement, Évangéline estimait probablement que Laura en faisait trop.

— Pis ? avait relancé Évangéline devant le silence de Laura qui s'éternisait, tout en prenant une nouvelle assiette pour l'essuyer.

— Pis quoi ? Qu'est-ce que tu veux que je dise de plus, grand-moman ? T'as posé une question pis tu y as répondu en même temps.

— Juste à moitié, ma fille, juste à moitié. Essaye pas de noyer le poisson. J'ai demandé comment c'est que tu vas faire pour payer tes études l'automne prochain. Pis t'as pas répondu. Si jamais tu comptais sur moé pour t'aider, comme je l'ai déjà faite par le passé, va falloir que tu trouves d'autre chose. C'est pour ça que je t'ai dit de pas me prendre pour une imbécile. T'aider, dans les circonstances actuelles, ça serait aussi aider une Gariépy, pis ça, tu sauras, c'est au-dessus de mes forces. Tant pis pour la charité chrétienne, chus sûre que le Bon Dieu va me comprendre.

À ces mots, Laura avait redressé les épaules, une lueur de défi dans le regard.

— Crains pas, grand-moman, chus capable de me débrouiller toute seule.

— Ben tant mieux pour toé. C'est pas que je juge que tes études sont moins importantes, comprends-moé ben, c'est juste qu'y' va falloir que tu apprennes que dans la vie, y a certaines priorités, des fois. Après trois années à t'user le fond de culottes sur les bancs de ton université, je pense qu'y' serait temps de penser à travailler. Pis avec ton père qui se désâme à faire marcher son épicerie, y' serait petête temps, aussi, d'y donner une p'tite pension. Ça avec, ça serait une bonne raison pour te mettre à travailler. Toute ça pour revenir au début de notre conversation : trop, c'est pas le diable mieux que pas assez. Si tu veux continuer d'étudier, ma fille, va falloir que t'apprennes à mieux gérer ton temps pis que tu slaques un peu sur les voyages à Québec. Ça serait pas d'avance si tu retombais malade. Pis si jamais ton père chialait pasque tu commences pas à travailler tusuite, comme je viens de te l'expliquer, je pourrais comprendre son point de vue. Ça fait qu'y' faudra pas compter sur moé pour y calmer le caractère. Pas dans l'état actuel des choses.

Sur ces derniers mots, Évangéline avait lancé son linge à vaisselle sur la table et elle avait quitté la cuisine, suivie de près par une Laura ombrageuse qui n'avait rien rétorqué.

C'est pourquoi, en ce moment, Bernadette savait qu'elle ne pourrait pas compter sur sa belle-mère face à Marcel.

Bernadette poussa un profond soupir.

Il n'y avait que les Gariépy pour rendre Évangéline aussi agressive.

— Pis aussi injuste, murmura Bernadette. Voir que Laura méritait de se faire parler de même. Y a pas plus généreux que ma fille. Chus sûre qu'un jour, la belle-mère va regretter ses paroles. Mais en attendant...

En attendant, Bernadette s'inquiétait pour Laura qui, de son côté, n'avait toujours pas annoncé à son père qu'elle retournait à l'université en septembre prochain. Avec l'humeur de Marcel qui s'assombrissait de jour en jour malgré l'été qui approchait et sans le soutien d'Évangéline, Bernadette ne voyait pas comment Laura allait s'y prendre.

Hier encore, Marcel se plaignait de l'été qui commençait à peine et son humeur était plutôt massacrante.

— Pis imagine-toé don, calvaire, que le beau Marc a osé venir me parler de vacances, toé ! Des vacances, astheure ! Ça fait ben juste deux semaines qu'y' travaille dans le sens du monde en quasiment un an d'ouvrage pis y' ose me parler de vacances ! J'en prenais-tu des vacances, moé, quand j'étais boucher ? Non, j'en prenais pas, avait-il lancé en se frappant la main avec le poing, se répondant à lui-même. C'est pour les riches, les vacances, pas pour du monde comme nous autres. C'est de même qu'on pensait dans mon temps, pis c'était ben correct. Mais ça a l'air que c'est pus pareil, astheure. Je le sais pas ousque j'étais quand toute ça a changé, mais paraîtrait qu'astheure, le monde prend des vacances. Une semaine, calvaire ! Pis c'est comme rien que si je dis oui à Marc, va falloir que je dise oui à madame Légaré, ma caissière, pis à Pierre-Paul, mon jeune engagé. Que c'est que je vas devenir, moé, si je me retrouve tuseul durant une longue semaine ? Pis si je leur donne chacun une semaine différente, ben là, calvaire, c'est durant quasiment un mois que ça va aller tout croche.

Que répondre à cela ? Bernadette avait donc attendu que l'orage passe sans dire un mot.

— Pis en plus, avait repris Marcel, marchant de long en large devant la fenêtre de leur chambre, j'ai pas le choix de dire oui, sinon j'vas passer pour un sans-cœur. Paraîtrait que Jos Morin va donner des vacances à Bébert, payées en plus, pis que Martial Coulombe fait la même affaire avec ses employés de la quincaillerie. Inquiète-toé pas, Marc s'est dépêché de m'annoncer toute ça en même temps qu'y' me parlait de ses vacances à lui. Je te jure, Bernadette, que si j'avais su comment c'est que ça allait se passer, je l'aurais jamais achetée, la calvaire d'épicerie. Jamais ! Voir que j'ai les moyens de donner des vacances à mes employés !

Hier, Bernadette avait donc vu le sommeil la bouder une fois de plus, cette inquiétude supplémentaire se mêlant à toutes les autres.

Marcel parviendrait-il à s'en sortir ? Il le fallait pourtant, c'est le bien-être de toute une famille qui en dépendait.

C'est pourquoi, au réveil d'une nuit plutôt mouvementée, Bernadette avait pris la décision de s'offrir cette journée de réflexion. Malheureusement, midi venait de sonner aux clochers du quartier et elle avait l'impression de ne pas avoir avancé d'un pas.

— C'est pas vrai, analysa-t-elle à voix basse. J'ai décidé de tenir tête à Antoine pis j'vas le faire. Y' est ben trop jeune pour s'en aller tuseul à New York, un point c'est toute ! Pis j'vas même aller voir madame Émilie pour qu'a' dise la même chose que moé. À deux, on devrait être capables d'y faire entendre raison, à mon Antoine. Pis pour Adrien, je viens de décider qu'y' avait rien à faire. Quand ben même je revirerais ça dans toutes les sens, ça me regarde pas. C'est lui tuseul qui va prendre sa décision. Moé, c'est la belle-mère, mon problème ! C'est elle que j'vas ramasser à p'tite cuillère si jamais Adrien s'en allait pour de bon avec la p'tite Michelle. Pauvre Évangéline ! Je pense qu'a' s'en remettrait jamais. Des plans pour la faire mourir avant le temps... Mais on est pas encore rendus là. Ça fait que, vu de même, pour astheure, y' me reste juste Marcel pis Laura à...

Bernadette sauta sur ses pieds, le visage traversé par un large sourire qu'elle offrit au premier passant venu.

La solution aux problèmes de Marcel passait par Laura, c'était évident. Et par le fait même, celle-ci ne devrait pas avoir trop de difficulté à convaincre son père de la laisser étudier encore une année.

— Comment ça se fait que j'ai pas pensé à ça sur le coup, hier soir, pendant que Marcel me parlait ? J'aurais petête mieux dormi, Marcel avec, pis j'aurais pas perdu mon temps icitte...

Bernadette regarda tout autour d'elle, appréciant ce qu'elle voyait.

— Non ! J'ai pas perdu mon temps : j'ai réglé mes problèmes. Astheure, à maison ! J'ai un souper à préparer.

Bernadette remonta la place Jacques-Cartier d'un pas léger et vif même si le soleil tapait dur. Essoufflée, elle dut cependant s'arrêter un moment dans la rue Notre-Dame.

Impulsivement, elle se retourna pour un dernier regard en direction du fleuve.

D'où elle était, la vue était encore plus spectaculaire.

« La prochaine fois que je viens icitte, j'amène la belle-mère avec moé, pensa spontanément Bernadette. Je me demande si a' l'est déjà venue icitte… »

Bernadette inspira profondément.

« Ça doit ben, ça fait j'sais pas combien d'années qu'Évangéline vit à Montréal… Bon, à maison, astheure ! »

Bernadette eut à peine le temps de rentrer chez elle et de se changer pour préparer le repas que Laura arrivait à son tour. Elle revenait de l'université, fourbue, cheveux emmêlés et visage en sueur.

— Maudite marde qu'y' fait chaud ! Ça n'a pas d'allure ! Comment veux-tu que j'arrive à me concentrer pour faire un examen par une chaleur pareille ! C'est sûr que je vais couler !

L'éternelle hantise de Laura : échouer à un examen. Et Bernadette savait pertinemment qu'il ne servait à rien de l'en dissuader ou de l'encourager. Contredire Laura ne faisait qu'attiser sa mauvaise humeur. Bernadette se contenta donc de lui répondre évasivement, abondant dans le même sens qu'elle.

— C'est vrai que ça doit être ben dur… Pauvre toé. Va don mettre un gilet plus léger, ma belle, pis viens m'aider, ça va te changer les idées. On va se prendre un bon verre de limonade ben frette pis on va jaser tout en faisant le souper. Pour une fois qu'on est juste nos deux dans maison.

Laura regarda autour d'elle avant d'ébaucher un sourire.

— Me semblait, aussi, que c'était calme ici, fit-elle d'un ton sarcastique tout en ramenant les yeux sur sa mère. Quand grand-moman est pas là, ça paraît. Donne-moi deux minutes pour me rafraîchir, pis après, je vais venir t'aider.

Nul besoin de lui faire un dessin pour que Bernadette comprenne aussitôt que la dernière discussion que Laura avait eue avec Évangéline n'était pas encore digérée. Loin de là !

Pourtant, malgré ces quelques mots de Laura, elle esquissa à son tour un sourire malicieux. Puis, elle sortit du réfrigérateur le gros pichet de poterie, jaune acide, dont elle se servait toujours pour conserver la limonade qu'elle faisait. Un bon verre de jus aiderait à détendre les nerfs de tout le monde: ceux de Laura, visiblement fatiguée par sa journée, et les siens, toujours à vif quand elle devait avoir une discussion avec ses enfants. Car c'est exactement ce qu'elle s'apprêtait à faire: avoir une bonne discussion avec Laura.

Par contre, si tout fonctionnait comme elle l'espérait, les rancunes seraient bientôt chose du passé.

Laura avala sa limonade d'une traite, comme si elle était de retour après une longue traversée du désert. Puis, sans hésiter, elle se servit un second verre qu'elle déposa sur la table devant elle.

— Ça m'a fait du bien... Merci, moman. Maintenant, qu'est-ce que je peux faire pour t'aider ?

— T'as le choix ! Ou ben tu pèles des patates, des carottes pis du navet que j'vas faire cuire ensemble pour faire des patates jaune orange. Ou ben tu prépares des p'tites fèves vertes pis des jaunes pour aller avec.

— Tous ces légumes-là pour un même souper ? Ben voyons don, toi ! Depuis quelque temps, on dirait qu'on mange juste des légumes ici !

— C'est vrai qu'on en mange beaucoup, reconnut Bernadette en fourrageant dans les nombreux sacs avachis sur le comptoir. Mais, crois-moi, par les temps qui courent, c'est mieux ça que de jeter du manger. Le gaspille, ton père est pas capable d'endurer ça.

— Popa ? Qu'est-ce que popa a à voir avec ce que tu décides de manger ?

— Ben des choses, ma Laura, ben des choses...

Durant un instant, Bernadette se demanda jusqu'où elle pourrait aller dans ses confidences. Parler de la situation de Marcel était-elle une bonne chose, finalement ? Vouloir aider son mari sans en avoir l'air risquait peut-être de se retourner contre elle. Et contre Laura, par le fait même.

Elle continua de fouiller dans les sacs, indécise, sortit une poignée de fèves jaunes qui commençaient à brunir par les deux bouts, soupira. Puis, elle se tourna vivement face à sa fille.

— Pèle les patates pis les carottes, lança-t-elle pour gagner du temps. J'vas m'occuper du reste. Quin, prends c'te sac-là ! Pis je te ferais remarquer, ma fille, qu'on mange pas juste des légumes. Hier, on a mangé du steak haché en galettes, pis à soir, y' va y avoir du baloney grillé pour aller avec toutes nos légumes.

— Des p'tits chapeaux ! apprécia Laura, visiblement ravie. Ça fait une éternité que t'en as pas fait ! Ça va être bon.

La jeune fille avait déjà l'économe à la main et durant

un moment, on n'entendit que le cliquetis des ustensiles.

Puis, entre deux coups de couteau, Laura revint à la charge.

— T'as pas répondu à ma question, moman.

— Quelle question ? demanda Bernadette, jouant à merveille les ingénues, alors qu'en fait, elle ne faisait que ça, penser à la dernière question de sa fille, se demandant ce qu'elle pouvait lui répondre.

— Tu le sais ! J'vas dire comme grand-moman : essaye pas de noyer le poisson.

— C'est quoi, ces idées-là ! Moé ? Noyer le poisson ? Répète-la don, ta question, pour voir !

— Pourquoi t'as parlé de popa, tout à l'heure, à propos des légumes ? J'ai toujours eu l'impression que c'était toi qui décidais dans la cuisine. C'est popa lui-même qui a toujours dit que dans la cuisine, c'était toi le boss. On peut te donner des suggestions, mais à la fin, c'est toujours toi qui as décidé.

— T'as pas tort, Laura, quand tu dis ça. Pis me semble que c'est normal que ça soye de même.

— J'ai pas dit le contraire… Alors ? Qu'est-ce qui se passe ? Je ne suis plus une p'tite fille, tu sais, une gamine à qui tu peux tout cacher, moman. Je le sens bien que tout ne va pas comme avant.

— C'est vrai, t'as raison. Depuis quèque temps, les choses ont changé.

Bernadette était soulagée de voir que la conversation se plaçait d'elle-même. Laura venait de le dire : elle n'était plus une enfant et elle avait des yeux pour voir.

— Mettons que j'essaye à ma manière d'aider ton père.

— C'est l'épicerie, n'est-ce pas ?

Face au comptoir, Bernadette poussa un profond soupir, sans oser se retourner vers sa fille qui travaillait assise à la table.

— C'est l'épicerie, admit-elle enfin. T'as toute compris. Je pense que ton père trouve ça pas mal dur de gérer toute ça. C'est pas mal plusse d'aria que sa boucherie. Entécas, c'est ce qu'y' me dit.

— Pis? Qu'est-ce que les légumes viennent faire dans...

— C'est juste que ça l'enrage de gaspiller. Pis dans le fond, y' a pas tort. C'est du bel argent qui va direct dans poubelle quand t'es obligé de jeter du manger. C'est pas d'hier que je pense de même. Rappelle-toé quand vous étiez p'tits! J'ai jamais accepté des restants dans vos assiettes. Jeter du manger, quand t'es propriétaire d'une épicerie, ça doit être encore pire. C'est ben certain qu'on peut pas toute sauver, mais en attendant que ton père arrive à ben gérer son inventaire, pis ça va arriver le jour où y' va ben connaître sa clientèle, ben, le samedi soir, quand y' ferme, y' ramène à maison toute ce qu'y' pense qui sera pus bon le lundi matin. C'est pour ça, depuis un boutte, qu'on mange ben des légumes! Pis Estelle avec, crains pas! Remarque que ça a du bon. En même temps, y' nous arrive de manger des fruits que j'achetais jamais avant, rapport que je les trouvais trop chers.

Tout en parlant, Bernadette s'était retournée. Laura l'écoutait, le couteau dans une main, pointant le plafond.

— Ton père a toujours travaillé ben fort pour toutes nous autres. Y' a jamais compté ses heures. Ça fait que si je peux l'aider, d'une manière ou ben d'un autre, m'en vas le faire. Les légumes qu'on mange, c'est toujours ben ça de moins à acheter dans ma commande du vendredi. Ça permet de joindre les deux bouttes quand arrive la fin du mois.

Bernadette n'osa ajouter que c'était surtout utile les mois où Marcel lui donnait moins d'argent. À ses yeux, certaines choses n'avaient pas à être dites, surtout pas à ses enfants même s'ils étaient devenus adultes.

— Pis en plusse, ajouta-t-elle, voyant que Laura était toujours aussi silencieuse, imagine-toé don qu'hier, ton père m'a appris que…

Bien à l'aise maintenant devant une Laura fort attentive, Bernadette raconta tout ce qu'elle savait à propos des vacances des employés de Marcel, d'où l'idée qu'elle avait eue quelques heures auparavant.

— C'est de même que j'ai pensé à toé ! Si tu donnes un coup de main à ton père, durant l'été, chus sûre qu'y' va ben l'apprécier. Pis quand tu vas y dire que tu retournes à l'école en septembre, pasque t'auras pas le choix d'y dire un jour, ben ton père va être ben mal venu de dire quoi que ce soit ! Que c'est t'en penses ?

— Ça a de l'allure…

— Pas plusse que ça ?

Visiblement, Laura était ébranlée. Elle esquissa une moue, fronça les sourcils puis revint à sa mère.

— Monsieur Albert, lui ? demanda-t-elle d'une voix hésitante. Lui aussi, il compte sur moi. Ça doit faire cinq ou six ans que je travaille à temps plein avec monsieur Albert tous les étés.

— Pis ça ? Comme ta grand-mère le disait l'autre soir, faut savoir faire les bons choix dans la vie. Pis là, je pense que ton père a plusse d'importance que monsieur Albert.

De toute façon, à c'te temps-citte de l'année, c'est pas vraiment dur de trouver du monde pour vendre des patates frites pis de la crème à glace. Voyons don, Laura ! C'est ton père qui te nourrit depuis que t'es au monde, pas monsieur Albert ! L'aurais-tu oublié ?

— Ben non, voyons... Mais monsieur Albert... J'aime ça travailler avec lui, il est toujours de bonne humeur pis lui aussi, il aime que je sois là. Il me l'a dit: il me fait confiance. Tandis que popa... Chus pas si certaine que ça, moi, que popa va être content que je travaille avec lui.

Bernadette balaya l'objection du bout des doigts.

— Si je te le dis, c'est que tu peux me croire. Y' parle pas ben ben, ton père, c'est sûr, mais je le sais, moé, qu'y' est fier de sa fille. Tu vas voir ! Y' se gênera surtout pas pour faire savoir à toutes ses clientes que la p'tite châtaine en arrière de la caisse, ben, c'est sa fille pis qu'en plusse, a' va à l'université.

— Ah oui ? Tu penses vraiment que...

— Je pense pas, chus sûre, interrompit Bernadette. Y' est de même, ton père. Y' dit jamais rien. Mais ça l'empêche pas de penser, par exemple. Pis quand je dis qu'y' est fier de toé, tu peux me croire. C'est comme pour ta grand-mère.

— Grand-moman ?

Brusquement, la voix de Laura s'était durcie.

— C'est parce qu'elle est fière de moi que grand-moman m'a parlé sur un ton bête, l'autre soir ? Laisse-moi te dire qu'elle avait l'air de tout ce que l'on voudra sauf d'être fière de moi. Je l'ai jamais vue aussi...

— Oublie c'te soirée-là, Laura, interrompit Bernadette qui craignait de voir la discussion prendre une direction inutile. Chus sûre que ta grand-mère pensait pas un mot de toute ce qu'a' t'a dit. Est ben inquiète pour ses deux gars pis ça fait toute la différence dans son humeur. Si a' t'a parlé de même, c'est juste qu'a' s'imagine que si tu verses une pension à Marcel, ça pourrait régler une partie des problèmes. Mais y' est pas là, le problème. Travaille avec ton père pis tu vas voir que ta grand-mère va penser autrement. Je te gagerais même une belle piasse en argent que tes voyages à Québec seraient ben moins dérangeants, à ses yeux, si t'aidais ton père.

— Mes voyages à… Francine!

Laura lança son couteau à éplucher sur la table et leva ses bras au plafond en regardant sa mère avec impatience.

— Pas question de laisser tomber Francine, avertit-elle d'une voix sourde. Tu parlais de choix, tout à l'heure, ben Francine, c'est important pour moi. Le petit Steve est mon filleul. Comment est-ce que je vais faire pour aller voir Francine, maintenant, si je travaille tous les samedis à l'épicerie?

À ces mots, Bernadette sut que la partie était gagnée. Elle se pencha, ramassa le couteau, le replaça devant Laura et se retournant pour faire face au comptoir, elle prononça bien calmement, par-dessus son épaule:

— Ben là, Laura, tu me déçois. J'ai petête juste une neuvième année, mais ça fait longtemps que j'ai compris que si tu travailles à l'épicerie, c'est pas juste un samedi sur deux que tu vas avoir de congé. C'est toutes tes dimanches! Astheure que tu voyages avec Bébert pis qu'y' a un char, ça devrait même faire ton affaire. Non?

Un long silence embarrassé envahit la cuisine. Puis, alors que le bruit des pommes de terre tombant dans le chaudron brisait ce même silence, Bernadette ajouta :

— Bon, astheure qu'on a faite le tour de la question, que c'est tu penses de mon idée, Laura ?

— Ça pourrait avoir de l'allure, c'est certain. Je... Je pense que j'vas essayer en autant que popa me paye un peu pour mon travail. Faut pas oublier que je retourne à l'université l'automne prochain.

Le ton gardait une pointe de réticence, mais c'était peut-être normal. Apprendre à travailler avec Marcel ne serait probablement pas une sinécure.

— Ben là, tu me fais plaisir, Laura, lança Bernadette avec enthousiasme. Ben plaisir. Pis crains pas. Comme je connais ton père, y' te fera pas travailler pour rien. Comme y' dit : le travail ben faite mérite un salaire... Ouais, chus ben contente. Je savais que je pourrais compter sur toé.

Délaissant ses légumes, Bernadette s'approcha de sa fille et lui posa une main sur l'épaule.

— Ouais, tu me fais ben gros plaisir... Astheure, qui c'est qui annonce la bonne nouvelle à ton père ? Tu le fais ou ben tu préfères que ça soye moé ?

Cette fois-ci, la réponse de Laura fusa sans la moindre hésitation.

— C'est moi. Si je veux que ça donne quelque chose le jour où je vais dire à popa que je retourne à l'université en septembre, chus sûre qu'il faut que ça soye moi qui parle. Moi et personne d'autre.

CHAPITRE 2

Tous les garçons et les filles de mon âge
Se promènent dans la rue deux par deux
Tous les garçons et les filles de mon âge
Savent bien ce que c'est qu'être heureux

Tous les garçons et les filles
FRANÇOISE HARDY

Montréal, samedi 19 juin 1965

— Qu'est-ce qui se passe, Antoine? J'ai vraiment l'impression que tu n'as pas le cœur à l'ouvrage, aujourd'hui.

Un long soupir résigné fut la réponse du jeune homme qui, depuis son arrivée chez madame Émilie, était plutôt taciturne.

Soucieuse, Émilie hocha la tête tout en portant les yeux vers l'extérieur.

La grande fenêtre à carreaux qui donnait sur la cour arrière de la maison était criblée de gouttes de pluie et les arbres du jardin ployaient sous les assauts du vent.

— C'est la température qui te rend morose comme ça? demanda-t-elle, même si elle savait fort bien qu'habituellement, Antoine était peu affecté par la température. C'est vrai qu'une journée aussi sombre, c'est un peu triste, analysa-t-elle sans tenir compte du silence entêté d'Antoine. Malgré tout, il y a un certain charme à être chez soi, bien à l'abri, quand il fait mauvais comme aujourd'hui. Tu ne trouves pas ?

— Petête...

Réponse laconique, s'il en est une, accompagnée d'un second soupir, tout aussi fataliste que le premier.

Émilie, qui connaissait son élève comme s'il était son fils, savait que, par son attitude, Antoine cherchait à lui passer un message. Et pour avoir eu une longue discussion avec Bernadette, quelques jours auparavant, elle se doutait bien de quoi il retournait. Mais, pour l'instant, Émilie ne pouvait intervenir. En fait, elle n'était pas censée savoir qu'Antoine rêvait d'aller à New York puisque le jeune homme ne lui avait pas glissé le moindre mot de ses projets, et Bernadette, de son côté, lui avait expressément demandé de ne pas divulguer leur rencontre. Alors, tant qu'Antoine ne serait pas décidé à parler, il était inutile de le tourmenter. De toute façon, il n'y avait pas plus hermétique qu'Antoine Lacaille quand il n'était pas prêt à se confier. Heureusement, depuis quelque temps, Antoine avait pris de l'assurance et les mots lui venaient plus facilement. Émilie osa croire qu'il en irait ainsi aujourd'hui.

— Allez, Antoine, prends ton fusain ! ordonna Émilie, forçant légèrement son enthousiasme, question de donner le ton aux quelques heures qui suivraient. Tu es venu ici pour travailler, alors, on va travailler. Qu'est-ce que tu dirais, justement, d'essayer de peindre mon jardin ? Ce n'est pas facile de rendre tout le mouvement du vent dans les branches. De même que la pluie qui tombe, d'ailleurs. Ce serait un excellent exercice de travailler tout ça.

Retenant un troisième soupir qui aurait pu exaspérer madame Émilie, Antoine prit son fusain et, jetant un coup d'œil par la fenêtre, il dessina à grands traits l'ébauche des trois bouleaux en bosquet qui délimitaient le terrain. Depuis le temps qu'il dessinait, Antoine n'avait pas son pareil pour arriver à reproduire tout ce qu'il voyait. C'était inné chez lui. Comme il avait coutume de le dire, il avait parfois l'impression que le crayon faisait le travail tout seul.

En quelques minutes à peine, le bosquet, la platebande et le toit de la maison voisine, que l'on voyait derrière la haie, étaient fidèlement reproduits.

Ne restait plus que le mouvement à recréer.

À quelques pas, en biais juste derrière Antoine, Émilie, émerveillée, avait vu son jardin renaître sous le crayon de son élève.

Chaque fois qu'elle était le témoin privilégié de cette facilité naturelle qu'avait Antoine à reproduire tout ce qu'il voyait, Émilie était fascinée. Elle-même, reconnue comme un peintre de grand talent, n'avait pas cette aisance naturelle à manier le crayon.

Sans même lui demander son avis, Antoine avait déjà commencé à mettre du vent à travers ses arbres.

Après un bref arrêt, un court moment d'introspection, le regard d'Antoine commença à se promener en un vif va-et-vient entre le jardin et la toile. Puis, le crayon se mit à voler au-dessus du canevas, ajoutant une branche tordue, allongeant un rameau, pliant quelques ramilles. D'un trait de crayon à un autre, l'orage envahissait le paysage et on s'attendait à voir tomber la pluie ruisselant depuis les nuages gonflés et lourds qu'Antoine venait d'esquisser au-dessus des arbres.

Subjuguée, Émilie regardait les mains de son élève qui faisaient naître un orage selon son bon vouloir. Maintenant, les arbres d'Antoine ployaient comme ceux du jardin et en quelques coups de crayon, discrets et tout légers, placés en diagonale, la pluie se mit à tomber.

Alors, comme il le faisait chaque fois qu'il préparait une toile, Antoine se leva de son petit banc de bois et recula de quelques pas.

— Pis, qu'est-ce que vous en pensez, madame Émilie ? demanda-t-il après un long regard critique en direction de son dessin. Ça a-tu de l'allure, mon affaire ?

Émilie ne répondit pas. Elle était émue et triste, appréhendant, pour une première fois, le jour où Antoine ne viendrait plus chez elle. Devant le dessin qu'il venait de faire, elle comprenait qu'elle n'avait plus grand-chose à lui apprendre.

D'ici peu, l'élève dépasserait le maître.

Inquiet du silence de son professeur, Antoine tourna la tête dans sa direction.

— Que c'est qu'y' se passe, madame Émilie ? Vous avez pas l'air contente... J'ai raté mon coup ? Mon dessin est pas bon ?

Émilie resta silencieuse un court moment encore, les yeux rivés sur la toile, puis elle détourna la tête et son regard chercha celui d'Antoine.

— Bien au contraire, Antoine, bien au contraire. Ce que tu viens de dessiner, avec une telle facilité, dépasse, et de loin, tout ce que tu as fait jusqu'ici.

— Ben c'est quoi, d'abord ? On dirait que vous êtes triste.

— C'est tout simplement que je viens de prendre

conscience que d'ici peu, tu n'auras plus besoin de moi, avoua Émilie avec franchise. Alors oui, ça me rend triste. J'aime bien nos rendez-vous du samedi et...

— Pis moi aussi, j'aime ça venir chez vous, craignez pas, interrompit Antoine, avec une chaleur qui rassura Émilie. C'est quoi cette idée-là de penser que je viendrais pus vous voir le samedi matin ? C'est le fun, dessiner, quand on est pas tout seul. Chez nous, chus enfermé dans ma chambre, pour dessiner, pasque j'ai pas d'autre place pour m'installer. Avec mon p'tit frère qui dort dans même chambre que moi, vous saurez que c'est pas toujours facile. Pis je peux pas sortir ma peinture à l'huile rapport que ma grand-mère trouve que ça sent fort. Vous le savez, vous, que ce que j'aime par-dessus tout, c'est la peinture. Ça fait que vous le voyez ben que je peux pas arrêter de venir chez vous. Pas tusuite, entécas !

La longue réplique d'Antoine arracha un sourire à Émilie.

— D'accord, je vais cesser sur-le-champ de m'inquiéter pour rien, promit-elle, un brin théâtrale. Mais c'est vrai aussi que je n'ai plus grand-chose à t'apprendre. Depuis notre retour de Paris, c'est fou ce que tu as évolué vite. Déjà que tu étais bon...

— Arrêtez de dire ça, la tête va m'enfler...

Antoine observait madame Émilie avec un petit sourire malicieux.

— Non, c'est pas vrai, avoua-t-il en ramenant les yeux sur sa toile, redevenu brusquement sérieux. C'est pas pasqu'on sait qu'on est bon qu'on est prétentieux pour autant, murmura-t-il alors, tant pour lui-même que pour madame Émilie. Y a eu assez de monde à Paris pour me dire que c'était beau pour que je commence à y croire pour de bon…

Et toujours sans regarder Émilie, Antoine ajouta avec fougue :

— Je le sais, astheure, que c'est ça que je veux faire dans la vie. Rien que ça. Peindre jour après jour !

Un long silence chargé d'émotion succéda à ces quelques mots. Mais alors qu'Émilie allait l'encourager, Antoine reprit, dans un murmure qui, cette fois, ne s'adressait à personne d'autre qu'à lui-même :

— Quand ben même y aurait juste ça dans ma vie, la peinture, je pense que je pourrais être un homme heureux.

Déconcertée par ces derniers mots, Émilie n'osa demander, cependant, ce qu'ils voulaient dire. Le ton employé par Antoine suggérait fortement de ne pas le relancer. Heureusement, lorsqu'Antoine ramena les yeux sur elle, son visage était empreint d'une grande sérénité. Émilie oublia donc le malaise ressenti brièvement et elle offrit un sourire radieux à son élève.

— Je suis très heureuse d'entendre ça, Antoine ! Tu vas voir ! Il n'y a pas plus belle vie que celle dont tu parles, entourée de couleurs !

— Chus sûr de ça, madame Émilie, ben sûr ! Mais faut que ça me rapporte quand même un peu d'argent, toute ça. Chus pas du genre à vouloir être riche, comprenez-moi ben, mais faut quand même manger.

— Alors là, tu t'inquiètes pour rien ! Tu l'as entendu comme moi à Paris ! Que des compliments autour de tes toiles ! Tu as même vendu la plupart de celles qu'on avait envoyées là-bas pour l'exposition.

— Je le sais. Mais les quelques peintures que j'ai vendues à Paris ont ben juste payé mes cours avec vous pis mon matériel durant l'hiver. Y' me reste quasiment pus rien. C'est pas avec ça que j'vas pouvoir vivre un jour tout seul dans mon appartement. Pis c'est ça que je vise... le plus vite possible.

— Pourquoi ? Il me semble que tu as une bonne famille et que...

— J'ai jamais dit que j'avais pas une bonne famille, coupa Antoine, catégorique. Ça a rien à voir avec le fait que je veux partir de chez ma grand-mère. Je viens de vous le dire pourquoi ! Chus tanné en mautadine de toujours attendre d'être ici pour sortir mes tubes de couleur ! Si je m'écoutais, je lâcherais l'école, pis c'est ça que je ferais à longueur de journée ! Mais je sais ben que ma mère voudra pas que je lâche l'école tusuite. Ça fait que j'vas la faire, ma douzième année. Mais après ça, je veux pus en entendre parler... sauf si mes peintures se vendent pas, comme de raison. Chus quand même pas fou pis j'ai pas envie de manger de la misère durant toute ma vie. Si mes peintures plaisent pas au monde, je ferai d'autre chose. Monsieur Veilleux, qui demeure sur notre rue, m'a déjà dit que je ferais un bon architecte, à cause de ma facilité à dessiner. Je pense que ça pourrait toujours aller, à défaut de faire des peintures.

— C'est logique.

— Bon ! Enfin, quèqu'un qui me comprend. Mais pour ça, faut que j'aille à New York. C'est vous-même qui me l'avez dit: c'est là que toute se passe.

— Est-ce si pressé que ça ?

— Ouais, ça presse. Chus pas comme ma sœur Laura

qui passe d'une affaire à l'autre sans jamais se brancher. Moi, j'veux savoir ce qui me pend au bout du nez ! J'veux savoir, là, maintenant, de quoi ma vie va avoir l'air plus tard. Pis pour savoir ça, chus sûr, ben ben sûr, qu'y' faut que j'aille à New York.

Émilie détourna les yeux, un peu mal à l'aise à cause de ce qu'elle avait promis à la mère d'Antoine.

— C'est tout un projet dont tu parles là ! lança-t-elle enfin, tout en fourrageant dans ses crayons. Tout un projet ! On ne va pas à New York sur un coup de tête, tu sais. C'est une ville immense, un peu comme Paris. Et en plus, tout le monde parle anglais. Est-ce que tu parles anglais, Antoine ?

Le jeune homme se mit à rougir.

— Pas vraiment, mais quand même un peu. Je l'ai appris à l'école, vous saurez. Ça fait qu'y' me semble que j'vas arriver à me faire comprendre. Avec un bon dictionnaire, chus sûr de pouvoir me débrouiller. Je sais lire, quand même ! … Faites pas comme ma mère qui passe son temps à dire que chus trop jeune. Si j'étais pas trop jeune l'an dernier pour aller à Paris, chus sûrement pas trop jeune pour aller à…

— Minute, Antoine ! L'an dernier, tu n'étais pas seul. J'étais là. Et en plus, n'oublie pas que ta mère avait exigé que ton oncle Adrien nous accompagne. Sans vouloir jouer les trouble-fête, je trouve que ta mère n'a pas tout à fait tort. New York, ce n'est pas Paris. Moi, quand j'y vais, je suis toujours avec mon mari.

À ces mots, Antoine ne put retenir le haussement d'épaules qui lui vint spontanément.

— Sauf votre respect, madame Émilie, vous, vous êtes

une femme. Pis pas ben ben grosse, en plusse. Moi, c'est pas pareil. Ça fait trois ans que je fais de la musculation pis ça paraît ! En plusse, chus pas mal grand. J'ai vraiment pas d'inquiétude pour moi. Pis si moi j'en ai pas pour moi-même, j'ai pour mon dire que les autres, non plus, devraient pas s'en faire. J'aimerais pas ça désobéir à ma mère, mais c'est ce qui va se...

— Antoine !

— Bon, OK, mettons que j'ai rien dit ! Ou, si vous préférez, oubliez toute ce que je viens de dire, ça va être plusse proche de la vérité. Comme ça, vous serez pas toute revirée en vous demandant si ça serait pas mieux de prendre le téléphone pour toute raconter à ma mère. Faut pas me prendre pour un imbécile. À vous entendre parler, t'à l'heure, pas surprise une miette devant mon projet, je me doute un peu que ma mère vous en avait déjà parlé avant aujourd'hui. Pis c'est pas grave. Fallait ben que quèqu'un vous en parle un jour. Mais avouez quand même qu'entre passer un boutte d'été à faire des peintures pis essayer de les vendre à New York, là où toute se passe, selon vos dires, pis retourner comme pompiste chez Jos Morin pasqu'y' faut ben que je fasse de quoi de mes journées si je veux pas que mon père me chiale dessus, le choix est pas ben ben dur à faire. Même si je lève pas le nez sur monsieur Morin pasqu'y' m'a toujours ben payé. Me semble que je pourrais arriver à faire un peu des deux pis comme ça, tout le monde serait content.

Que rétorquer à cela sinon approuver ? C'est ce que fit Émilie sans hésiter, espérant ainsi se mériter à nouveau les bonnes grâces de son élève.

— Je peux comprendre, mais...

— Ben, tant mieux si vous comprenez, interrompit sèchement Antoine, sur un ton colérique qui était à la limite de la politesse.

Brusquement, il voulait mettre un terme à cette discussion qui ne mènerait finalement nulle part. Il avait espéré trouver une complice en la personne de madame Émilie; il s'était trompé. Ce n'est pas elle qui intercéderait pour lui auprès de sa mère. Tant pis. Il finirait bien par trouver le prétexte raisonnable, la raison inattaquable, le subterfuge infaillible qui ferait pencher la balance en sa faveur.

— Astheure, comme j'ai pus grand temps devant moi pour commencer à mettre un peu de couleur sur mon dessin, reprit-il au bout de quelques instants de silence, je pense que j'vas m'y mettre tusuite. Sinon, mautadine, ça va encore aller à la semaine prochaine pis j'vas penser à c'te fichue peinture-là durant toute la semaine. C'est pas mêlant, ça m'empêche même de dormir des fois!

Tout en parlant, Antoine s'était emparé de sa lourde mallette de bois qu'il ne trimbalait plus avec lui, en autobus, chaque samedi. Pourquoi s'embarrasser d'un tel fardeau puisqu'il ne pouvait jamais peindre à la maison?

Il sortit sa palette, quelques tubes de couleur, un large pinceau, une petite bouteille de siccatif mêlé à de l'huile de lin, comme lui avait conseillé de le faire madame Émilie, puis, sans un regard pour son professeur, sans un autre mot puisqu'il n'avait plus rien à dire, Antoine s'approcha de sa toile, déterminé à en cacher tout le blanc.

Mais, pour une rare fois, le cœur n'y était pas.

À gestes précis, Antoine se contenta donc de barbouiller le canevas avec quelques couleurs délavées et fortement diluées qui auraient largement le temps de sécher avant le cours du samedi suivant, puis, il commença à ranger tout son attirail.

— Tu pars déjà ?

Antoine haussa imperceptiblement les épaules sans répondre. Il avait le cœur lourd et il se connaissait suffisamment pour savoir que s'il ouvrait la bouche pour répondre, il risquait de se mettre à pleurer comme un bébé. Belle image pour quelqu'un qui prétendait être assez vieux pour partir seul en voyage ! Il se hâta d'inspirer profondément pour se maîtriser.

Affairée à sa propre toile, Émilie n'avait pas cherché à réengager le dialogue. De toute façon, tel que promis à Bernadette, elle avait fourni, en toute bonne foi, les arguments qu'elle connaissait et qui étaient susceptibles d'influencer Antoine. Si ceux-ci n'avaient pas suffi, ce n'était pas sa faute et elle n'irait pas plus loin. Car, au-delà de la mère en elle qui comprenait fort bien les inquiétudes de Bernadette, il y avait aussi la peintre qui, elle, approuvait sans réserve le projet d'Antoine. Le jeune homme avait raison de vouloir se mesurer au marché d'une ville comme New York, d'autant plus que pour elle, il ne faisait aucun doute qu'Antoine séduirait les amateurs tout comme les conservateurs.

Levant les yeux de son travail, elle répéta :

— Tu pars déjà ?

Puis, sans attendre une réponse qui risquait de ne jamais venir et devant l'évidence de ce que faisait Antoine, elle enchaîna :

— Moi aussi, il m'arrive de ne pas avoir envie de peindre. C'est rare, très rare, mais ça arrive parfois quand quelque chose d'important traverse ma vie... Je comprends. La semaine prochaine, ça ira mieux.

— C'est ce que je me dis, marmonna Antoine, la voix rauque, tout en finissant de nettoyer sa palette.

Un fin silence envahit la pièce durant quelques secondes. Puis, Émilie reprit d'une voix très douce.

— Antoine ?

— Ouais ?

— Je veux que tu me promettes une chose.

Antoine tournait toujours le dos à Émilie, prenant un temps infini à ranger ses choses. Sans la regarder, il répliqua :

— Je peux pas promettre quèque chose que je connais pas. Dites-moi ce que vous voulez pis j'vas vous répondre après.

— D'accord, c'est logique... Tu vas voir, ce n'est pas très difficile à promettre.

Émilie prit une profonde inspiration à son tour, espérant que sa proposition aiderait à faire oublier la déception que, de toute évidence, Antoine ressentait.

— Voilà ! Je veux que tu me promettes que, dorénavant, chaque fois que tu auras envie de peindre, tu vas venir ici. L'atelier est toujours disponible, tu sais. Pas juste le samedi.

Antoine hésita un moment avant de répondre.

— C'est ben gentil de votre part, madame Émilie. Ouais, ben gentil. Pis c'est ben certain que si je pouvais, je viendrais chez vous pas mal souvent. C'est pas l'envie qui manque, vous savez. Mais je pense pas que ça va être possible.

Antoine avait délaissé son rangement et il s'était tourné vers Émilie.

— Déjà que chus obligé de payer mes cours pis mon

matériel depuis que mon père a acheté l'épicerie de monsieur Perrette, c'est ma grand-mère qui veut ça de même, ça fait que je vois pas comment je ferais pour payer du temps en plusse pour venir peindre sur semaine. Petête que...

— Mais il n'est pas question que tu paies, interrompit Émilie avec fougue. Qu'est-ce que c'est que cette idée-là ? Je te l'ai dit: l'atelier est disponible. Avec ma famille et tout l'ouvrage que j'ai à la maison, la pièce est souvent inutilisée. Tant mieux si tu l'occupes, ça va me faire le plus grand plaisir.

— Ben là...

Visiblement, Antoine était touché par la proposition d'Émilie.

— C'est ben gentil... Je... M'en vas y penser, madame Émilie, promis, pis quand y' aura une décision de prise à propos de mon été, j'vas vous en reparler.

À ces mots, Émilie comprit que l'intention de se rendre à New York était toujours bien ancrée en lui. Elle décida, néanmoins, de ne pas relancer le débat.

— D'accord, Antoine. On en reparlera.

Antoine quitta l'atelier, l'esprit partagé entre l'enthousiasme de savoir qu'éventuellement il pourrait peindre plus souvent et la déception de se savoir désormais seul à défendre son idée d'un voyage à New York.

La pluie avait perdu en intensité. Par contre, le vent, chaud comme celui du désert, était toujours aussi déchaîné. Les arbres ployaient et craquaient sous ses assauts, les fanions de la Fête-Dieu qui avaient été oubliés sur la devanture de certaines maisons claquaient sèchement, comme une gifle sur une joue.

Antoine courba les épaules et, les deux mains dans ses poches, il se dirigea vers l'arrêt d'autobus. Il n'avait pas particulièrement envie de rentrer chez lui, mais où aller ? Son ami Ti-Paul était parti à Valleyfield, chez sa grand-mère, et Bébert devait déjà être en route pour Québec, comme Laura l'avait annoncé hier au souper.

Quand Antoine sauta en bas de l'autobus, devant le casse-croûte de monsieur Albert, les nuages dégouttaient encore faiblement comme une guenille que l'on tord. Cependant, dans son quartier où les bâtisses étaient plus hautes que chez madame Émilie et cordées serré, les unes contre les autres, le vent était moins présent. De ce fait, l'air lui sembla encore plus chaud, plus lourd.

Antoine tourna le coin de la rue bien plus par automatisme que par envie de se retrouver chez lui à ressasser son sempiternel problème. Il y avait tellement pensé depuis ces dernières semaines qu'il ne voyait pas comment il ferait pour l'aborder sous un angle différent capable de lui fournir de nouveaux arguments qui, eux, seraient susceptibles de convaincre sa mère de le laisser partir. Car pour Antoine, cela ne faisait aucun doute: s'il arrivait à convaincre Bernadette, la partie serait gagnée et personne, dans la famille, ne pourrait le retenir à Montréal.

Durant une brève et intense seconde, Antoine regretta le temps où sa grand-mère Évangéline était disponible pour écouter toutes ses confidences et se faisait complice de ses désirs. C'est grâce à elle s'il avait pu se soustraire à son ancien professeur de dessin, monsieur Romain, et s'il avait commencé à suivre des cours de musculation. C'est encore elle qui avait toujours le temps de l'écouter quand il avait besoin de se confier. Jusqu'à l'an dernier,

Évangéline avait toujours été là pour lui.

Puis, petit à petit, les choses avaient changé.

L'arrivée de la sœur de sa grand-mère, la tante Estelle, accompagnée de sa fille Angéline, tout comme celle de son oncle Adrien et de la petite Michelle, d'ailleurs, avaient modifié le cours de la vie de toute la famille Lacaille, à commencer par celle de sa grand-mère qui avait, désormais, bien autre chose en tête que les élucubrations de son petit-fils Antoine !

Elle l'avait dit pas plus tard que la semaine dernière : ce voyage à New York ne l'intéressait pas du tout !

À ce souvenir, Antoine poussa un profond soupir. Au même instant, heureuse diversion, quelques notes de musique se mêlèrent au crépitement des gouttelettes qui tombaient des arbres.

Antoine oublia aussitôt sa grand-mère et il tourna la tête en direction de la petite maison à lucarnes où habitaient Robert Canuel et son épouse, madame Anne, la musicienne, comme se plaisait à l'appeler sa grand-mère qui avait énormément d'affection pour cette jeune femme talentueuse, sœur de madame Émilie.

Antoine avait toujours beaucoup aimé cette maison ancestrale qui donnait un petit air de campagne à leur quartier. C'est même en partie grâce à une toile où il l'avait reproduite de mémoire qu'Antoine avait réussi à séduire les propriétaires de la galerie parisienne, visitée l'an dernier.

Par réflexe, le jeune homme s'arrêta. Il fixait la maison de madame Anne tout en essayant de se rappeler exactement la toile qu'il avait faite, un paysage d'hiver. Aujourd'hui, ce tableau était accroché dans un salon de l'autre côté de l'Atlantique et probablement qu'Antoine ne le reverrait jamais.

La décision de vendre la reproduction de la maison de madame Anne, alors qu'il était à Paris, lui en avait beaucoup coûté. Il avait eu l'impression de se séparer d'un ami très proche, d'un ami qu'il avait peur d'oublier au fil des années. Personne n'en avait rien su — Antoine était passé maître dans l'art de camoufler ses émotions —, mais il avait été malheureux de se départir de sa peinture. Sincèrement et irrévocablement malheureux.

C'est au matin où monsieur Gérard, le propriétaire de la galerie, avait emballé la toile pour qu'elle soit livrée qu'Antoine avait compris qu'il en serait de même chaque fois qu'il vendrait un de ses tableaux. La tristesse serait au rendez-vous, fidèle compagne de la fierté qu'il ressentait à voir qu'on appréciait son travail. Mais comme Antoine voulait vivre de son art, il n'avait pas le choix de se faire à cette idée: sa vie serait un amalgame d'émotions contradictoires et, aussi désagréable cela fût-il, il devait accepter cette perspective.

« Au moins, pensa Antoine, toujours immobile sur le trottoir, les yeux braqués sur la vieille maison, je peux voir l'original aussi souvent que je veux. Pis dans le fond, y' a rien qui m'empêche de la refaire en peinture, la maison de madame Anne. »

Cette possibilité lui fut réconfortante, en ces jours où il avait la sensation que rien n'allait à son goût. Au même instant, une échancrure dans les nuages laissa passer un rayon de soleil tristement blafard. Pourtant, Antoine esquissa un sourire, le premier depuis longtemps. À ses yeux, ce petit rayon pâlot était de bon augure.

Et brusquement, maintenant que la pluie avait cessé, la musique de madame Anne lui donna l'impression d'envahir toute la rue et de dégouliner sur lui un peu comme les gouttes d'eau l'avaient fait quelques instants auparavant.

Ce fut plus fort que lui: Antoine traversa la rue et avant de se mettre à trop réfléchir sur le geste qu'il s'apprêtait à poser, il grimpa les quelques marches qui menaient au perron de la maison de madame Anne et d'une main ferme, il frappa à sa porte.

La musique se tut aussitôt.

— Oui?

Antoine tourna la poignée et, brusquement gêné de son audace, sans dire un mot, il passa lentement la tête dans l'embrasure de la porte qu'il tenait entrouverte.

— Antoine!

Anne était déjà debout et elle venait vers lui, les bras tendus.

— Antoine! Quelle belle surprise!

Intimidé, Antoine n'osait entrer. Madame Anne lui avait toujours fait grande impression. Devant elle, il se sentait gauche, maladroit. Pourtant, il n'y avait pas plus gentil et simple qu'Anne Deblois.

— Mais entre, voyons! Si tu savais comme je suis contente de te voir. Ça fait une éternité que je n'ai pas eu de nouvelles de ta famille, à part ce qu'Émilie m'en dit.

— Pasque madame Émilie vous parle de nous autres?

Antoine était maintenant dans le salon. La chaude couleur des murs, tirant sur l'abricot, lui plaisait toujours autant et, en réponse au geste d'Anne qui l'invitait à s'asseoir, il s'installa sur le divan fleuri.

— Non, Émilie ne me parle pas de vous autres, comme tu dis, elle me parle de toi.

— Ah bon… Pis que c'est qu'a' l'a de beau à dire sur moi, madame Émilie ?

— Que des bonnes choses, Antoine, que des bonnes choses ! Comme le fait que tu as vendu pas mal de toiles, l'an dernier, quand tu étais à Paris. Pourquoi est-ce que tu ne m'en avais rien dit ? Pas un mot !

— Comme ça…

Antoine s'était mis à rougir. Il détestait être le point de mire, le centre d'attraction des regroupements comme des conversations. S'il voulait vivre de sa peinture, comme il ne l'avait jamais caché à personne, il devait bien vendre certaines de ses toiles, non ? À ses yeux, il n'y avait dans ce fait aucun sujet de conversation, aucune matière à se vanter.

Antoine se redressa.

— Si j'ai pas parlé de ça, expliqua-t-il, c'est juste que je trouvais pas ça ben ben important. Après toute, si chus allé à Paris, c'était justement pour exposer mes toiles pis essayer d'en vendre quèques-unes.

— D'accord. Mais le fait de réussir, c'est quand même quelque chose d'important, non ? C'est comme moi quand on m'engage pour une série de récitals. La musique, c'est toute ma vie et même si je ne le faisais que pour moi, je continuerais à jouer du piano. Mais il n'en reste pas moins que d'être reconnue comme pianiste de talent, c'est agréable. Un peu comme toi quand tu vends un tableau.

— Ouais, vu de même…

Antoine resta silencieux un moment. Les quelques mots échangés avec madame Anne rejoignaient intimement son fameux problème de voyage à New York. Alors, avant de se mettre à tergiverser encore une fois comme il avait malheureusement tendance à le faire trop souvent, il se jeta à l'eau et demanda:

— Je peux-tu vous poser une question ?

— Toutes les questions que tu veux ! Mais avant, on va aller dans la cuisine. C'est l'heure de ma collation.

Ces quelques mots suffirent à détendre Antoine. C'était une blague entre eux, et ce, depuis longtemps déjà. La manie qu'avait Anne de prendre une collation comme un enfant avait toujours surpris et amusé Antoine.

— Un verre de lait et des biscuits, ça te tente ?

— Comme vous voudrez, madame Anne, approuva-t-il, gourmand, tout en suivant sa voisine dans la cuisine. Comme le dirait ma grand-mère: j'ai un p'tit creux pis dans c'te temps-là, je mangerais n'importe quoi !

— Parle-moi de ça, un homme qui a de l'appétit !

Sur ce, Anne éclata de rire.

— On dirait ma mère qui parle !

Puis, avec un sourire moqueur qu'elle était la seule à comprendre, Anne ajouta:

— Tiens, Antoine, sers-toi !

Interloqué, le jeune homme n'osa demander pourquoi Anne avait dit ce qu'elle venait de dire. Le mot « homme » le fit rougir quand même un peu, tant de fierté que d'embarras, mais quand l'assiette remplie de biscuits parut devant lui, Antoine oublia tout. Anne s'installa de l'autre côté de la table et durant quelques instants, ils se contentèrent, tous les deux, de déguster les biscuits à l'avoine et aux raisins faits par son mari Robert, avait spécifié madame Anne. Biscuits qu'Antoine ne put s'empêcher de comparer à ceux de sa mère qu'il jugea sur-le-champ bien plus moelleux. Après tout, Bernadette Lacaille était la meilleure cuisinière qu'il ait connue ! Ceci, dans une curieuse circonvolution de l'esprit, l'amena à repenser à son voyage à New York puisque sa mère était à l'origine de sa déception.

Subitement, les biscuits de Robert Canuel furent encore un peu moins bons.

— Puis, qu'est-ce que tu voulais me demander ? s'enquit Anne au même instant, comme si elle avait pu lire dans ses pensées.

Antoine leva les yeux.

— C'est à propos d'un voyage que je voudrais faire cet été. M'en vas toute vous raconter ça pis après, vous me direz ce que vous en pensez.

Antoine essaya de ne rien oublier en racontant son histoire. De ses attentes et de sa perception des choses aux objections de sa mère et à celles, plus récentes, de madame Émilie, Antoine eut l'honnêteté de ne rien omettre.

— Pis ? demanda-t-il en conclusion à son long monologue. Que c'est vous en pensez, vous, de mon projet ? Trouvez-vous, vous avec, que chus trop jeune ? Des fois, j'ai l'impression que le monde voit encore un p'tit gars en culottes courtes quand y' me regarde. Mais c'est pus le cas. Avec un peu de planification pis aidé par madame Émilie qui connaît pas mal de monde là-bas, chus sûr que je pourrais aller à New York sans trop de problèmes.

New York !

Il y avait, pour Anne, tellement de souvenirs rattachés à cette ville qu'elle regarda intensément son jeune voisin sans répondre.

Elle devait avoir à peu près l'âge d'Antoine quand elle avait fui Montréal et sa mère en direction de New York. La jeune Anne de cette époque était amoureuse et l'envie de retrouver Jason l'avait poussée à cette folie.

Malheureusement pour elle, quelque chose qui ressemblait à l'enfer l'attendait au bout du long chemin.

Jason, le fils d'Antoinette, l'amie de son père, était son frère sans qu'elle le sache. Quand Anne avait enfin appris la vérité, son univers s'était effondré. Raymond Deblois, le père d'Anne en qui elle avait toujours eu une confiance absolue, lui avait tu cette réalité durant des années. En une fraction de seconde intemporelle, celle où Anne avait eu la douloureuse sensation que la terre s'écroulait autour d'elle, Raymond Deblois était devenu un étranger à ses yeux. Le complice de son enfance venait de rejoindre sa mère, Blanche, dans l'univers obscur des menteurs, des hypocrites.

Fuyant cette fois Bridgeport où vivaient son père, Antoinette et Jason, c'est à New York qu'Anne avait pleuré ses désillusions.

Si ça n'avait été de la barrière du langage, elle y serait probablement restée. Elle avait aimé l'immensité de la ville et son côté impersonnel qui convenaient à ses états d'âme. Et jamais elle ne s'y était sentie menacée. Malheureusement, elle ne connaissait personne qui aurait pu l'aider et surtout, elle ne balbutiait que quelques mots dans la langue de Shakespeare.

Ce n'était pas le cas d'Antoine. S'il partait pour New York, il le ferait probablement bardé de recommandations et nanti d'une liste d'adresses où des connaissances de sa sœur Émilie attendraient le jeune homme. Alors, dans ce cas, peu importe qu'il parle anglais ou non. Antoine trouverait sûrement un interprète chez les amis d'Émilie.

Alors, pourquoi pas ?

Anne leva les yeux vers Antoine.

— Pourquoi pas ? répliqua-t-elle, en écho à sa pensée. Avec un peu de planification, comme tu l'as dit tout à l'heure, ce serait probablement réalisable.

Le sourire que lui adressa Antoine confirma à quel point ce voyage était important pour lui. Elle-même artiste, Anne comprenait fort bien ce que cela voulait dire.

— Me semblait, avec, que c'était pas si fou que ça, mon idée, s'exclama Antoine avec un grand soulagement dans la voix.

Mais son sourire s'effaça quand il ajouta :

— Reste juste à convaincre ma mère, astheure. Pis ça, laissez-moi vous dire, madame Anne, que ça sera pas facile. Ça fait des semaines que j'essaye pis jusqu'à date, ça a rien donné.

— Et si tu en parlais à ta grand-mère ?

Anne s'était toujours bien entendue avec Évangéline. Et, jusqu'à ce jour, elle avait toujours eu la conviction que la plupart des décisions qui se prenaient chez les Lacaille devaient passer par elle. Mais sa proposition fut accueillie par un regard sombre qui en disait long sur l'inutilité d'une telle démarche.

— Alors ? demanda-t-elle devant le silence d'Antoine qui n'avait toujours pas répondu à sa proposition.

Le jeune homme soupira d'un air accablé.

— Ma grand-mère ? Pensez-y même pas, madame Anne. Depuis un boutte, est redevenue pas parlable, comme avant. Je sais pas si c'est le fait que mon père a acheté l'épicerie Perrette qui la rend de même, mais c'est ben depuis c'te temps-là qu'a' l'a changé.

Anne haussa les épaules, sourcils froncés, essayant de trouver une excuse à la vieille dame qu'elle aimait beaucoup.

— Ça l'inquiète peut-être. C'est toute une décision que d'acheter une grosse épicerie comme celle-là.

— C'est sûr, reconnut Antoine. Mais c'est pas en étant de mauvaise humeur tout le temps ou presque que ça va aider les choses à se placer, j'en suis sûr. Pis en plusse, y a mononcle Adrien qui s'en va passer une partie de l'été en Europe pour réfléchir à son avenir, comme y' dit. Ça avec, ça doit inquiéter ma grand-mère. Peut-être encore plusse que l'épicerie à mon père. Je sais pas ce que ma grand-mère ferait si jamais mononcle Adrien décidait de retourner vivre au Texas. A' s'en remettrait pas, je pense ben. Fait que, mon idée d'aller à New York, avec toute ce que je viens de vous dire, mettons que ça laisse ma grand-mère pas mal frette. A' l'a d'autres choses à penser qu'un voyage niaiseux à New York. C'est de même qu'a' m'a dit ça.

— Pas très encourageant.

— Comme vous dites.

Quelques instants de silence planèrent sur la cuisine d'Anne Deblois alors que l'on entendait quelques oiseaux qui s'étaient remis à chanter dans le jardin, maintenant que la pluie était chose du passé.

— Et si j'essayais quand même de lui parler ? proposa la jeune femme. Jusqu'à maintenant, ta grand-mère m'a toujours écoutée avec attention. Si je lui fais part de tes intentions, bien calmement, il me semble qu'elle va en tenir compte.

Antoine haussa les épaules.

— Vous pouvez ben y parler, pis ça serait pas mal gentil de votre part d'essayer, c'est sûr, mais je pense pas que ça va donner grand-chose. Mais si jamais vous décidez de le faire pareil, vous pourrez y dire, à ma grand-mère, que ça y coûterait pas une cenne. J'ai déjà toute arrangé ça avec monsieur Morin, le garagiste. Je travaillerais pour lui durant tout le mois de juillet pour me ramasser assez d'argent pour partir. Monsieur Morin a promis de me donner ben des heures d'ouvrage. Mais ça, j'ai jamais pu l'expliquer à ma mère, rapport qu'a' me laisse jamais finir de dire ce que j'ai à dire pis j'en ai pas parlé non plus à madame Émilie, rapport qu'elle non plus a' semblait pas ben chaude à mon idée.

Une telle planification prouvait deux choses : Antoine tenait vraiment à ce voyage et avec le sérieux qu'il y mettait, il avait la maturité nécessaire pour l'entreprendre.

— Vu sous cet angle et avec tout ce que tu viens de me dire, je ne vois pas pourquoi on t'empêcherait d'aller à New York, analysa Anne à haute voix. Je vais donc parler à ta grand-mère. Après tout, ça ne coûte rien d'essayer !

— Ah ça, c'est sûr !

— Chose réglée ! Je suis justement un peu moins prise depuis quelque temps. Donne-moi une semaine et on s'en reparle.

— Ben merci… merci ben gros.

Il y avait beaucoup d'enthousiasme dans la voix d'Antoine. Et du soulagement aussi. À un point tel qu'Anne se sentit obligée d'ajouter :

— Attends de voir comment ça va tourner, tout ça, avant de me remercier. J'ai juste dit que j'allais parler à ta grand-mère. Je n'ai aucune idée de ce qu'elle va me répondre.

— Ben vous y direz, à ma grand-mère, que j'ai allumé un lampion à Saint-Jude.

— Un lampion à Saint-Jude ?

— Ouais, c'est le patron des causes désespérées. Si a' l'apprend que j'y ai allumé un lampion, ma grand-mère va sûrement comprendre à quel point c'est important pour moi d'aller à New York pis petête qu'a' va vous écouter avec plusse d'attention. Avec elle, vous saurez, madame Anne, que ça nuit jamais de mêler le Bon Dieu à nos affaires. Jamais.

* * *

Au même instant, quelque part entre Montréal et Québec, Laura et Bébert se dirigeaient vers la demeure de Francine qui ne s'attendait pas à leur visite.

C'était le seul moyen qu'ils avaient trouvé pour peut-être — et chaque fois qu'ils en parlaient, ils mettaient l'accent sur ce *peut-être* — arriver à surprendre Jean-Marie, le nouvel ami de Francine, qui, d'une visite à l'autre, avait toujours mille et un prétextes pour ne pas les rencontrer.

Les manigances duraient depuis la Saint-Sylvestre, alors que Francine avait organisé une belle soirée où Jean-Marie Gravel devait rencontrer, pour une première fois, son frère Robert et sa meilleure amie, Laura.

Jean-Marie ne s'était jamais présenté.

Pire, il ne s'était même pas décommandé.

Ce n'est que deux semaines plus tard que Laura avait

appris qu'apparemment, Jean-Marie avait eu un petit accident de travail. Où travaillait-il ? Francine l'ignorait. Qu'avait-il eu au juste ? Francine l'ignorait pareillement.

— Peut-être une sorte d'empoisonnement, avait hasardé Francine. Pasque moé, j'ai rien vu d'un accident. Mais si Jean-Marie dit qu'y' a eu un problème à sa job, c'est sûrement qu'y' a eu un problème à sa job. Si j'y demandais des détails, j'aurais l'air de pas le croire pis ça serait insultant pour lui.

Ceci avait fait dire à Laura, alors qu'elle revenait à Montréal par une fin de journée glaciale de janvier, en compagnie de Robert, que ce curieux Jean-Marie ne lui inspirait pas confiance.

— Il me fait penser à Patrick, tiens. Lui non plus, finalement, Francine ne le connaissait pas beaucoup, même si elle le fréquentait depuis quelques années et qu'il est le père de son fils Steve.

— J'ai toujours pensé ça, moé avec, avait opiné vigoureusement Bébert. Je te l'ai déjà dit, Laura : ma sœur a' l'a besoin de se savoir aimée. Pis pour ça, sacrifice, on dirait ben qu'est prête à se fier au premier venu.

— Je n'ai jamais aimé me mêler des affaires des autres, avait poursuivi Laura. Jamais. Mais là, c'est pas pareil. Il n'est pas dit que Francine va se faire avoir encore une fois et que toi et moi, on va rester les bras croisés à la regarder se faire du mal. Je l'aime beaucoup, mon filleul, pis jamais j'irais dire que Francine a fait une erreur de le garder. Mais pas question qu'elle revive ça une seconde fois, par exemple.

— Ben d'accord avec toé, Laura.

C'est pour cette raison que Laura s'était mise à faire la

route de plus en plus souvent entre Montréal et Québec, en compagnie de Bébert, au grand désespoir d'Évangéline qui ne voyait pas d'un très bon œil la fréquentation de deux Gariépy par sa petite-fille. Malheureusement, jusqu'à maintenant, d'une fin de semaine à une autre, d'un prétexte à une excuse, d'un souper raté à un pique-nique remis, Jean-Marie Gravel avait toujours réussi à briller par son absence.

Juin était bien entamé, et Bébert comme Laura n'avaient toujours pas rencontré le fameux Jean-Marie.

— C'est pas normal, analysa Laura alors que le pont de Québec se profilait enfin devant eux, c'est pas normal que cet homme-là ait toujours quelque chose à la dernière minute quand on est à Québec, toi et moi. C'est automatique.

— C'est vrai, pis ça m'inquiète, tu sauras. Connaissant ma sœur comme je la connais, ça m'inquiète ben gros, renchérit Robert.

— Mais en même temps, poursuivit Laura tandis que Bébert, sourcils froncés, négociait avec prudence le long rond-point qui accueillait les visiteurs sur la rive nord du Saint-Laurent, je suis très mal à l'aise d'arriver comme ça, sans prévenir. Maudite marde ! J'ai l'impression de jouer à la police pis j'aime pas ça pantoute.

— Penses-tu que je trouve ça plus le fun que toé ? Sacrifice, Laura, te rends-tu compte ? C'est de ma sœur qu'on parle, icitte ! À l'âge qu'est rendue, pis avec un p'tit en plusse, Francine devrait pas avoir besoin d'être *watchée* de même. Par bouttes, j'ai l'impression qu'est encore une p'tite fille.

— Je me dis régulièrement la même chose.

— Mais Francine, c'est Francine.

— En effet.

Laura et Robert plongèrent, chacun pour soi, dans une réflexion silencieuse qui les mena jusqu'au boulevard Langelier.

Quand elle aperçut le coin de la rue Notre-Dame-des-Anges, là où habitait Francine, Laura tourna un regard inquiet vers Bébert.

— Qu'est-ce qu'on dit pour justifier notre présence ?

— Ça, tant qu'à moé, c'est pas trop dur. On a juste à dire qu'y' faisait mauvais à Montréal pis comme on avait chacun une journée *off*, on a décidé de venir voir notre filleul.

— Ouais...

— T'inquiète pas, Laura, une excuse de même, c'est sûr que ça va passer. Francine est tellement contente d'avoir de la visite qu'a' se posera pas trop de questions. Non, moé, ce qui m'inquiète, c'est de savoir ce que j'vas dire si jamais son Jean-Marie était là. Chus même pas sûr que j'ai envie d'y voir la face, sacrifice ! Comment c'est que j'vas faire pour trouver quèque chose à y dire, astheure...

— Tant qu'à ça...

Bien que les nuages les aient suivis depuis Montréal, la pluie n'était pas encore arrivée à Québec. Par contre, le ciel plombé laissait entrevoir que cela ne devrait pas tarder. Robert coupa le contact et ouvrit sa portière en poussant un long soupir d'inconfort devant la chaleur étouffante qui stagnait sur la rue. Il jeta un regard anxieux sur la maison de Francine, se demandant ce qui l'attendait de l'autre côté de la porte. Les fenêtres grandes ouvertes laissaient supposer qu'il y avait quelqu'un à la maison.

— J'espère juste que si y' est là, le Jean-Marie, c'est quèqu'un de parlable, murmura Bébert en lançant un regard en coin à Laura. Pasque si c'est pas le cas, je me connais assez pour savoir que si je pogne les mouches, ça sera pas beau à voir.

Alarmée, Laura posa une main légère sur le bras de Bébert.

— Non, Bébert ! On est pas ici pour faire la chicane. On est venus voir Francine sans la prévenir pour essayer de comprendre ce qui se passe pis pour l'aider en cas de besoin. C'est tout... Si t'es pas sûr de te contrôler, laisse-moi passer en premier. Je vais frapper un coup sur sa porte et entrer sans attendre qu'elle me réponde. C'est toujours comme ça que je faisais quand j'allais la voir chez vous. Comme ça, si Jean-Marie est là, il n'aura pas le temps de se sauver par en arrière comme on a l'impression qu'il a fait la dernière fois qu'on est venus.

— Tu penses ?

Malgré la visible réticence de Bébert, Laura fit comme elle avait dit. Un coup bref contre le battant et elle passait aussitôt la tête dans l'embrasure de la porte qu'elle venait d'ouvrir. D'où elle était, personne ne pouvait quitter la maison sans qu'elle le sache. La porte arrière était au bout du corridor, droit devant elle.

— Coucou ! C'est moi !

Il y eut quelques bruits provenant de la cuisine, une chaise que l'on repousse, de la vaisselle entrechoquée, une voix étouffée. Mais alors que Laura s'attendait à voir Francine venir vers elle, heureuse de cette visite imprévue, ou à tout le moins s'entendre interpellée depuis le fond de l'appartement, ce fut un homme qui parut dans son champ de vision.

Jean-Marie était là.

— Laura, n'est-ce pas ?

Ni préambule ni surprise. Jean-Marie avançait déjà dans le corridor, sortant de l'ombre qui occupait en permanence la cuisine sombre de Francine. Il avait la main tendue.

— Il était temps que l'on se rencontre, vous ne trouvez pas ? Francine m'a tellement parlé de vous que j'ai l'impression de déjà vous connaître.

Interloquée, décontenancée par une situation qui ne ressemblait pas du tout à ce qu'elle s'était imaginé, Laura avança lentement tandis que Francine, toute souriante, paraissait à son tour, le petit Steve pendu à son cou. À deux pas derrière Laura, Bébert fixait Jean-Marie d'un regard critique, ne sachant encore s'il allait aimer ce curieux beau-frère aux cheveux et à la barbe déjà grisonnants.

— Enfin, lança Francine, de toute évidence ravie de la situation. Laura, Bébert, je vous présente Jean-Marie.

Puis, alors que ce dernier se tournait brièvement vers elle, Francine ajouta avec un bel enthousiasme :

— C'est Laura pis mon frère Bébert, Jean-Marie ! Tu vas voir qu'y' sont fins pis que t'avais pas raison d'avoir peur de les rencontrer.

Ces derniers mots firent sourciller Laura à l'instant où elle crut percevoir une légère hésitation dans le regard de Jean-Marie qui était revenu face à elle.

Avait-elle raison de craindre l'influence de cet homme

qui pourrait être leur père ? Ou n'était-ce qu'une fausse perception découlant d'une inquiétude injustifiée ?

Néanmoins, pour faire bonne figure, Laura prit la main tendue et la serra avec chaleur. Si cet homme était celui que Francine avait choisi, autant être dans ses bonnes grâces si elle voulait apprendre à le connaître.

L'instant d'après, c'est Bébert qui tendait la main.

Jean-Marie partagea un café avec eux le temps d'une politesse. Puis, il prit congé.

— Le travail ! Vous savez ce que c'est, lança-t-il en repoussant sa chaise.

Laura aurait bien voulu savoir, justement, ce qu'il faisait comme travail pour devoir les quitter aussi rapidement un samedi en début d'après-midi, mais Bébert la devança.

— Ouais, j'sais ce que c'est, le travail, approuva-t-il en opinant vigoureusement de la tête. Des fois, moé, c'est le samedi qui est ma journée la plusse occupée de la semaine.

Sur ces mots, Bébert se leva à demi pour tendre la main à Jean-Marie.

— Ben content d'avoir fait votre connaissance, Jean-Marie. Ouais, ben content. Comme ça, quand ma sœur va me parler de vous, m'en vas être capable de mettre une face sur le nom !

À ces mots, Jean-Marie détourna brièvement la tête pour fixer Francine, assise au bout de la table, puis il revint à Bébert qui attendait, la main tendue dans le vide.

— Comme ça, Francine vous parlait de moi ?

De toute évidence, Jean-Marie n'avait pas l'intention de prendre la main que Bébert lui tendait amicalement.

Se sentant un peu ridicule, ce dernier se rassit gauchement tout en expliquant :

— Ben ouais, des fois... C'est normal, non ? Moé avec, chus de même. Quand j'apprécie quèqu'un, ça me fait plaisir d'en parler à mes amis.

Tandis que Bébert semblait vouloir rattraper la conversation avec Jean-Marie malgré le léger affront qu'il venait de subir, Laura, de son côté, fixait Francine qui, d'un petit geste nerveux du bout des doigts, triturait quelques miettes de pain restées sur la table. De loin, on entendait le babil du petit Steve qui jouait dans sa chambre. Le geste de Francine, volontaire ou pas, cessa dès que retentit le rire de gorge de Jean-Marie.

— Bien sûr ! répliqua-t-il enfin à Bébert tandis que Laura avait la sensation bien réelle que l'atmosphère se détendait subitement. Vous avez raison. Moi aussi, je parle de ma belle Francine à mes amis...

Du regard, Jean-Marie survola la cuisine et tous ceux qui s'y trouvaient.

— Et maintenant, je m'en vais.

Ni salutation particulière pour Bébert, ni regard vers Laura, ni même un geste d'intimité ou une parole affectueuse à l'égard de Francine dont il venait de dire qu'elle était SA belle Francine. Jean-Marie était déjà dans le couloir menant à la porte d'entrée.

Quand elle entendit la porte se refermer, peut-être un peu plus vigoureusement qu'il ne l'aurait fallu, Laura attendit quelques instants, puis elle se tourna vers son amie. Elle soutint son regard, sourcils froncés, avant de murmurer, comme si elle sentait réellement le besoin de parler à voix basse :

— Tu parles d'un drôle d'énergumène !

Ce fut comme si elle venait de gifler Francine. Cette dernière se leva si brusquement que sa chaise en tomba à la renverse. Le fracas alerta son fils qui arriva en courant dans la cuisine, l'air inquiet.

— T'es encore tombée, maman ? Tu t'es fait bobo ?

Âgé de deux ans maintenant, le petit Steve parlait de plus en plus couramment, au grand soulagement de Francine qui s'inquiétait à tout propos pour son fils. La jeune mère esquissa un sourire rassurant pour le bambin et le réconforta de quelques mots, puis elle revint à Laura.

— Bon ! Ça fait pas encore, fulmina-t-elle.

La voix de Francine trahissait une vive impatience.

— Que c'est que t'as, coudon, toé ? poursuivit-elle sur le même ton. On dirait que t'es jalouse, Laura Lacaille.

— Moi ? Jalouse ? Mais de quoi, maudite marde ?

— Du fait que j'arrive à me faire des chums pis pas toé.

— Pardon ? T'oses me dire que…

— Sacrifice, les filles ! interrompit Bébert, constatant que le ton montait dangereusement. Vous pensez pas que…

— Toé, Robert Gariépy, mêle-toé pas de ça !

Quand Francine appelait son frère par son prénom, c'est qu'elle était très en colère ou qu'elle jugeait que la situation était sérieuse. Pour l'instant, il y avait un peu des deux.

— Ce qui se dit icitte, ça regarde Laura pis moé. Un point c'est toute. En attendant que je te fasse signe, prends don ton filleul pis va jouer avec lui dans sa chambre. Laura pis moé, on n'a surtout pas besoin de tes commentaires.

Bébert ne se le fit pas dire deux fois. Prenant le petit garçon par la main, il se dirigea aussitôt vers le corridor.

— M'en vas faire encore mieux que ça ! lança-t-il pardessus son épaule, vexé de se faire exclure de la discussion. M'en vas aller le promener dehors, mon filleul. Pis comme y' fait chaud en s'y' vous plaît, m'en vas y payer un cornet de crème à glace. Pis j'vas m'en prendre un, moé avec. Tant pis pour vous autres. On se revoit t'à l'heure.

La porte claqua sur ces derniers mots. Francine, qui n'attendait que ce moment, se retourna vivement vers Laura.

— Astheure qu'on est tuseules, tu vas vider ton sac une bonne fois pour toutes.

— Vider mon sac ? J'ai rien à dire, Francine Gariépy, à part le fait que je trouve que Jean-Marie est un drôle de moineau. Y a pas de quoi en faire toute une histoire. Je comprends pas que tu sois remontée comme un cadran à ressorts juste pour ça !

— Juste pour ça, comme tu dis, c'est beaucoup pour moé, tu sauras.

— Ben tu vas m'expliquer ça, parce que moi, je ne comprends pas.

— Bonté divine, Laura ! Pourquoi c'est faire qu'y' faut toujours que je t'explique toute ? Tu le sais que je trouve ça dur d'expliquer les choses. Chus pas comme toé ou ben Jean-Marie pour trouver facilement les mots.

— Parce que Jean-Marie trouve facilement les mots, lui ?

— T'as pas remarqué ? Y' parle comme toé, avec un bon parler français, comme disaient les sœurs du couvent.

— Non, j'ai pas remarqué, répliqua Laura sur un ton

acerbe, rapport qu'il n'a pas beaucoup parlé, ton Jean-Marie. J'ai plutôt eu l'impression qu'il nous observait, Bébert et moi.

— C'est normal, non ? C'était la première fois qu'y' vous rencontrait.

— Raison de plus pour se faire connaître, pour échanger toutes sortes de choses. À moins qu'on ait des choses à cacher pis que…

— Des choses à cacher !

Les deux bras au plafond, Francine considéra Laura en soupirant. Puis elle rabattit bruyamment les mains sur la table.

— Que c'est que tu vas inventer là, ma pauvre Laura ? Y' a rien à cacher, Jean-Marie. Rien pantoute. C'est juste qu'y' a connu pas mal de choses difficiles dans sa vie, pis ça l'a rendu réservé, c'est toute.

— Ah oui ? Réservé ? Mettons… Tu dois le connaître mieux que moi. Mais tu m'enlèveras pas de la tête que Jean-Marie a l'air d'un homme pas mal compliqué. Il me fait penser à Patrick.

Francine leva les yeux vers Laura et soutint son regard durant un bref moment sans parler. Puis, elle se détourna et recommença à jouer avec les miettes de pain.

— Non, murmura-t-elle enfin. Jean-Marie ressemble pas à Patrick, tu sauras. Pas pantoute, à part de ça. Lui, au moins, y' veut toute savoir de ma vie. Pis j'aime ça. Pis comme y' est plusse vieux que moé pis qu'y' a plusse d'instruction, y' me donne des conseils pour un peu toute dans mes affaires, pis ça avec, j'aime ça. Fait que, viens pas me dire en pleine face que Jean-Marie ressemble à Patrick. Lui, c'est ben juste si y' savait ousque je demeurais.

Mal à l'aise, Laura se releva sans répondre et porta sa tasse de café refroidi à l'évier.

Et si Francine avait raison ? Après tout, elle ne savait rien de ce Jean-Marie, sauf qu'elle trouvait qu'il avait le regard fuyant et que ça l'indisposait.

« Belle attitude pour quelqu'un qui veut devenir psychologue », songea-t-elle, sarcastique, tout en rinçant sa tasse.

Puis, elle revint s'asseoir devant son amie et tout doucement, elle posa sa main sur son bras.

— D'accord, Francine. Tu dois mieux le savoir que moi si Jean-Marie est gentil ou pas.

— Il est gentil, crains pas, Laura. Exigeant sur toute, mais gentil. Pis c'est ben correct de même. J'ai besoin de quèqu'un comme Jean-Marie pour m'aider à devenir meilleure. Astheure que j'ai un p'tit, j'ai pas le choix d'être la meilleure.

Laura n'osa demander d'où venait cette maxime douteuse ; elle s'en doutait. La pression de sa main sur le bras de Francine se fit plus forte.

— Promets-moi juste une chose, Francine. Si jamais ça n'allait pas comme tu le souhaites, tu m'en parles.

— Mais pourquoi voudrais-tu que…

— Pour n'importe quelle raison, Francine, interrompit Laura qui n'avait surtout pas envie de justifier sa demande.

Elle n'allait toujours bien pas avouer qu'elle n'aimait pas l'attitude de Jean-Marie. Son impression était fondée sur de bien minces assises pour espérer avoir une discussion valable sur le sujet.

— On sait jamais ce que l'avenir nous réserve, se

contenta-t-elle de dire. Rappelle-toi Patrick pis tu vas comprendre ce que je veux dire. Si un jour tu n'es plus heureuse, pour n'importe quelle raison, répéta-t-elle alors, je veux que tu me le dises. À moi ou à Bébert, si tu préfères. On sera toujours là pour toi... Maintenant, tu vas me montrer où se trouve le casse-croûte le plus proche. C'est à notre tour de se payer la traite. J'ai chaud à mourir... On pourrait peut-être partager un popsicle à deux bâtons, comme on faisait dans le temps ?

À la mention de ce souvenir d'enfance, Francine leva la tête vers Laura qui la regardait en souriant. Comment pouvait-elle, parfois, la croire mesquine ? Il n'y avait pas plus généreux que Laura.

— OK, approuva Francine en se relevant. T'as une bonne idée pasque j'aime toujours ça autant, les popsicles. Pis pour une fois, c'est toé qui décides de la sorte... J'espère juste que tu te rappelles que moé, c'est aux cerises que je préfère.

Les deux jeunes femmes quittèrent la maison en riant, bras dessus bras dessous.

CHAPITRE 3

Elle était si jolie
Que je n'osais l'aimer
Elle était si jolie
Je ne peux l'oublier
Elle était trop jolie
Quand le vent l'emmenait

Elle était si jolie
ALAIN BARRIÈRE

Montréal, lundi 12 juillet 1965

C'est à peine si Bernadette avait fermé l'œil de la nuit.

Et la chaleur n'y était pas pour grand-chose malgré la canicule qui durait depuis plus d'une semaine maintenant.

Soulagée de voir que Marcel partait très tôt pour l'épicerie, dès qu'elle entendit la porte de la cuisine se refermer sur lui et sachant qu'elle n'avait plus à faire semblant, Bernadette ouvrit les yeux et se glissa à son tour hors du lit.

Elle se fit un café très fort, noyé dans le lait pour le tiédir, et sans faire de bruit, elle s'installa sur le balcon avant de la maison, d'où elle pouvait admirer le soleil qui se levait lentement derrière les arbres de la rue.

À l'avance, elle savait que la journée serait à la fois très longue et pénible mais aussi beaucoup trop courte.

Demain, avant que midi sonne au clocher de l'église du vieux curé Ferland, elle serait déjà partie pour reconduire Adrien et la petite Michelle au port afin qu'ils embarquent à bord du bateau qui quitterait Montréal en direction du Havre. De là, Adrien descendrait tout le long de la côte française, en auto de location, pour rejoindre l'Espagne, puis le Portugal où Gabriel, un peintre ami de la famille Deblois, les attendait pour quelques semaines de vacances.

Après...

Le cœur battant la chamade, Bernadette regarda tout autour d'elle, comme si elle était à l'affût de quelque chose.

Après le voyage d'Adrien, après ce temps de réflexion dont il disait avoir besoin, après l'été qui serait à la fois trop long et trop court...

Après...

Cela faisait des semaines que Bernadette butait sur ce mot.

Les yeux brillants de larmes, elle fixa la cime du gros arbre qui poussait près du trottoir devant la maison d'Évangéline, voyant sur le bleu du ciel un avenir improbable qui se dessinait et s'effaçait, capricieux.

Bernadette secoua la tête pour faire mourir les images.

La rue était calme. À une heure aussi matinale, le ronronnement habituel de la circulation qui provenait du bout de la rue se résumait à un bruit de moteur ou de freinage occasionnel. Le chant des oiseaux avait envahi tout l'espace sonore, sur fond de feuillage délicatement secoué par la brise.

Une journée parfaite pour être heureux.

Pourtant, Bernadette avait l'impression de ne jamais avoir été aussi malheureuse qu'en cet idyllique matin d'été parce qu'un jour, bientôt, il y aurait cet *après* inconnu qui la terrorisait.

Car, lorsque ces quelques semaines de vacances que prendrait Adrien seraient finies, personne ne savait ce qui se passerait. Pas plus Adrien que Bernadette ou Évangéline.

— On verra, m'man. On verra.

C'était la réponse laconique, toujours la même, qu'Adrien servait à sa mère quand celle-ci revenait sur le sujet.

— Viarge que tu peux me faire choquer, toé, des fois ! Voir que t'as pas une p'tite idée sur ce que t'as envie de faire après ton voyage dans les vieux pays.

— Non, m'man. Je n'ai pas la moindre idée de ce que je veux faire. De ce que je dois faire, devrais-je plutôt dire. Parce que ce n'est pas en pensant à moi que je dois prendre ma décision, mais bien en pensant à ma fille.

— Je sais toute ça, mon gars. Pis c'est toute à ton honneur de penser de même, va pas croire le contraire. Mais c'est justement en pensant à la p'tite Michelle que moé, ta mère, je te dis que tu serais petête mieux de rester icitte avec nous autres. Du moins pour astheure. Un enfant, tu sauras, ça a besoin de sécurité pis d'amour. C'est pas moé qui le dis, c'est le docteur de la p'tite Michelle. Hein, Bernadette, que c'est ça qu'y' dit, le docteur Leclerc ? Ça fait que c'est pour ça que je te dis de rester icitte pour encore un boutte. De la sécurité pis de l'amour, ta fille a' l'a toute ça icitte, avec nous autres.

— Je ne dis pas le contraire.

— Ben que c'est t'attends, d'abord, pour la prendre, ta maudite décision ?

— J'attends d'être bien certain de moi et de tout ce que ça implique... C'est pour ça que je vous réponds qu'on verra. On en reparlera à mon retour quand j'y verrai plus clair.

— Quand j'y verrai plus clair ! Pour moé, c'est clair comme de l'eau de roche, ton affaire. C'est ben pasque tu veux pas regarder comme faut, mon pauvre garçon, que tu dis que t'as encore besoin de temps.

Les jours où avaient lieu cette discussion sans issue, Évangéline était d'humeur massacrante. Même sa visite à madame Anne, la semaine dernière, n'y avait rien changé. Elle était revenue de chez la musicienne encore plus grincheuse qu'à son départ. Pourtant, habituellement, la musique avait le don de l'apaiser, de la détendre. Pas cette fois-là.

— Pis demande-moé pas comment ça s'est passé, Bernadette, avait-elle fulminé en entrant dans la cuisine à la suite de sa brève visite chez leur voisine, pasque je te répondrai rien d'autre que là avec, c'était juste un paquet de troubles qui m'attendaient. Comme si le départ d'Adrien pis l'épicerie de Marcel suffisaient pas à m'occuper l'esprit, viarge ! Astheure, ma fille, tu vas m'excuser, mais j'ai pas envie de parler.

Sur ces quelques mots on ne peut plus obscurs aux yeux de Bernadette, Évangéline avait regagné sa chambre en claquant la porte derrière elle, geste qui était plutôt rare de sa part. Par la suite, même avec une diplomatie d'ambassadeur, Bernadette n'avait jamais pu apprendre ce qui s'était dit ou passé chez madame Anne pour susciter une telle agitation.

Devant l'entêtement de sa belle-mère, elle était donc passée à autre chose. Et comme le départ d'Adrien se précisait à une vitesse vertigineuse, il occupa très vite toutes ses pensées.

Et voilà qu'on y était. Demain, à pareille heure, les valises s'empileraient dans le vestibule d'Adrien et le compte à rebours aurait commencé.

Comment allait-elle survivre à cet été, sachant qu'Adrien, loin d'elle, avait peut-être déjà pris une décision qui bouleverserait leur vie à tous, ici à Montréal ?

Comment survivre à l'humeur capricieuse de son mari si Adrien n'était pas là pour la seconder, pour l'encourager ?

Bernadette n'en avait pas la moindre idée.

Pourtant, elle n'aurait pas le choix de continuer comme avant, une journée après l'autre, s'occupant de ses enfants et de ses clientes. Voyant à la maison et aux repas, au lavage et aux courses. Soutenant Évangéline et sa sœur Estelle qui auraient bien besoin d'elle à la suite du départ d'Adrien, bien sûr, mais aussi de la petite Michelle qui ensoleillait leurs journées. Se souciant de Marcel dont elle devrait continuer de soutenir le moral, qui allait en dents de scie depuis un an, fluctuant au rythme des entrées d'argent à l'épicerie. Bernadette avait toujours dit que la plus grande qualité de son mari avait été de voir adéquatement à sa famille ; il ne fallait surtout pas que cela change. Sinon…

À cette dernière pensée, Bernadette échappa un long soupir, s'agita sur sa chaise, reporta les yeux au bout de la rue.

La vie du quartier reprenait lentement. Les passants

étaient plus nombreux, les voitures aussi. Elle vit le camion de la procure du mari de madame Anne reculer lentement dans la rue. De toute évidence, Robert Canuel avait l'habitude de commencer ses journées très tôt. Bernadette en fut surprise. Elle avait toujours cru qu'un commerce bien établi, comme la procure de son voisin, demandait moins d'énergie. Cette constatation assombrit son regard.

En serait-il de même pour Marcel et son épicerie ? Un long cheminement parsemé d'ouvrage et d'inquiétudes, sans répit ?

Puis, le temps de se demander pour la énième fois ce qui avait bien pu se passer l'autre jour quand Évangéline était allée chez madame Anne, et Bernadette voyait le camion de Gérard Veilleux quitter le quartier à son tour. Entrepreneur en construction, lui aussi attaquait les journées de bonne heure. Bernadette pensa alors à Marie, l'épouse de Gérard Veilleux. Peut-être bien que cette amie sincère, qu'elle visitait trop rarement, l'aiderait à passer à travers un été qu'elle voyait long comme une journée sans pain.

Derrière elle, Bernadette entendit enfin les bruits habituels de sa famille qui s'éveillait. Dans quelques instants, il y aurait quelques cris d'impatience quand Laura ou Antoine s'emparerait de la salle de bain avant l'autre, puis Évangéline leur crierait, depuis son lit, de mieux s'entendre entre eux, sinon ce serait elle qui occuperait la toilette tellement longtemps qu'ils regretteraient de s'être chicanés pour quelques minutes d'attente. Pendant ce temps, Charles aurait envahi la cuisine avec ses innombrables projets pour la journée et ses désirs bien arrêtés sur le menu de son déjeuner. Heureusement, au bout d'une heure étourdissante, ses trois enfants seraient tous partis et Bernadette pousserait le premier ouf! de soulagement de la journée. Laura et Antoine ne reviendraient qu'à l'heure du souper, de retour de l'épicerie pour Laura et du garage de Jos Morin pour Antoine. Quant à Charles, il passerait l'avant-midi chez un ami ou un autre, à moins qu'ils se soient donné rendez-vous au parc, et il ne reviendrait que pour dîner.

Habituellement, c'est à cette heure qu'Évangéline et Bernadette prenaient un café ensemble, alignant suffisamment d'idées intelligentes pour améliorer le sort de l'humanité tout entière. Ensuite, Évangéline descendait chez sa sœur ou chez Adrien, et Bernadette vaquait à ses occupations ménagères, l'après-midi étant essentiellement consacré à son travail de vendeuse Avon.

Mais pas aujourd'hui.

Bernadette leva les yeux au ciel pour une ultime prière.

Si Dieu le voulait bien, cet après-midi, Bernadette et Adrien auraient droit à un long moment d'intimité. Peut-être durant la sieste de Michelle. Peut-être plus tard, juste avant le souper, au moment où Évangéline et Estelle prenaient le thé. Ou peut-être plus tôt, quand les deux vieilles dames partaient en promenade. Qu'importe. Bernadette n'avait besoin que d'un moment, seule avec lui, pour faire provision de tendresse et d'écoute. Qu'un moment en tête-à-tête pour peut-être lui fournir le prétexte indiscutable qui ferait en sorte que sa décision soit plus évidente, plus facile à prendre.

Savoir que Charles était son fils ferait peut-être pencher la balance en faveur de Montréal.

Peut-être.

C'est ce que Bernadette se répétait depuis de longues semaines.

Pourtant, elle s'était faite l'ardent défenseur d'un retour au Texas pour que Maureen et Michelle puissent enfin faire connaissance. Elle y croyait toujours. Mais entre un départ définitif et des visites régulières, il y avait un univers de différences qui changeaient tout. Bien égoïstement, Bernadette optait pour la seconde voie. Même avec la meilleure volonté du monde, elle ne pouvait se résoudre à vivre le reste de sa vie sans Adrien. Sa seule présence dans le petit logement du rez-de-chaussée avait suffi à métamorphoser le cours de ses journées. Savoir qu'Adrien était là, à portée de voix, permettait de voir la vie différemment.

Et il y avait Michelle qu'elle aimait comme si elle était son enfant. Que la petite fille vive au bout du monde, sans possibilité de retour autre qu'une visite occasionnelle, lui était insupportable. Elle avait eu des mois pour se faire à l'idée, se répétant à l'infini que Maureen avait le droit d'avoir Michelle à ses côtés, mais c'était peine perdue. Bernadette n'arrivait toujours pas à se raisonner et ce n'était pas faute d'avoir essayé. C'est pourquoi, aujourd'hui, elle allait enfin avouer à Adrien que Charles était son fils.

Bernadette s'était toujours dit qu'elle parlerait à Adrien quand le bon moment serait venu. Elle jugeait que ça serait aujourd'hui.

Tant pis pour les conséquences. Évangéline était bien au courant de cette vérité et cela n'avait rien changé au cours de leur vie, n'est-ce pas ? Bernadette se répétait qu'il en irait de même avec Adrien. Pour la paix dans leur famille, Adrien ne dirait rien. Il aurait cependant une bonne raison de vouloir passer la majeure partie de son temps à Montréal.

Sur un dernier soupir, Bernadette se releva. Depuis la cuisine, elle entendait Charles qui l'appelait.

Qu'elle le veuille ou pas, la journée commençait.

Durant l'avant-midi, Bernadette eut l'impression de vivre une course folle d'un logement à l'autre, coincée qu'elle était entre les inquiétudes d'Évangéline, les recommandations d'Estelle et les demandes d'Adrien.

L'heure du repas, arrivé comme à l'improviste, ne vit que quelques hot-dogs déposés à la va-vite sur la table, au ravissement de Charles qui en profita largement. Il adorait les repas sans légumes !

Aussitôt le petit garçon parti rejoindre ses amis, nanti d'un gros vingt-cinq sous pour régaler tout le monde de popsicles, la course reprit.

Un dernier lavage, un bouton à recoudre, une incursion à la cave pour retrouver ce chandail mystérieusement disparu, une visite éclair à l'épicerie pour dénicher tout ce qu'il fallait afin de préparer un repas digne de ce nom sans y passer le reste de la journée...

— Calvaire, Bernadette ! T'as-tu le feu aux fesses ?

— Ça ressemble à ça, Marcel ! T'as-tu deux menutes ? J'aimerais que ça soye toé qui me tranche du jambon. Y' a juste toé qui le fais juste comme on aime, à maison.

Le sourire de Marcel, en réponse à cette demande, ajouta à la confusion de Bernadette.

Adrien, Marcel...

Elle quitta l'épicerie en se répétant qu'aujourd'hui,

toute la place était pour Adrien. Demain et pour le reste de l'été, il n'y aurait que Marcel.

Puis, alors que Bernadette se désespérait de voir le temps filer aussi vite sans qu'elle ait pu parler à Adrien, la tempête s'apaisa. Tandis que tout le monde se trouvait dans la cuisine d'Estelle, les deux vieilles dames annoncèrent qu'elles partaient en promenade pour se calmer les nerfs, comme le précisa Évangéline. Épuisée, la petite Michelle s'était endormie sur le divan du salon.

Le silence qui succéda au départ des deux sœurs fut déroutant. Bras ballants, Bernadette regarda autour d'elle, le cœur battant, cherchant le prétexte, le mot qui permettrait d'entamer le dialogue.

Elle n'eut pas à chercher longtemps. Alors qu'elle pivotait sur elle-même, l'esprit désespérément vide, Adrien parut dans l'embrasure de la porte. Il tenait Michelle dans ses bras.

— Viens, Bernadette, viens chez moi. Je vais déposer Michelle dans son lit et je te rejoins dans la cuisine.

Dans la cuisine…

Sans jamais en avoir parlé entre eux, c'était toujours dans la cuisine qu'Adrien et Bernadette se retrouvaient. Chez elle ou chez lui, peu importe. La cuisine était la pièce la moins compromettante. Cette pièce de la maison ne se prêtait pas aux effusions, aux familiarités menant à autre chose que cette belle complicité platonique qui existait entre eux depuis presque trois ans.

Assis de part et d'autre de la table, l'intimité entre eux se résumait à une main qui s'égare pour retrouver celle de l'autre.

Mais Bernadette n'eut pas le temps de se tirer une

chaise qu'Adrien était déjà là. Sans lui laisser le temps de parler ou de réagir, il l'enlaça et la tint tout contre lui, longtemps. Bernadette ne put résister et elle s'abandonna dans les bras de l'homme qu'elle aimait depuis tant d'années maintenant. Tant pis pour la confidence, elle viendrait plus tard quand Adrien s'éloignerait d'elle. C'est alors que, d'une voix rauque, Adrien glissa à son oreille :

— Je t'aime, Bernadette. Vivre à tes côtés est à la fois un bonheur de tous les jours et un combat de tous les jours à l'idée de ne pas pouvoir te toucher. Je t'aime comme je n'ai jamais aimé aucune autre femme. Je n'ai rien à dire de plus pour que tu comprennes que si je décide de rester ici, ce sera à cause de toi. Mais si je décide de partir, tu sauras aussi que c'est à cause de toi.

Prenant alors le visage de Bernadette entre ses mains, Adrien plongea son regard dans le sien. Il y avait tellement de désespoir dans l'azur des yeux qui la fixaient intensément que Bernadette sut qu'elle ne parlerait pas. Ça aurait été malhonnête de le faire. Alors, elle ne dirait rien. Son secret, finalement, elle le garderait jusqu'à son dernier souffle.

C'est en se répétant ces quelques mots que Bernadette comprit que c'était beaucoup mieux comme ça. Tant pour Adrien que pour Charles.

Et pour Marcel aussi.

Il y eut un instant d'hésitation chargée de toute cette peur en eux de ne pas pouvoir se retenir puis, tremblantes, leurs lèvres se rapprochèrent spontanément.

Adrien et Bernadette fermèrent les yeux en même temps et durant un moment intemporel, ils furent seuls au monde, seuls avec leur amour impossible. Leurs corps tremblaient, leurs mains se caressaient malhabilement par-dessus les vêtements tandis que l'un comme l'autre, ils avaient la douloureuse sensation que ce baiser qui s'éternisait en était un d'adieu.

* * *

La vie étant ce qu'elle est, à savoir, un éternel recommencement, le départ d'Adrien semblait avoir un peu moins d'importance. Du moins, c'est ce qu'en pensait Marcel alors qu'il arpentait les allées de l'épicerie comme il le faisait maintenant tous les matins, à l'aube, avant que les employés arrivent.

Mais qui aurait pu lui en vouloir de sentir les choses de cette façon ?

Cela faisait plus de deux semaines qu'Adrien et Michelle étaient partis et hier, au souper, sa mère lui avait demandé des nouvelles de l'épicerie, ce qu'elle n'avait pas fait au cours des deux derniers mois. Cela voulait dire quelque chose, non ?

Lui qui avait toujours pensé que ce voyage était ridicule commençait à apprécier le fait que son frère soit loin.

Et si Adrien avait choisi de s'éloigner par étapes ? Un premier départ et une absence de quelques semaines, pour habituer les gens à vivre sans lui, puis ensuite viendrait le grand départ vers le Texas. Tout le monde aurait ainsi la chance de se faire à l'idée tout doucement. Si c'était le cas, alors Marcel trouverait que ce n'était pas si fou que cela de s'en aller visiter l'Europe.

Bernadette aussi semblait se porter beaucoup mieux. Elle n'avait plus les yeux pleins d'eau quand on prononçait le nom de Michelle devant elle et au moment de se coucher, hier soir, elle avait constaté à haute voix qu'elle avait l'impression d'avoir un peu plus de temps à elle.

— Ça doit être pasque notre petit Charles vieillit, avait-elle conclu dans un long bâillement.

Marcel s'était bien gardé de la contredire, même si pour lui, il ne faisait aucun doute que l'absence d'Adrien et Michelle y était pour quelque chose. Après tout, depuis trois ans qu'Adrien habitait Montréal, Bernadette passait de longs moments dans l'appartement d'en bas, presque tous les jours. Adrien et Michelle absents, tout ce temps lui était maintenant dévolu.

— Tant mieux, murmura Marcel en regagnant la petite pièce en retrait du magasin qui lui servait de bureau. Astheure, on va pouvoir s'occuper de notre vie à nous autres, calvaire ! C'est ben beau la parenté, mais faut quand même s'occuper de nos propres enfants d'abord.

Et pour s'occuper des siens, Marcel débordait de projets depuis quelque temps.

Il avait cependant l'honnêteté de se dire que l'arrivée de Laura comme employée avait facilité bien des choses et ouvert des horizons jusque-là interdits. Vive et débrouillarde, sa fille remplaçait à elle seule deux employés comme madame Légaré, sa caissière, et Pierre-Paul, son jeune commis.

Et les clientes semblaient l'adorer.

— Je comprends astheure pourquoi c'est faire que monsieur Albert voulait pas te laisser partir, avait-il blagué avec elle après seulement deux jours de travail derrière la caisse. Tout le monde a l'air de t'aimer. Pis j'ai remarqué, avec, que t'avais toujours un sourire pour remercier les clients de venir magasiner chez nous. C'est bon pour la bizness, ça. Ben bon.

Peu habituée à entendre des compliments venant de la part de son père, Laura en avait rougi.

Puis, en début de semaine, Marcel avait remis ça.

— Je sais pas comment tu fais, mais en plusse de tenir la caisse sans avoir une cenne d'erreur, tu vois aux fruits pis aux légumes. J'sais pas si je me fais des accroires, mais me semble que les allées sont mieux tenues, depuis un boutte. Chus ben fier de toé, ma fille, ben ben fier.

Cette fois-là, Laura avait viré à l'écarlate.

— C'est juste que j'aime ça, travailler ici, avait-elle finalement avoué sans ambages.

— C'est ben vrai, ça ?

— Oui, c'est vrai. Je pensais jamais que ça serait comme ça, mais c'est un fait. Ici, j'ai l'impression d'avoir moins de routine qu'au casse-croûte. J'aime ça. Entre toi et moi, je commençais à en avoir assez de faire de la vaisselle !

Marcel s'était rengorgé comme un paon.

— Ben là, tu me fais plaisir.

En entrant chez lui, ce jour-là, Marcel s'était fait un devoir de tout répéter à Bernadette.

— T'avais raison, calvaire ! Notre fille Laura, c'est quèqu'un de pas mal débrouillard. Je pense que je commence à comprendre pourquoi c'est faire qu'a' l'étudie de même. Quand t'as de la jarnigoine, faut que ça serve à quèque chose.

Depuis ce jour, sans en parler à qui que ce soit, il s'était mis en tête d'utiliser ce potentiel à bon escient. Après tout, sa fille ne lui avait-elle pas dit qu'elle aimait travailler à l'épicerie ?

Il allait donc lui donner l'occasion de pouvoir le faire à satiété. Il utiliserait le bon vouloir de tous les siens. Celui de Laura, bien sûr, mais celui de toute sa famille aussi.

— Comme les Steinberg, calvaire ! Après toute, on est pas plusse niaiseux qu'eux autres.

C'est pourquoi, depuis une semaine, au moment où il faisait sa ronde dans l'épicerie, avant l'arrivée des employés, Marcel se surprenait à rêver d'une chaîne de magasins.

— Pas cinquante, quand même ! Juste trois ou quatre, avec toute ce qu'y' faut pour plaire aux clientes. Ça serait le fun en calvaire !

Alors, tous les matins avant l'arrivée des employés, Marcel se réfugiait dans la chambre froide de la boucherie et là, en compagnie d'un ou deux quartiers de viande, il faisait des calculs. Invariablement, il arrivait au même résultat.

— Dans un an, calvaire ! Dans un an, si toute continue de même, on serait petête capables d'envisager quèque chose. Pis, comme ça, on pourrait garder notre argent dans famille, calvaire, au lieu de la donner à des étrangers. Fini les employés qui passent leur temps à chialer pis qu'y' veulent des vacances.

Parce que dans son projet, bien évidemment, Marcel incluait vraiment tous les membres de sa famille. Ça commençait avec Laura, bien sûr, mais Antoine aussi serait sollicité. Quand il aurait compris qu'un avenir de quêteux l'attendait avec la vente de quelques peintures, il serait heureux de se joindre à eux.

— Y' va ben finir par comprendre, calvaire ! Pis Bernadette va m'aider, ça c'est certain. Astheure qu'a' connaît ça, la comptabilité, pis qu'a' l'a un peu de temps de lousse, c'est sûr que Bernadette pourrait me donner un bon coup de main. Pis quand on serait ben établis, a' pourrait même lâcher ses rouges à lèvres.

Pourquoi pas ?

Comme il avait déjà rêvé d'une maison bien à lui, cachant ses espoirs un peu fous au fond d'un réfrigérateur à viande, aujourd'hui, Marcel rêvait d'une chaîne de magasins.

— Le temps de faire des profits, analysa-t-il en jetant un dernier regard à ses calculs qui étaient à la limite du réalisme. Astheure que je sais mieux gérer mon stock, ça devrait pas tarder. Quand ça va être faite, j'en parle à Bernadette. Pis à la mère, comme de raison. On sait jamais. A' l'a petête encore des réserves dans son bas de laine. Ça pourrait petête l'intéresser de s'associer avec moé. Pis la tante Estelle avec, ça pourrait l'intéresser. A' passe son temps à se lamenter qu'a' trouve le temps long. A' pourrait petête tenir la caisse. Avoir une chaise roulante, ça peut pas nuire à une job de même. Ça pourrait même être ben vu des clientes.

Marcel referma le cahier de ses projets d'un coup sec, le cœur en joie, et se dépêcha de le cacher au fond d'une filière, là où il le reprendrait demain matin avant de s'enfermer dans la chambre froide.

Lentement mais sûrement, son projet prenait forme.

— Bon ! Les commandes, astheure. Ça serait le fun que toute soye prêt pour lundi matin. Avec la chaleur qu'y' fait, cet été, j'ai quasiment pus de crème à glace. Je me demande si un peu de variété dans les saveurs, ça serait pas une bonne idée ? C'est ben beau la vanille pis la napolitaine, mais j'ai vu l'autre jour…

Attrapant la grande feuille blanche remise par le laitier, Marcel se pencha et du bout du doigt, il se mit à suivre la longue liste des produits offerts en se disant que c'est sa mère qui devrait faire l'achat des produits laitiers.

— A' l'aime tellement ça, la crème à glace… Aux fraises des champs… c'est nouveau ça.

Pendant ce temps, sous le toit d'Évangéline, l'habituelle routine du matin recommençait.

— Antoine Lacaille ! Tu le fais exprès ou quoi ? Faut que je parte plus tôt ce matin. J'veux parler à popa.

— Deux menutes, Laura ! J'achève.

— Grouille ! J'ai envie pis faut vraiment que je parte.

Debout devant la porte de la salle de bain, Laura trépignait. Devant l'attente qui se prolongeait, impatiente, elle donna un bon coup de poing sur la porte.

— Envoye, maudite marde, ouvre la porte.

C'est alors qu'un peu plus loin dans le couloir, la voix d'Évangéline s'éleva. Il fallait s'y attendre. Dès que l'échange matinal entre Laura et son frère comptait plus de trois répliques, elle intervenait.

— Ça suffit, vos deux ! On est samedi matin, viarge ! Y' aurait-tu moyen de dormir icitte ? Un mot de plusse pis c'est moé qui va la prendre, la maudite chambre de bain. Vous allez voir c'est quoi…

— C'est beau, grand-moman !

Antoine sortait justement au même instant et il avait entendu sa grand-mère.

— Pas besoin de te lever. Chus sorti. Tu peux te rendormir.

Puis se tournant vers sa sœur, tandis qu'on entendait Évangéline marmonner dans sa chambre, il ajouta à mi-voix :

— Mautadine, Laura ! Tu le savais que je partais de bonne heure, à matin, moé avec. T'avais juste à venir au p'tit coin avant.

— Ben j'avais pas envie avant, tu sauras ! Tasse-toi que je passe... Mais j'y pense... Comment ça se fait que tu pars de bonne heure comme ça, toi ? Un samedi en plus !

— Si t'avais écouté au souper hier, au lieu d'avoir le nez fourré dans ton livre, t'aurais entendu qu'à matin, c'est moé qui ouvre le garage. M'sieur Morin est parti chez sa sœur à Trois-Rivières pis Bébert a une commission ben importante à faire avant de se pointer à l'ouvrage.

— Une commission ?

Curieuse, Laura en avait oublié qu'elle avait une terrible envie quelques instants auparavant.

— Quelle sorte de commission ? demanda-t-elle sourcils froncés, surprise de voir que Bébert avait des secrets pour elle.

Depuis le temps qu'ils faisaient la route ensemble entre Montréal et Québec, elle pensait tout savoir de son voisin. Brusquement, elle se sentit vexée.

Passant devant elle, Antoine haussa les épaules.

— T'es ben curieuse, Laura Lacaille ! Je le sais-tu, moé, c'est quoi sa commission ? J'y ai pas demandé pasque ça me regarde pas. Tu y demanderas toé-même, à Bébert, si c'est si important que ça pour toé... Astheure, bonne journée, faut que je parte, chus déjà en retard.

Quelques instants plus tard, toujours obsédée par cette histoire de commission, Laura dévalait l'escalier qui menait au trottoir.

Arrivée au coin de la rue, de l'index replié, elle frappa

deux petits coups secs contre la vitrine du casse-croûte. Monsieur Albert leva les yeux et la salua d'un grand sourire auquel Laura répondit joyeusement par un geste amical de la main. Puis, ce petit rituel respecté, Laura poursuivit son chemin, se questionnant toujours sur cette fameuse commission qui amenait Robert Gariépy, le mécanicien passionné, à manquer quelques heures d'ouvrage, un beau samedi matin, alors qu'il disait le plus sérieusement du monde que le samedi matin, justement, était peut-être le moment de la semaine où il était le plus occupé.

C'est en traversant la rue devant l'épicerie que Laura arriva enfin à faire abstraction de Bébert et de sa mystérieuse commission, se rappelant brusquement pourquoi, ce matin, elle tenait tant à être à l'épicerie avant les autres employés.

Un petit spasme lui creusa l'estomac.

Pourtant, la relation avec son père était plutôt bonne depuis qu'elle travaillait avec lui. Elle avait découvert un homme persévérant et passionné par son travail. Cela lui plaisait grandement. En un certain sens, elle se reconnaissait en lui.

Même acharnement, même conviction, même besoin de réussite...

Par contre, Laura savait fort bien ce que son père pensait des congés en tous genres et c'est l'estomac noué qu'elle frappa à la porte du cagibi à la minuscule fenêtre qui servait de bureau.

Toujours aussi concentré sur les variétés de crème glacée offertes, toutes plus tentantes les unes que les autres, Marcel sursauta. Son crayon fit une embardée sur le papier, raturant quelques articles dont il n'avait pas besoin.

— Calvaire !

Heureusement, il utilisait toujours un crayon de plomb pour préparer ses commandes, sachant pertinemment qu'il lui arrivait, trop souvent hélas, de changer plusieurs fois d'idée. La gomme à effacer était donc à portée de main. Il la prit entre deux doigts et sans lever les yeux de sa feuille, il demanda de sa voix la plus rébarbative tout en réparant son dégât :

— Que c'est tu veux encore ?

Marcel était persuadé que c'était Marc, son boucher. Il n'y avait que lui pour venir le déranger de la sorte.

La porte s'entrouvrit lentement.

— Popa ?

Surpris, Marcel leva enfin la tête.

— Laura ? Je pensais que c'était Marc... Y' est quelle heure, coudon, pour que tu soyes déjà là ?

— Inquiète-toi pas, y' est de bonne heure. Y a personne d'arrivé encore. C'est juste que je voulais te parler.

Un éclat d'inquiétude traversa le regard de Marcel.

— T'as ben l'air de cérémonie, toé, à matin. Rien de grave, j'espère ?

— Non, je pense pas.

— Ben rentre, d'abord, pis ferme la porte. Si les autres arrivent, j'ai pas envie de les voir écornifler.

Laura pénétra dans la minuscule pièce qui n'avait rien d'invitant.

Deux classeurs coincés contre le mur du fond, une table, deux chaises, une lampe allumée en permanence, car la lumière du soleil n'arrivait pas à rejoindre l'insignifiante fenêtre qui donnait sur la ruelle...

Le temps de se dire qu'elle admirait son père de travailler dans un tel réduit sans jamais s'en plaindre, et Laura s'assoyait du bout des fesses sur le rebord de la petite chaise pliante en métal.

— Pis ? fit alors Marcel avec une pointe d'impatience dans la voix. J'ai ben de la job, moé, à matin. Lâche-moé le morceau qu'on en finisse au plus sacrant pis que je puisse me remettre à l'ouvrage. Que c'est tu veux, pour être icitte de bonne heure de même ?

Le ton n'était pas tellement engageant. Les propos non plus. Laura fut sur le point de faire demi-tour sans rien dire. Puis elle se traita de ridicule. Tout ce qu'elle risquait d'avoir, c'était une réponse négative. Décevant peut-être, mais rien de bien méchant en perspective.

Devant les sourcils de Marcel qui se fronçaient de plus en plus, Laura se dépêcha d'avaler sa salive et de lancer :

— C'est juste que j'aimerais ça partir un peu plus de bonne heure, cet après-midi.

— Plusse de bonne heure ? Plusse de bonne heure comment ? Pis qui c'est qui va se tenir en arrière de la caisse, si toé t'es pas là ?

— Ben justement... J'avais pensé que je pourrais sauter mon heure de dîner pour donner un coup de main à Pierre-Paul. Comme ça, lui, il pourrait s'occuper de ma caisse en fin de journée. De toute façon, j'ai remarqué que lorsqu'il fait beau comme aujourd'hui, il y a pas mal moins de monde dans l'épicerie en fin d'après-midi. Qu'est-ce que tu en penses ?

— Pis tu veux c'te congé-là pour quoi, au juste ? demanda Marcel sans répondre à la question de Laura.

— Je... On irait à Québec, Bébert pis moi.

Les sourcils de Marcel n'étaient plus qu'une forêt broussailleuse au-dessus de ses yeux et pour une première fois, Laura prit conscience à quel point il ressemblait à sa grand-mère Évangéline. Cela lui fit tout drôle de le constater.

— Québec ? Encore ? Me semblait que c'était le dimanche que t'allais à Québec, toé, astheure. Tu disais même que t'étais contente d'avoir congé tous les dimanches, justement pour aller à Québec. Ça suffit pus, le dimanche ?

Laura ne s'attendait pas à cet interrogatoire en règle. Prise au dépourvu, elle se dit, en une fraction de seconde, que le mieux serait de dire toute la vérité concernant ses inquiétudes face à Francine.

Elle se redressa sur sa chaise.

— Si t'as deux minutes, je vais tout t'expliquer ça. Tu vas voir que c'est important pour Bébert pis moi d'aller à Québec. Surtout aujourd'hui.

— J'ai pas deux menutes, mais explique-toé pareil. T'en as dit assez pour que je soye curieux.

Laura parla donc de Francine et de son Jean-Marie qu'elle trouvait particulier, inquiétant par moments, tout comme le pensait Bébert, d'ailleurs, d'autant plus que l'ami de Francine n'avait pas mis longtemps à comprendre que dorénavant, Laura et Bébert ne venaient plus à Québec que le dimanche. Après deux rencontres à la sauvette, presque entre deux portes, Jean-Marie avait donc recommencé à bouder le petit appartement de la rue Notre-Dame-des-Anges tous les dimanches. Pourquoi ? Bébert et Laura l'ignoraient. Francine, elle, prenait la situation avec un grain de sel.

— Y' est venu hier, sainte bénite ! C'est juste normal qu'y' soye pas là aujourd'hui. C'est un homme occupé, Jean-Marie.

Occupé à quoi, elle l'ignorait toujours.

— C'est pour ça, popa, qu'aujourd'hui, si je peux finir plus tôt, Bébert et moi on va faire une visite surprise à Québec. On n'aime pas ça ni l'un ni l'autre, mais on croit qu'on n'a pas le choix.

Marcel qui n'était pas reconnu pour sa patience n'avait pas interrompu Laura. Quand elle eut fini de parler, il se contenta de l'observer sans dire un mot, ce qui mit la jeune fille mal à l'aise. L'opacité glaciale des yeux si bleus de son père ne laissait rien entrevoir de ce qu'il pensait. Laura regretta de s'être confiée à lui. Était-il en colère ? Après tout, elle venait de parler des Gariépy, les ennemis jurés de sa grand-mère.

Pourtant, au même instant, Marcel était à des lieues de penser aux Gariépy. Tandis que Laura lui parlait, il avait pris conscience qu'en dehors de leur maison, ses enfants avaient une vie bien à eux dont il ignorait tout ou presque. Cela valait pour Laura, bien sûr, et pour Antoine. Mais cela valait aussi pour son fils Charles qui grandissait à vue d'œil et qui passait de plus en plus de temps hors de chez lui en compagnie de ses amis.

La vie filait et Marcel venait de prendre conscience qu'il ne la voyait pas passer.

Durant une fugitive mais intense seconde, il eut l'impression que la jeune femme assise devant lui était une inconnue. Cela lui fut incroyablement désagréable.

Décontenancé, il détourna la tête et se frotta longuement le visage du revers de la main.

De plus en plus persuadée qu'elle avait fait une erreur de parler de Francine et se doutant maintenant qu'elle n'obtiendrait jamais la permission demandée, Laura s'apprêtait à prendre congé. Mais avant, elle voulait que son père comprenne que Francine serait toujours importante à ses yeux, quoi qu'il puisse en penser.

— Je peux comprendre que tu sois pas d'accord avec moi, popa, admit-elle enfin, hésitante. Mais je veux que tu saches aussi que jamais je laisserai tomber Francine parce qu'elle est une Gariépy. C'est pour ça, hein, que tu...

— Veux-tu ben m'arrêter ça, Laura !

En une fraction de seconde, Marcel s'était calmé.

— Les Gariépy, c'est le problème de ta grand-mère, pas le mien. C'est pas à ça que je pensais. Pantoute... Comme ça, tu veux partir plusse de bonne heure aujourd'hui, redemanda-t-il platement, ne voyant pas comment il pourrait revenir sur le sujet sans avoir l'air ridicule en parlant de tout ce qui venait de lui traverser l'esprit.

— Ben... oui.

— Pis si tu veux partir plusse de bonne heure, c'est pour rendre service à ton amie, analysa Marcel, tant pour lui que pour justifier sa décision face à Laura. Je peux comprendre ça. Moé avec, j'en ai des amis. Lionel pis Bertrand, tu les connais. Pis si y' avaient besoin de moé, je serais là. C'est important, des amis, c'est pas à moé que tu vas avoir besoin de prouver ça. Ça fait que je te dis oui. Tu peux partir plusse de bonne heure.

Laura ne s'attendait tellement plus à cette réponse qu'elle resta sans voix durant un long moment. À un point tel que Marcel demanda avec impatience, pressé maintenant de revenir à sa commande :

— Coudon, toé, c'est-tu ça que tu veux ou ben j'ai toute compris de travers ?

— Non, non. C'est bien parfait comme ça. Si... si je partais vers trois heures, est-ce que ça pourrait aller ?

Marcel leva les yeux de la feuille qu'il avait recommencé à consulter. En trois semaines, Laura n'avait pas compté ses heures, disponible et souriante avec tout le monde. Pourtant, si on se donnait la peine de bien l'observer, comme lui le faisait en ce moment, on constatait qu'elle avait les traits tirés.

Marcel se rappela brusquement que sa fille avait été malade quelques années auparavant. Il ne se souvenait plus du nom de la maladie — il était pas mal compliqué —, mais ce dont il se souvenait fort bien, par contre, c'est que la fatigue accumulée avait engendré cette maladie. Le docteur avait été formel. Par la suite, Laura avait été tenue au repos, presque au lit, pour tout un été.

À ce souvenir, Marcel eut un frisson dans le dos. Il ne pouvait se permettre de perdre sa fille durant tout un été !

— Trois heures, ça marche pas, décréta-t-il, évitant de regarder Laura.

À ces mots, l'enthousiasme de Laura retomba d'un coup.

— Tu vas prendre toute ton après-midi, poursuivit Marcel. Sinon, vous risquez d'arriver à Québec trop tard, pis le Jean-Marie que vous voulez coincer, ben y' va être parti.

Puis, avant d'enchaîner, Marcel leva les yeux vers Laura et d'un index menaçant, il tança sa fille.

— Ça vaut pour une fois, par exemple. Pas question que ça soye de même tous les samedis. Je t'ai pas engagée pour jouer les courants d'air, calvaire ! Pis je veux te voir icitte, dans mon bureau, avant tout le monde, lundi matin. Madame Légaré revient de ses vacances pis faut voir à arranger ton horaire autrement. Astheure, file ! Tu peux commencer à sortir les oranges pis les pommes du frigidaire en attendant que Pierre-Paul arrive, pis après tu viendras me voir pour ouvrir la caisse. Pis ferme don la porte en arrière de toé. Astheure que tu m'as faite perdre mon temps ben comme faut, j'veux avoir la paix pour travailler, calvaire de calvaire !

CHAPITRE 4

Quand nous boirons au même verre
La tisane des bons copains
Et qu'aux quatre coins de la terre
Le fiel tournera raisin [...]
Ce jour, ce jour, je porterai feuille de gui

Feuille de gui
JEAN-PIERRE FERLAND

Montréal, vendredi 30 juillet 1965

La ville avait connu un mois de juin plutôt chaud et humide, soumis à des averses quasi tropicales, et juillet avait suivi dans la même veine, mais en plus ensoleillé, bousculant la nature et les récoltes qui étaient, cette année, largement en avance. C'était bien la première fois que Charlotte trouvait, au marché, des épis de maïs aussi gros en cette période de l'année.

— Du deux couleurs, en plus, murmura-t-elle pour elle-même, gourmande, alors qu'elle rangeait ses courses. C'est Jean-Louis et Alicia qui vont être contents, ce soir, au souper.

En déposant sur le comptoir le gros sac de papier brun rempli de beaux épis, elle eut une pensée pour Laura. La jeune amie d'Alicia aimait bien le blé d'Inde et surtout de la façon dont Charlotte le faisait cuire, à la vapeur de lait sucré. La première fois qu'elle en avait mangé, Laura avait soigneusement noté la recette pour la donner à sa mère.

— L'ancienne amie d'Alicia, devrais-je dire, constata Charlotte à mi-voix.

Elle n'avait jamais su pourquoi, brusquement, les deux amies avaient rompu. Elle avait bien tenté de sonder sa fille, mais peine perdue. Il n'y avait pas plus butée qu'Alicia quand elle avait décidé de taire quelque chose.

Charlotte soupira. Un jour, peut-être, reviendrait-elle sur le sujet. En attendant, elle regrettait la présence de Laura qui était toujours de bonne humeur, toujours souriante.

Puis, revenant à ses projets de souper, Charlotte continua de ranger ses courses. C'est au moment où elle se promettait d'éplucher ses épis dehors, dans la cour, pour éviter les barbes un peu partout dans la cuisine, que le téléphone sonna. Délaissant aussitôt son rangement, Charlotte se précipita vers l'entrée, tempêtant parce qu'il lui fallait traverser toute la maison pour répondre au téléphone.

— Promis, lança-t-elle à haute voix, alors qu'elle se hâtait dans le couloir tout en s'adressant aux murs parce qu'elle était seule dans la maison, promis, je fais installer un autre appareil à la cuisine ! Ça n'a que trop tardé !

Essoufflée, elle décrocha.

L'appel fut de courte durée, l'échange de quelques mots ne dura qu'un bref instant, mais Charlotte, bouleversée, eut l'impression qu'ils traçaient une démarcation dans sa vie, la ramenant vers l'arrière de façon bien tangible. Songeuse, elle raccrocha et resta un long moment immobile, les yeux dans le vague, ayant oublié que l'instant d'avant, l'installation d'un deuxième téléphone lui apparaissait comme une priorité dans sa vie.

Puis Charlotte secoua la tête.

Le cœur de Charlotte se mit à battre de façon désordonnée.

Les quelque douze dernières années s'estompèrent, lentement mais inexorablement, tandis qu'elle regardait tout autour d'elle.

Douze ans. Cela faisait douze ans ou presque qu'elle habitait ici, qu'elle s'appelait madame Charlotte Leclerc. Et jamais elle n'avait remis en question le choix qu'elle avait fait d'épouser Jean-Louis Leclerc. Jamais. Même quand elle avait appris que son grand amour Gabriel était désormais un homme libre, Charlotte avait compris que d'une autre façon, elle aimait tout autant Jean-Louis qu'elle avait aimé Gabriel.

Mais entre Gabriel, l'amour passionné de ses jeunes années que la vie avait machiavéliquement éloigné d'elle, et Jean-Louis, qui, de nombreuses années plus tard, était devenu son mari et le père de sa petite Clara, il y avait eu deux autres hommes que Charlotte avait cru aimer.

Marc, le mari de sa sœur Émilie, était l'un d'eux. Il avait fait un bref passage dans sa vie. Un bref mais important passage puisqu'il était le père de son aînée, Alicia.

Mais alors que Charlotte voulait se marier avec Marc, son père, Raymond, lui avait fait comprendre qu'on ne se marie pas par dépit ou pour quitter une maison familiale où la vie est plutôt sombre. Raymond était persuadé que Charlotte voulait se marier pour fuir sa mère. Charlotte lui avait laissé ses illusions, car dans un sens, son père n'avait pas tort: elle n'aimait pas Marc comme elle se savait capable d'aimer. Marc n'allumait pas en elle cette envie de se dépasser comme Gabriel savait le faire. Cependant, elle était incapable d'avouer à son père qu'elle était enceinte, raison réelle de son idée de mariage. En pleine période de guerre, Charlotte s'était donc enrôlée dans l'armée pour s'éloigner.

C'est en Angleterre, alors que la guerre faisait rage autour d'elle, que Charlotte avait rencontré les Winslow.

Ils les avaient accueillies à bras ouverts, elle et la petite fille qu'elle venait de mettre au monde.

Son Alicia !

Mary-Jane Winslow et son mari avaient été de véritables parents pour Charlotte. Puis, petit à petit, la jeune femme avait appris à mieux connaître leur fils Andrew. Quand ce dernier l'avait finalement demandée en mariage, Charlotte avait accepté, voyant une planche de salut dans cette union. Alicia venait de se trouver un père, Andrew l'ayant adoptée, et Charlotte avait désormais une histoire plausible à servir à ses parents. Elle n'avait donc jamais cherché à dire la vérité. Pourquoi le faire puisque sa fille et Andrew s'entendaient à merveille et que chez elle, au Canada, personne ne pourrait savoir ce qui s'était vraiment passé ?

Malheureusement, cette accalmie dans la vie de Charlotte avait été de courte durée. À peine quelques années. Andrew, pilote d'avion pour l'armée anglaise, était décédé lors de la démonstration d'un nouvel appareil. Ce fut à cette époque que Charlotte était revenue vivre à Montréal, en compagnie d'Alicia qui, pour tout le monde, était la fille d'Andrew.

Pour tout le monde, sauf pour sa sœur Émilie et celui

que cette dernière avait finalement épousé, Marc !

À Montréal, seuls Marc et Émilie avaient fini par apprendre la vérité entourant la naissance d'Alicia. Mais, d'un accord tacite, personne n'en parlait.

Même Jean-Louis ignorait tout de la filiation qui unissait Marc, son beau-frère, à cette Alicia que lui-même avait adoptée lors de son mariage avec Charlotte.

Aux yeux de tous, Alicia était l'aînée de Charlotte, née de l'union de celle-ci avec Andrew Winslow et maintenant, elle était la fille adoptive de Jean-Louis.

Les années passant, Charlotte ne pensait presque plus à cette période de sa vie.

Et voilà qu'elle venait d'apprendre le décès du père d'Andrew.

— Grand-pa est mort, murmura-t-elle, comme si de l'entendre prononcer à haute voix allait permettre de mieux accepter la chose.

Puis elle poussa un long soupir en se répétant que sa fille, finalement, avait été adoptée deux fois, sans le savoir.

— Quel imbroglio, oui ! Et je n'ai pas le choix de lui annoncer que son grand-père vient de mourir. Pour elle, monsieur Winslow a toujours été son grand-père, au même titre que mon propre père.

Lentement, Charlotte regagna la cuisine, le cœur lourd. Elle qui avait tellement hâte de préparer un des soupers préférés de sa fille et de son mari, n'avait plus le cœur à l'ouvrage.

— Pourtant, il faut quand même manger, soupira-t-elle. Comme je le connais, Jean-Louis va revenir de l'hôpital affamé, et comme la mort de monsieur Winslow ne le concerne pas vraiment…

Une heure plus tard, la cuisine embaumait et Charlotte avait vu aux préparatifs de son voyage en Angleterre. Elle ne pouvait imaginer s'en tenir à de vagues condoléances sur papier ou au téléphone. Mary-Jane Winslow avait été une mère pour elle. Aujourd'hui, la vieille dame se retrouvait seule au monde.

Charlotte avait donc réservé deux places dans le premier avion en partance pour Londres.

C'est au moment où elle venait de raccrocher le téléphone qu'elle entendit Alicia entrer dans la cuisine.

— Maman ? Tu es là ?

Sa fille avait beau être devenue une jeune femme indépendante, elle n'en avait pas moins gardé certaines habitudes de son enfance. Espérer que sa mère soit à la maison, quand elle rentrait, faisait partie de celles-là.

Charlotte esquissa un sourire.

— Je suis là ! J'arrive.

Puis, la mort de monsieur Winslow se glissa dans ses pensées et son visage redevint grave. C'est donc en arborant une ligne soucieuse entre les yeux qu'elle parvint à la cuisine.

Alicia, qui se targuait de connaître sa mère comme le fond de sa poche, remarqua sans difficulté qu'elle avait l'air préoccupée.

— Quelque chose ne va pas ? demanda-t-elle en se retournant, une main posée sur la porte du réfrigérateur qu'elle tenait grande ouverte, car elle mourait de faim.

— Non, je ne dirais pas ça comme ça.

Charlotte soutint le regard d'Alicia durant un moment. Elle savait que ce qu'elle allait apprendre à sa fille lui ferait beaucoup de peine. Alicia était très attachée à ses grands-parents, encore plus depuis qu'elle avait passé tout l'été avec eux l'an dernier.

— Effectivement, il y a quelque chose, concéda-t-elle. Ferme le frigo et viens t'asseoir, il faut que je te parle.

À mots choisis, une main d'Alicia emprisonnée entre les siennes, Charlotte lui annonça que son grand-père était décédé d'un infarctus.

— À son âge, tu sais, c'était à prévoir.

Incapable de parler, Alicia la regardait intensément, les yeux brillants de larmes. Puis elle détourna la tête. Dégageant sa main, elle se releva et vint se poster devant la fenêtre qui donnait sur la cour. Charlotte l'entendait renifler et sangloter. Mais elle savait qu'il serait inutile de chercher à la consoler. Tout comme elle, Alicia détestait montrer ses émotions à qui que ce soit.

Charlotte attendit donc que les larmes tarissent d'elles-mêmes pour reprendre ses explications, espérant que cette fois-ci, ses mots ouvriraient un certain dialogue.

— Si tu es d'accord avec moi, on va partir le plus vite possible pour rejoindre grand-ma.

— Oh oui !

Alicia se tourna vers sa mère, un pâle sourire sur les lèvres. Charlotte répondit à ce sourire.

— C'est bien ce que je pensais, aussi. J'ai réservé deux billets pour Londres. On part ce soir.

— Ce soir ?

— Oui, ce soir. Je crois que Mary-Jane a besoin de nous. De toi, surtout. De toute façon, avec le décalage horaire, nous ne serons pas en avance. Les funérailles ont lieu après-demain. Il ne me reste que ton père à prévenir et…

— Non, maman, interrompit Alicia.

La jeune fille s'était retournée vers la fenêtre une seconde fois et faisait dos à sa mère. Sa voix était grave, presque sévère.

— Pour aujourd'hui, mon père, c'est Andrew Winslow. Je trouve qu'on a tendance à l'oublier bien facilement.

Ces quelques mots troublèrent Charlotte, lui rappelant combien la vie de sa fille était entourée d'ombre et de mensonges. Pourtant, à l'origine, Charlotte était pétrie de bonnes intentions. C'est pour se protéger et protéger Alicia qu'elle avait marié Andrew et accepté qu'il adopte sa fille. L'amour n'était venu que plus tard dans le cœur de Charlotte. Malheureusement, il était trop tard quand elle avait compris qu'elle aimait Andrew…

— C'est dur pour Jean-Louis, ce que tu viens de dire là, Alicia, constata-t-elle après quelques instants de silence. Très dur. Après tout, aux yeux de la loi, c'est lui ton père, maintenant, et il t'a toujours aimée. Jamais, tu m'entends, jamais je n'ai senti de différence entre Clara et toi quand il parle de ses filles.

— Je le sais, maman. Je n'ai jamais dit ça. Et je ne renie surtout pas tout ce que Jean-Louis a fait et continue de faire pour moi. Pas du tout. Mais en même temps, dire que je suis la fille d'Andrew Winslow n'enlève rien à Jean-Louis. C'est juste la vérité !

Ce fut au tour de Charlotte de détourner les yeux alors qu'Alicia revenait s'asseoir face à elle.

— Pourquoi chaque fois que je parle d'Andrew, mon père, pourquoi faut-il que tu t'emportes ? Si on part ce soir pour Londres, poursuivit la jeune fille, c'est justement parce qu'Andrew Winslow était mon père, non ?

Charlotte inspira profondément.

— D'accord. Si tu veux voir la situation sous cet angle, on va la regarder sous cet angle. Je te demanderais seulement d'avoir une certaine délicatesse envers Jean-Louis.

Alicia haussa les épaules.

— Comment peux-tu penser que j'irais lui faire de la peine ? Je l'aime et tu le sais très bien !

Soutenant le regard de sa mère, Alicia ajouta avec un petit sourire malicieux qui contrastait avec ses yeux rougis :

— Je crois même que je l'ai aimé bien avant toi ! Rappelle-toi !

Ces quelques mots arrachèrent enfin un sourire à Charlotte, détendant brusquement l'atmosphère. Le sujet délicat s'éloignait de lui-même à son grand soulagement.

Puis le regard d'Alicia redevint triste.

— C'est drôle, murmura-t-elle, mais j'ai l'impression d'avoir plus de peine pour grand-ma que pour moi-même.

— C'est peut-être normal. Ton grand-père était un homme plutôt réservé. Moi non plus, je ne le connaissais pas beaucoup. Une chose que je sais de lui, par contre, c'est qu'il cuisinait merveilleusement bien le *kidney pie*.

— Ça c'est vrai... Ça va me faire tout drôle de retrouver la maison sans lui. Je n'arrive pas à imaginer que grand-ma va y vivre toute seule.

— Pour elle aussi, ça doit être terrible d'imaginer la solitude qui l'attend. Malgré ses nombreuses amies, ce n'est pas du tout la même chose. C'est pourquoi j'ai pensé à quelque chose qui pourrait l'aider.

— Quoi ?

— Si tu passais le reste de l'été avec elle ?

Alicia devint rose comme une pivoine.

— Moi ? Avec grand-ma ? Je resterais en Angleterre avec grand-ma pour tout le mois d'août ?

La tristesse avait déserté le regard d'Alicia. Maintenant, il brillait de plaisir anticipé.

— Pourquoi pas ? poursuivit Charlotte. Après tout, ce sont tes dernières vacances d'étudiante ! L'an prochain, tu vas faire ton internat !

— Oh oui, maman ! Si tu savais comme tu me fais plaisir. J'en rêvais mais je n'osais pas en parler.

— Tu aurais dû, Alicia, tu aurais dû… Je te l'ai toujours dit: dans la vie il faut savoir assumer ses choix comme ses désirs… Bon, maintenant, monte faire tes bagages. Pendant ce temps-là, je vais appeler Émilie pour lui demander de prendre Clara chez elle et…

— Tante Émilie ? interrompit Alicia qui était déjà debout, prête à monter à l'étage. Pourquoi pas tante Anne ?

Charlotte écarquilla les yeux.

— Anne ? Pourquoi Anne ? Je ne comprends pas. Il n'y a aucun enfant chez Anne. À mon tour de te renvoyer la question. Pourquoi pas Émilie ?

— Parce que tante Anne est bien plus drôle que tante Émilie. Voilà pourquoi c'est nettement plus agréable de se faire garder par tante Anne. Elle a toujours toutes sortes d'idées pour nous occuper, alors que tante Émilie, elle, se plaint souvent d'être trop occupée ! Tu fais comme tu veux, mais je suis certaine que Clara préférerait aller chez tante Anne. Après tout, c'est sa marraine… Pour l'instant, moi, je monte faire ma valise.

Charlotte opina, un peu songeuse.

— D'accord, admit-elle enfin. Tu as peut-être raison. J'appelle ma sœur et je te rejoins dans quelques minutes.

Quelques heures plus tard, les deux femmes prenaient l'avion.

Le vol fut sans histoire.

Cela faisait des années que Charlotte n'avait pas mis les pieds en Angleterre. La foule intense et cosmopolite de l'aéroport la fit sourire; la lenteur du trafic londonien l'exaspéra.

— *Sir?*

Assise sur la banquette arrière d'un taxi, Charlotte pointait sa montre-bracelet avec un index fébrile.

— *Please!* Nous avons un train à prendre.

Le chauffeur lui renvoya un sourire placide.

— *Don't worry.*

Charlotte trépigna d'impatience.

— Ces fichus Anglais et leur flegme proverbial, marmonna-t-elle tout en se calant contre le dossier et en prenant Alicia à témoin. Je ne m'y habituerai jamais. S'il fallait que l'on rate notre train...

Mais les deux voyageuses ne ratèrent pas leur train et, une fois assise pour le court trajet d'une heure et quelques, Charlotte commença à se détendre, contrairement à sa fille qui, le nez à la fenêtre, triturait le coin de son chandail.

Pour elle, d'une certaine façon, être ici, en Angleterre, c'était un peu comme revenir à la maison.

La route se fit dans un silence monacal que Charlotte respecta. Elle pouvait comprendre les émotions qui agitaient le cœur d'Alicia. Elle détourna les yeux vers la fenêtre, elle aussi, sans chercher à engager le dialogue.

La journée était belle et venteuse. Des milliers de petits nuages blancs et dodus filaient d'un bout à l'autre du ciel, sans jamais arriver à cacher complètement le soleil. Fidèle aux souvenirs de Charlotte, le ciel était d'un bleu pâle et délavé comme elle n'en avait jamais vu ailleurs dans le monde.

Tout au long de la route, elle obligea son esprit à se concentrer sur les paysages qu'elle traversait.

C'est quand elle aperçut la petite gare qui se profilait à l'horizon qu'à son tour, Charlotte commença à se sentir nerveuse. Incapable de rester en place, elle se leva, rassembla ses bagages. Puis elle se pencha pour jeter un regard à l'extérieur, espérant qu'elle reconnaîtrait celui ou celle qui serait là pour les accueillir. Au téléphone, elle avait parlé à l'une des sœurs de Mary-Jane Winslow qui lui avait promis que quelqu'un viendrait les attendre à la gare.

Jamais Charlotte n'aurait pu imaginer, cependant, que ce serait Mary-Jane elle-même qui le ferait.

Le cœur de Charlotte s'emballa dès qu'elle reconnut la vieille dame.

Mary-Jane Winslow avait beaucoup changé. Au fil des années, elle semblait s'être tassée sur elle-même. Strictement vêtue de noir, elle était presque menue, assise très droite sur le banc de bois devant la gare.

Mais alors que l'apparition de la vieille dame intimidait Charlotte, le cœur agité par les centaines de souvenirs et d'images qui montaient en elle, vagues lentes et obsédantes, elle sembla éveiller Alicia qui, dès l'arrêt du train, se précipita vers le bout du wagon, prête à sauter à l'extérieur, délaissant derrière elle valise et sac à main.

Quand Charlotte aperçut le sourire de Mary-Jane qui venait de reconnaître sa petite-fille, elle comprit aussitôt que la vieille dame avait surtout besoin de la présence d'Alicia.

Bien avant la sienne.

La jeune fille courait maintenant sur le quai de la gare, les bras tendus, et elle se blottit tout contre Mary-Jane dès qu'elle fut à ses côtés.

Charlotte eut un pincement au cœur en se disant que jamais elle n'avait ressenti, de la part d'Alicia, un tel abandon confiant. Même enfant, il y avait toujours eu une certaine réserve.

Refoulant ses larmes, Charlotte fit quelques voyages entre le wagon et le quai de la gare pour rassembler leurs bagages.

Puis, ayant réussi à se maîtriser parce que, pour l'instant, ses propres émotions pour sa fille n'avaient pas beaucoup d'importance, à son tour, elle marcha vers Mary-Jane.

— Charlotte !

De grosses larmes glissaient dans le sillon des rides du visage flétri de la vieille dame tandis qu'elle se levait pour accueillir Charlotte qu'elle aimait comme une fille, même si la vie avait emmené celle-ci fort loin de sa chère campagne anglaise.

— *Thank you...* Merci d'être venues toutes les deux. Maintenant, on va rentrer à la maison. Vos chambres sont prêtes. Vous devez être fatiguées et demain va être une longue et pénible journée pour nous toutes. Venez.

Les funérailles furent d'une grande simplicité, à

l'image de ce qu'avait été monsieur Winslow. Le village tout entier s'était déplacé pour lui rendre un dernier hommage et en une longue procession, chacun se fit un devoir de l'accompagner jusqu'au petit cimetière paroissial.

Ce fut pour Charlotte le début d'un long, d'un très long moment difficile.

Le nom d'Andrew était inscrit sur la pierre tombale, sous le patronyme Winslow.

Puis, une date, 22 décembre 1947.

Un nom et une date qui, irrévocablement, ramenèrent Charlotte à l'époque où elle n'était qu'une toute jeune femme. À peine vingt-quatre ans et elle était déjà veuve, comme tant de jeunes femmes l'avaient été à cause de la guerre.

Cette émotion, ce retour dans le temps, Charlotte l'avait vécu à chacun des voyages qu'elle avait faits pour venir saluer les Winslow. À chacune de ses visites, elle était venue se recueillir sur la tombe d'Andrew.

Mais cette fois-ci, Jean-Louis n'était pas à ses côtés pour la rattacher au moment présent.

Charlotte regarda autour d'elle. Les gens, les maisons, là-bas derrière la clôture du cimetière, le clocher de la petite église où elle s'était mariée…

La question s'imposa d'elle-même.

Qu'aurait été sa vie si Andrew n'était pas mort ?

Charlotte ramena les yeux vers sa fille qu'elle regarda du coin de l'œil. Alicia, étroitement serrée contre Mary-Jane, laissait couler librement ses larmes, sans la moindre gêne, alors qu'habituellement elle savait si bien cacher ses peines et ses émotions.

Qu'aurait été la vie d'Alicia si Andrew n'était pas mort ?

Le cœur chaviré, Charlotte regarda sa fille pleurer, sans chercher à intervenir, et pour une première fois, elle osa s'avouer que c'est ici, en Angleterre, qu'Alicia avait ses racines les plus profondes.

Sous de faux prétextes, peut-être, elle, sa mère, l'avait déracinée pour l'emmener bien loin d'ici, à Montréal.

Charlotte regarda autour d'elle une seconde fois.

Regrettait-elle son geste ? Si elle faisait abstraction de Jean-Louis et de Clara, Charlotte n'aurait su répondre clairement à cette question.

Trop d'événements, trop d'émotions diverses avaient traversé sa vie.

Trop de regrets aussi.

Immobile, les yeux secs, Charlotte ramena son regard sur le nom d'Andrew. La foule qui se pressait autour d'elle ne la rejoignait plus. Il n'y avait que ce nom qui ait de l'importance et tout le pan de sa vie qui s'y rattachait.

Quand la foule commença à se disperser, Charlotte se laissa porter par elle. Si les jambes marchaient dans les rues de la petite ville en cette journée venteuse de 1965, le cœur et l'esprit, eux, étaient au même endroit mais vingt ans plus tôt.

La présence des rares parents et des nombreux amis venus partager un thé et quelques biscuits à la maison de Mary-Jane lui fut vite insupportable.

Sachant qu'Alicia serait à peine consciente de son absence, la jeune fille n'ayant pas besoin d'elle, Charlotte s'éclipsa par la porte arrière de la chaumière des Winslow.

Devant elle, s'étendait la lande parsemée de collines. Après une longue inspiration, sans hésiter, Charlotte traversa le potager luxuriant. Elle poussa la barrière de bois au loquet rouillé qui ne servait plus depuis longtemps et s'enfonçant à travers un gros bosquet d'arbustes, elle rejoignit le petit sentier qu'elle avait si souvent emprunté.

Les bruyères étaient en fleurs. La lavande et les rosiers sauvages embaumaient l'air tout autour d'elle, comme dans les plus beaux souvenirs qu'elle gardait de l'Angleterre.

Charlotte remonta le sentier jusqu'en haut de la colline bordant le terrain des Winslow puis, du regard, elle chercha le gros rocher qui avait abrité nombre d'heures de réflexion, de larmes et d'espoirs.

Envahi aujourd'hui par les broussailles, il était toujours là. Charlotte s'y laissa tomber.

C'est ici, à l'ombre de ce rocher, qu'elle avait connu ses plus belles heures d'inspiration quand elle écrivait.

C'est ici, à l'ombre de ce même rocher, qu'elle avait vécu ses plus beaux moments de complicité avec Alicia.

C'est ici, toujours blottie contre le rocher, qu'elle avait hurlé sa rage et son désespoir au moment où elle avait appris que son mari venait de mourir.

C'est ici qu'elle venait pique-niquer avec Alicia et Mary-Jane…

Nul besoin de forcer la mémoire pour revoir la petite fille de trois ou quatre ans qui gambadait devant elles, un bouquet de lavande plus gros qu'elle-même dans les bras. À leur retour, les trois femmes en mettaient joyeusement dans toutes les pièces de la maison.

Charlotte poussa un long soupir chargé de nostalgie.

Qu'étaient devenus les rêves de l'époque, alors que sa fille et l'écriture prenaient toute la place dans son cœur ? Alors que tranquillement, Andrew aussi se frayait un chemin jusqu'à son cœur…

D'une main, Charlotte rattrapa ses cheveux que le vent s'amusait à rabattre sur son visage et les ramena sur sa nuque. De l'autre, elle avait entouré ses genoux remontés contre sa poitrine. La pose lui était revenue spontanément. Ici ou sur le rebord de la fenêtre de sa chambre quand elle habitait encore chez ses parents, c'est toujours comme ça qu'elle s'assoyait quand elle avait besoin de réfléchir.

D'où Charlotte était assise, l'horizon était sans limites et en cette fin de journée, le soleil embrasait toute la lande, striée par l'ombre des grands foins.

Que serait devenue leur vie, à Alicia et à elle, si Andrew n'était pas décédé ?

Depuis le cimetière, la question lui revenait sans cesse, comme une lancinante et douloureuse litanie.

Charlotte se rappelait qu'un jour, elle avait dit à Mary-Jane que si elle avait mieux aimé Andrew, celui-ci ne serait peut-être jamais mort. Mary-Jane l'avait fait taire.

— Ne pense jamais ça. C'est le destin. C'était son destin, Charlie.

Quand Mary-Jane l'appelait Charlie, c'est que le moment était à la tendresse, comme lorsqu'elle appelait son fils Andy. C'était la façon des Winslow de dire « je t'aime ».

C'est alors que Charlotte lui avait raconté sa vie. Toute sa vie.

Gabriel, le grand amour de sa vie ; Marc, son nouveau beau-frère mais aussi le père d'Alicia ; sa mère, toujours malade…

Charlotte savait qu'elle pouvait parler librement. Mary-Jane faisait partie de celles qui ne jugent jamais.

Puis, après les confidences, Mary-Jane lui avait dit une phrase que Charlotte n'avait jamais oubliée.

— Garde la foi, Charlie. La foi en toi. Tu dois croire en ta réussite.

La Charlotte de l'époque voyait sa réussite, voyait toute sa vie dans l'écriture. Elle avait même dit à Émilie, un jour, que les mots étaient ce qu'il y avait de plus important pour elle, que d'eux découlait tout le reste de son existence. Les mots et leur impétuosité englobaient même l'amour qu'elle ressentait pour sa fille.

— Ils sont là en moi, Émilie ! Réels comme je suis là ! J'aimerais qu'ils se placent d'eux-mêmes pour que je puisse lire tout de suite tout ce qui bouillonne dans ma tête, dans mon cœur.

La Charlotte de l'époque pouvait y passer des nuits, noircissant page sur page alors qu'Alicia dormait tout près d'elle.

Et finalement, à force de persévérance et de foi, ses livres avaient été publiés, avaient été appréciés.

Que s'était-il passé pour que le feu qu'elle sentait brûler en permanence en elle finisse par s'éteindre ?

Avait-il suffi d'une vie un peu trop facile ?

Faisait-elle partie de ceux qui ont besoin d'être dans la détresse pour que la flamme se ravive et brille ?

Après trois livres publiés, Charlotte n'avait plus jamais écrit.

Son éditeur l'avait importunée durant quelques mois. Puis, il s'était rappelé à son bon souvenir par quelques cartes de souhaits à la période des fêtes. Quelques années plus tard, il avait cessé de donner de ses nouvelles.

Alicia aussi s'était lassée de la harceler pour qu'elle se

remette à l'écriture. Peu après la naissance de Clara, Alicia avait cessé de lui parler de ses romans. Pourtant, la toute jeune fille de l'époque était si fière de sa mère écrivaine.

Le malaise que Charlotte ressentait quand elle pensait à Alicia venait peut-être de là.

Peut-être…

Charlotte avait déçu sa fille.

Depuis quelques années, il n'y avait que Gabriel pour faire renaître l'envie d'écrire. Chaque fois que Charlotte était revenue du Portugal, elle s'y était remise, convaincue que cette fois-là serait la bonne. Quelques semaines, quelques mois tout au plus, venaient à bout de ses bonnes résolutions.

— Pas le temps, disait-elle en guise d'excuse en glissant l'ébauche de manuscrit au fond d'un tiroir. Avec mes heures de bénévolat à l'hôpital, les bonnes œuvres de la paroisse et nos deux filles, je n'y arrive pas.

Pourtant, Émilie, avec ses quatre enfants, trouvait toujours le temps de peindre. Et de donner des cours.

Alors, pour qui Charlotte inventait-elle toutes ces excuses ? Pour les autres ou pour elle-même ?

Les larmes se mirent à couler, alors qu'elle ne les avait même pas senties monter.

Mais ce n'étaient pas des larmes de tristesse. C'étaient des larmes de colère envers elle-même.

Du revers de la main, Charlotte essuya son visage.

Pourquoi était-elle si compliquée ? Pourquoi n'arrivait-elle jamais à être pleinement et irrévocablement heureuse ?

Pourtant, elle avait tout ce qu'une femme puisse désirer, et même plus.

Alors ?

Charlotte ne comprenait pas.

Elle se releva, essuya machinalement les brindilles collées à sa jupe puis, après un dernier regard sur le soleil qui se couchait, allongeant les ombres, elle rebroussa chemin.

Il n'y avait, sur terre, qu'une seule personne qui pourrait peut-être répondre à toutes ses interrogations. Et cette personne c'était son père, qu'elle n'avait pas revu depuis plus d'un an. La santé fragile de mamie, sa grand-mère paternelle, avait retenu Raymond Deblois au Connecticut.

— Je vais en parler à Jean-Louis, murmura-t-elle en accélérant le pas. On pourrait peut-être s'offrir un petit voyage au bord de la mer cette année. J'ai envie de voir papa. J'ai envie de lui parler. De toute façon, Clara serait folle de joie !

* * *

Le jour où Charlotte recevait cet appel d'Angleterre, Adrien, lui, arrivait enfin au Portugal.

Le voyage en France avait été plus long que prévu. Plus long et infiniment plus pénible que tout ce qu'Adrien aurait pu imaginer.

Dans un certain sens, Marcel n'avait pas eu tort quand il lui avait dit que c'était insensé de voyager avec une si jeune enfant.

— Calvaire, Adrien ! C'est encore un bebé, ta fille. On part pas avec un bebé pour toute un été au boutte du monde. Tu vas voir ! Chus sûr qu'en revenant, tu vas dire que j'avais pas tort. Mais tu fais à ton idée, comme de raison. C'est pas à moé les oreilles !

Pourtant, tout avait si bien commencé !

La traversée, par temps calme et ensoleillé, avait été une merveille, même avec une enfant de trois ans.

À leur arrivée en France, l'auto réservée les attendait au port, tel que prévu, et sans tarder, Adrien et Michelle avaient pu prendre la route en direction de Paris.

Deux nuits dans la Ville lumière, tour Eiffel, boulevard des Champs-Élysées, jardin des Plantes et bateau-mouche, puis, direction *le sud,* avec de multiples arrêts en cours de route.

Adrien avait passé une grande partie de son hiver à planifier ce voyage dans les moindres détails. Marcel disait que c'était insensé ? Adrien se ferait un plaisir de lui prouver le contraire. Il aurait tellement tout prévu que rien de fâcheux ne pourrait arriver.

Sur la banquette avant de l'auto, un gros agenda était étalé entre Michelle et lui. Au fil des heures, Adrien en tournait les pages et du doigt, il suivait le trajet sur une carte routière.

— Alors, Michelle ? Est-ce que tu as trouvé ça beau, un château ?

Ils quittaient Versailles pour revenir vers la Seine dont ils suivraient les méandres en direction de l'océan.

— C'est pas comme dans mes livres, avait rétorqué la petite fille, le nez à la fenêtre. Y avait pas plein de couleurs pis de brillants.

— C'est tout simplement parce que le château était vieux, très vieux. Dans le temps, quand les reines, les rois et les princesses vivaient là, c'était sûrement plus joli, plus coloré.

— Peut-être… Mais chus pas sûre, par exemple, que j'ai encore envie d'être une princesse…

Par contre, le lendemain, les chaumières de Normandie avaient suscité des cris de joie.

— Regarde, papa ! La maison des petits cochons... Une maison avec un toit de paille... Est-ce qu'y a des grands méchants loups ici ?

Puis, un peu plus tard, la même journée :

— C'est quoi ce gros bruit-là ? Oh, regarde ! C'est Cadichon, comme dans l'histoire que Laura me raconte.

Michelle était surexcitée.

— On peut s'arrêter pour flatter l'âne Cadichon ? S'il vous plaît, papa !

C'est à Deauville, le lendemain, que l'ennui avait commencé à se faire sentir.

— Pourquoi matante Bernadette est pas avec nous autres ? Pis Laura, pis Charles ? Charles aimerait ça, ici, lui. Il est toujours content quand on va en pique-nique. Il aime beaucoup se baigner dans les lacs, Charles.

— Ici, Michelle, ce n'est pas un lac. C'est la mer.

— Ben quoi ? Il aimerait ça aussi, se baigner dans la mer. Pourquoi il est pas venu avec nous autres, papa ? D'habitude, quand on fait un pique-nique, Charles est toujours là. Pis matante Bernadette aussi.

— Je sais. Mais cette fois-ci, le pique-nique est beaucoup trop loin de la maison pour qu'on puisse les amener avec nous.

— C'est plate, d'abord. J'aime mieux ça quand Charles est là. Ici, chus toute seule pour jouer. Tu joues avec moi, papa ?

Ce jour-là, Michelle avait passé de longues heures à barboter dans l'eau même si celle-ci était glaciale. Le lendemain, la petite fille était brûlante de fièvre et elle remit les quelques bouchées qu'elle avait prises au petit déjeuner. Adrien avait alors fait demi-tour pour retourner à l'hôtel qu'ils venaient de quitter.

— On reste ici un jour de plus, ma belle. Une journée pour que tu puisses te reposer. Tu retournes au lit et demain tu vas être en forme ! Il le faut, on est attendus dans un hôtel du mont Saint-Michel.

Leur chambre n'était pas encore nettoyée, et ils avaient pu la reprendre.

Mais le lendemain, ça n'allait toujours pas mieux. Michelle ne gardait aucune nourriture, et ils devaient quitter la chambre qui avait été réservée par une autre famille.

Adrien avait dû se contenter d'un pis-aller pour passer la journée et la nuit suivante. La chambre était minuscule, encore plus petite que tout ce qu'ils avaient connu jusqu'à ce jour, et la salle de bain était au bout d'un interminable couloir. Avec Michelle souvent nauséeuse, la journée avait paru interminable aux yeux d'un père peu habitué aux malaises d'enfant. À la maison, c'est Bernadette qui voyait à Michelle quand elle avait de la fièvre.

C'est ainsi qu'ils avaient perdu leur réservation à l'hôtel du mont Saint-Michel.

Le lendemain, voyant que sa fille n'allait toujours pas mieux, Adrien s'était présenté à l'hôpital où, sans attendre, on avait mis Michelle sous perfusion.

— Votre fille est en train de se déshydrater, monsieur. Êtes-vous très loin de chez vous ?

Voyant qu'Adrien et sa fille habitaient au bout du monde, on avait gardé Michelle durant trois longues journées à l'hôpital.

— Je veux m'assurer qu'il n'y aura pas de rechute.

Quand ils avaient enfin pu reprendre la route, Adrien s'était contenté de saluer le mont Saint-Michel de loin. Sa fille était beaucoup trop faible encore pour entreprendre une longue journée de visite. Les fameuses omelettes de la mère Poulard devraient attendre un prochain voyage.

Le soir même, affamée, Michelle avait demandé à manger une crêpe quand son père lui eut expliqué qu'ils étaient en Bretagne.

— Ici, Michelle, on fait les meilleures crêpes du monde.

— Ah oui ? Meilleures que les crêpes de matante Bernadette ?

— Probablement.

— Ben, je te crois pas. À Paris, tu as déjà dit la même chose, l'autre fois, pis t'avais pas raison. Les crêpes de matante Bernadette sont trop bonnes. Mais j'ai quand même envie d'en manger une pour souper.

Sous l'œil inquiet d'Adrien, Michelle avait avalé une énorme crêpe, avec de la purée de pommes et du fromage. Le malaise semblait vraiment terminé puisque Michelle avait passé une excellente nuit et que le lendemain, elle avait réveillé son père en lui disant qu'elle voulait déjeuner.

— Ça fait glouglou dans mon bedon. Je pense que j'ai encore faim !

C'est ainsi que, quelques jours plus tard, alors que le soleil se couchait sur la mer, ils étaient arrivés au Pays basque.

— Ici, Michelle, les gens portent des bérets.

— C'est quoi, ça, un béret ?

— Une sorte de chapeau. Et toi qui te plaignais qu'on était souvent en auto, on va s'arrêter pour trois longues journées... Et ici aussi, il y a une plage comme tu aimes, avec du sable et la mer. Probablement, aussi, que la mer est plus chaude qu'à Deauville.

— Ben là, si y a une plage, c'est sûr que j'vas encore m'ennuyer de Charles. T'es pas bon, toi, pour faire des châteaux de sable.

Biarritz, Saint-Jean-de-Luz, Espelette...

Installés à Saint-Jean-de-Luz, ils en visitaient les environs le matin et faisaient de la plage l'après-midi.

Quand ils étaient en auto, Michelle, le nez à la fenêtre, commentait tout ce qu'elle voyait. Puis, alors qu'Adrien venait de s'arrêter à un belvédère adossé aux Pyrénées laissant entrevoir un bout d'océan quand on détournait la tête, Michelle avait eu ces quelques mots.

— J'aime ça, ici, papa. C'est beau. Tu vois, là-bas, y a des moutons. Pis en plus, mes yeux sont capables d'aller loin loin loin. Je trouve ça beau quand mes yeux voient loin comme ça. Chez grand-maman Vangéline, c'est la maison du voisin ou le bout de la rue que je vois. C'est pas tellement loin, ça.

Puis après quelques instants de silence, elle avait ajouté:

— Mais j'aime beaucoup grand-maman Vangéline quand même, tu sais. Pis matante Bernadette, pis Laura, pis Charles, pis...

Tout en énumérant ceux qu'elle aimait et qui faisaient partie de sa vie depuis toujours, Michelle avait approché sa main droite de son épaule gauche, dénudée par sa robe d'été, sans manches, et elle comptait sur ses doigts.

Quand Michelle agissait ainsi, avec une telle spontanéité,

son infirmité était à la fois très visible et insignifiante.

Ému, Adrien l'avait regardée faire sans l'interrompre. Il avait alors pensé que malgré la grande débrouillardise dont elle faisait preuve, Michelle serait toujours handicapée.

Ce fait inéluctable, ajouté à cette envie de grands horizons qu'elle venait de manifester, avait aussitôt ramené Adrien à la raison première qui avait justifié ce voyage aux yeux de sa famille: réfléchir à un éventuel retour au Texas.

Depuis son départ de Montréal, débordé par les mille et une exigences du quotidien, Adrien n'y avait pas pensé. Pas une seule fois.

Michelle avait levé les yeux vers lui.

— Tu dis rien, papa. Tu trouves pas ça beau, ici, toi ?

— Très beau. Moi aussi, j'aime ça quand les yeux sont capables d'aller loin loin loin devant nous. Au Texas, c'est comme ça.

Ces derniers mots lui avaient échappé, réminiscence d'une époque qu'il avait beaucoup aimée.

Rassurée de voir que son père pensait comme elle, Michelle avait reporté les yeux vers la mer que l'on voyait briller de tous les feux de midi, au loin, plus bas dans la vallée.

— Moi aussi, je veux voir le Texas, d'abord, avait-elle affirmé.

Adrien avait retenu son souffle.

La décision ne venait-elle pas de se prendre là, alors que tous les deux, ils s'étaient arrêtés par hasard à un belvédère du Pays basque, dans le sud de la France ?

Adrien avait fixé sa fille intensément. Il venait de comprendre, en même temps, que ce premier contact avec la famille Prescott serait probablement beaucoup plus simple, plus facile maintenant alors que Michelle était encore trop jeune pour prendre conscience des regards curieux qui se posaient sur elle. Adrien n'était pas aveugle. Il les avait vus, tous ces regards intrigués ou gênés qui observaient Michelle quand, en maillot de bain, elle s'amusait sur la plage.

Lui, il les avait reçus comme un coup de poignard en plein cœur ; elle, elle ne s'en était même pas aperçue.

Alors ?

Le nom de Bernadette avait brusquement traversé l'esprit d'Adrien, laissant une traînée douloureuse comme une coupure.

Saurait-il vivre sans elle à ses côtés, après qu'elle eut partagé son quotidien, et ce, depuis trois ans ? Après qu'elle eut partagé toutes ses craintes et ses espoirs concernant Michelle ?

Pourtant, il avait dit à sa mère que la décision serait prise en fonction de Michelle et uniquement en fonction d'elle.

Étourdi, Adrien avait fermé les yeux.

Il s'était arraché à sa réflexion quand la petite fille, lassée d'attendre, avait tiré sur le pli de son pantalon pour lui signifier qu'elle voulait partir.

— Il fait chaud, papa, avait-elle alors pleurniché. Je veux aller à la plage tout de suite. Pis j'ai faim.

— D'accord, Michelle. On retourne à notre hôtel pour manger et ensuite, on va à la plage.

La journée avait passé comme toutes les autres, Adrien à l'affût du moindre caprice de sa fille.

Puis, le lendemain, ils avaient repris la route vers le Portugal. Mais cette fois-ci, l'agenda des visites méticuleusement préparées tout au long de l'hiver précédent était resté fermé. Il tardait à Adrien d'arriver chez Gabriel. Il avait donc escamoté sans le moindre regret tous les points d'intérêt qu'il avait si soigneusement notés.

La route, assez longue, s'était faite dans le babil incessant de Michelle et les réflexions d'Adrien qui répondait à sa fille par de vagues marmonnements.

Quand ils se trouvèrent enfin devant l'adresse que Gabriel lui avait donnée avec une multitude d'indications pour ne pas se perdre, Adrien en était toujours au même point: Michelle et Bernadette, toujours dans cet ordre, étaient les deux noms qui lui encombraient l'esprit.

Gabriel sembla sincèrement heureux de revoir Adrien, heureux de voir que ce dernier avait accepté l'invitation lancée l'année précédente à Paris.

— Soyez les bienvenus chez moi.

En déposant les bagages dans l'entrée de la maison d'été de Gabriel, Adrien eut la nette impression qu'un lourd fardeau quittait ses épaules. Ici, avec le bruit des vagues, omniprésent, et le vent du large qui s'engouffrait librement dans la maison, tout respirait le calme et la sérénité.

Peut-être oui, peut-être arriverait-il enfin à faire les bons choix.

Épuisé, il dormit à poings fermés, comme Michelle.

Dès le lendemain, Miguel, le fils de Gabriel, prit spontanément la petite Michelle sous son aile.

— J'aimerais devenir pédiatre, avoua-t-il simplement en guise d'explication. Et puis, votre fille est tellement gentille. Elle me fait rire avec toutes ses questions.

Profitez-en, allez vous promener sur la plage. Nous, on va aller au village. J'aimerais la présenter à mes cousins et mes cousines.

Le jeune homme dégageait une telle quiétude, un tel sérieux, qu'Adrien ne se fit pas prier. Après un mois passé aux côtés d'une enfant intarissable, même si elle était la sienne, même s'il l'aimait plus que tout au monde, un peu de silence lui ferait du bien.

Et l'accueil que leur avait réservé Miguel, qui semblait ne pas voir l'infirmité de Michelle, lui coulait sur le cœur comme une eau vive.

Adrien s'accroupit pour être à la hauteur de Michelle.

— Et toi, qu'est-ce que tu en penses ?

La gamine haussa les épaules.

— Ça me tente d'aller avec lui.

Du pouce, elle désignait Miguel dont elle prononçait le nom avec tellement de difficulté qu'elle avait suscité des rires la veille à leur arrivée. On ne l'y reprendrait pas deux fois !

— Près de sa maison d'hiver, lui là, il dit que j'aurais des amis. Comme Charles, chez grand-maman Vangéline.

Adrien n'avait plus qu'à s'incliner. Si Michelle pouvait enfin avoir des amis de son âge...

En deux jours à peine, Adrien se sentit chez lui. Les gens d'ici vivaient au rythme de la nature, tout comme au Texas, et il prit conscience, avec une étrange acuité, que ce genre de vie lui manquait.

Montréal, en voie de devenir une métropole importante, l'étouffait.

Était-ce dans une grande ville comme Montréal qu'il voulait élever sa fille ?

Adrien avait envie de dire non.

Mais en même temps, c'est là que vivait sa famille. Une famille qui avait accepté et aimé Michelle sans compromis ni discussion.

Et c'est là que vivait Bernadette.

Incapable d'arriver à se faire une idée claire et précise, écartelé entre l'envie de revoir le Texas et la perspective de tout gâcher dans l'existence de sa fille en l'arrachant à leur vie de Montréal, Adrien se répétait qu'il avait encore du temps devant lui. Il restait encore trois longues semaines avant de prendre l'avion qui le ramènerait à Montréal où tant de gens attendaient sa décision.

— Une décision que je prendrai en fonction de Michelle, expliqua-t-il à Gabriel alors que les deux hommes, assis sur la terrasse devant la maison, savouraient la brise venue du large.

Le jour disparaissait lentement sur l'horizon. Michelle, épuisée, s'était rapidement endormie après le repas du soir et Miguel, selon son habitude, était parti marcher sur la plage.

Adrien en avait profité pour se confier à Gabriel. Il avait été honnête et n'avait rien caché de l'attitude de Maureen à la naissance de Michelle, de celle de son beau-père qui se languissait de connaître enfin sa petite-fille, de celle d'Eli, sa belle-mère, qui manifestait certains regrets, et de son envie à lui, bien réelle, de revoir les grands pâturages.

— Mais d'un autre côté, il y a ma famille. Ma mère m'a soutenu et aidé au-delà de tout ce que vous pouvez imaginer. Il y a Bernadette, aussi, ma belle-sœur, qui aime Michelle comme si elle était sa propre fille. Et tous les autres… Jamais décision n'a été si difficile à prendre. Jamais…

— Je sais, avait alors murmuré Gabriel, le regard dirigé vers le large. Il y a certaines choses dans la vie qui nous paraissent insurmontables. Certains choix qu'on préférerait ne pas avoir à faire ou certains autres que l'on regrette d'avoir faits. Je sais... J'ai connu de ces moments difficiles, moi aussi.

Un long silence unit les deux hommes. Puis, Adrien reprit la parole à l'instant où le soleil disparaissait derrière l'horizon, comme avalé brusquement par la mer.

— Laissons cela pour l'instant. J'ose croire qu'un signe, une parole peut-être, saura m'indiquer la voie à suivre.

— Il y a certains hasards de la vie qui sont plus éloquents que tous les beaux discours, c'est vrai... Et si vous me parliez d'Antoine ? Comment va-t-il ?

— Antoine ?

Adrien esquissa un sourire, se rappelant les interminables discussions qui avaient eu lieu un peu avant son départ.

— Disons qu'au moment où nous sommes partis, Michelle et moi, Antoine tentait de convaincre sa mère de le laisser partir pour New York. Il n'arrêtait pas de dire que tout se passait là-bas et que tant qu'il ne serait pas allé à New York, il ne saurait pas s'il peut vivre de ses toiles.

— Il n'a pas tort, vous savez.

— Et il rêve de faire de la peinture tout au long de sa vie, compléta Adrien. Mais comme le dit Bernadette, sa mère, il est encore un peu trop jeune pour s'en aller à New York tout seul.

— Et elle non plus, elle n'a pas tort.

Gabriel sembla réfléchir un long moment avant d'ajouter :

— Et s'il venait ici à la place ? proposa-t-il en se tournant vers Adrien. Ce n'est pas New York, je le sais bien, mais je connais les propriétaires de galeries américaines. Je les connais très bien. Si je peux me faire une idée plus précise de ce que fait Antoine maintenant, son style, son genre, ses intérêts en matière de dessin, si je pouvais voir autre chose que des paysages d'hiver comme ceux qu'il avait amenés à Paris, je pourrais peut-être intervenir pour lui. Et qui sait ? Dans un an, il pourrait peut-être se retrouver à New York.

Un bref éclat de plaisir traversa le regard d'Adrien. Si le projet d'Antoine était au point mort à Montréal — et Adrien ne voyait pas comment il aurait pu en être autrement, Bernadette étant déterminée à s'opposer à ce voyage —, la proposition de Gabriel pourrait intéresser son neveu.

Et lui, il se chargerait de convaincre Bernadette.

— C'est une bonne idée, approuva-t-il enfin. Je suis certain que ça plairait à Antoine de venir travailler ici.

— Par contre, les billets d'avion ne sont pas donnés.

Le sourire d'Adrien s'accentua.

— Au moment où je suis parti, Antoine avait commencé à travailler comme pompiste dans un garage, expliqua-t-il avec un bel enthousiasme dans la voix. Justement pour mettre de l'argent de côté en prévision de son voyage. À moins que Bernadette n'ait changé d'avis, ce qui me surprendrait beaucoup, Antoine doit avoir, à l'heure où l'on se parle, un petit pécule qui ne sera pas utilisé et il doit avoir la mort dans l'âme devant un été gaspillé, comme il le dit.

— Alors, appelez-le !

— Mais ça coûte une fortune, un appel…

— Tant pis, interrompit Gabriel en se relevant.

Lui, habituellement posé et calme, semblait fébrile.

— J'espère, oui, j'espère vraiment qu'Antoine va pouvoir venir. Jamais, depuis trente ans que je donne des cours, jamais je n'ai vu autant de talent. S'il excelle dans tous les domaines comme il le fait pour ses paysages d'hiver, ça promet.

Quand Adrien eut enfin son neveu au bout de la ligne et qu'il lui eut expliqué la raison de son appel, il y eut un long silence soutenu par des parasites grinçants.

— Antoine ? Antoine !

— Ouais, chus là, mononcle. Chus là… T'es ben sûr de ce que tu viens de dire ? C'est vraiment vrai que Gabriel veut que j'aille…

— Tout ce qu'il y a de certain, Antoine. Si ton voyage à New York est annulé, bien entendu.

— Que c'est t'en penses ? C'est sûr que le voyage à New York, faut pas y penser. Mais chez Gabriel, par exemple…

Adrien entendit une hésitation dans la voix d'Antoine et c'est comme s'il l'entendait penser.

— Passe-moi ta mère, Antoine, ordonna Adrien, sachant que c'était là la principale source d'inquiétude d'Antoine. Si tu me dis que tu as assez d'argent pour te payer un billet d'avion, passe-moi ta mère.

— C'est sûr que de l'argent, j'en ai. Pas mal à part de ça. J'ai toute mis de côté ou presque depuis six semaines.

— Alors, passe-moi Bernadette, insista Adrien. Et prépare-toi à faire tes valises, mon gars !

Rempli d'espoir, le cœur battant la chamade, Antoine se tourna vers sa mère.

— Moman ? C'est Adrien au boutte du fil. Y' veut te parler.

Deux têtes se levèrent à l'unisson, deux regards inquiets se posèrent sur lui : Évangéline et Bernadette.

— Viarge que ça m'énerve !

La vieille dame avait porté une main à sa poitrine.

— Que c'est qui se passe à l'autre boutte du monde pour que mon gars appelle de même ? Grouille-toé, Bernadette. Va prendre l'appel. Moé, j'ai les jambes en coton tout d'un coup.

Évangéline délaissa les légumes qu'elle était à couper et se laissa tomber sur la première chaise venue.

Bernadette n'en menait guère plus large. Pour se donner la peine d'appeler, c'est qu'Adrien devait avoir une raison très sérieuse.

Les deux femmes échangèrent un regard chargé d'inquiétude.

Puis, après s'être essuyé sommairement les mains sur son tablier, Bernadette prit l'appareil que lui tendait Antoine.

L'appel ne dura que quelques instants.

Bernadette, soulagée d'apprendre que le voyage se déroulait merveilleusement bien, que Michelle était en pleine forme et qu'il faisait très beau, accorda sa permission au projet d'Adrien, pleine et entière, sans autre forme de discussion. En plus, elle savait qu'Antoine avait assez d'argent pour payer une bonne partie de ce voyage — il ne cessait d'en parler — et Adrien serait là, au Portugal, pour veiller sur lui !

— On va faire comme t'as dit, Adrien. C'est sûr que j'vas être obligée d'en parler à Marcel, mais y' devrait pas y avoir de problème. C'est ça, j'attends ton appel demain, à la même heure, pour te dire quel jour pis à quelle heure Antoine va arriver là-bas... C'est ben beau, Adrien... Pis profite ben du temps de vacances qu'y' te reste, toé là. Quoi ? Icitte ? Ben, l'été s'en va tranquillement même si y' fait encore pas mal beau. Quoi ? Ouais, c'est ça. À demain.

Bernadette raccrocha à l'instant où son regard croisa celui d'Évangéline, de toute évidence vexée qu'on n'ait pas pensé à lui prêter l'appareil pour qu'elle puisse, à son tour, dire quelques mots à son fils.

Bernadette se sentit rougir. Elle était tellement heureuse d'entendre la voix d'Adrien qu'elle en avait oublié tout le reste.

— Adrien, y' était ben pressé, inventa-t-elle comme excuse. Mais demain, la belle-mère, c'est vous qui allez y parler.

Évangéline leva un regard alarmé.

— Demain ? Y' va rappeler demain ? Pourquoi c'est faire qu'Adrien appellerait à maison deux jours d'affilée ? Y a-tu un problème, Bernadette ? La p'tite Michelle est malade ? Y' ont eu un accident ?

Toute l'inquiétude du monde était contenue dans cette litanie de questions. Bernadette se hâta de la rassurer.

— Pantoute, la belle-mère. Y a pas de problème pantoute pis d'après ce qu'y' m'a dit, y' font un verrat de beau voyage, Michelle pis lui. C'est juste qu'y' voulait parler à Antoine pour y faire une sorte de proposition.

Sur ces mots, Bernadette se tourna vers son fils.

— Pis ? Le Portugal, ça te tenterait-tu d'y aller ?

Antoine était rouge de plaisir.

— C'est ben sûr que ça me tente, moman.

Bernadette jubilait.

— Bon, tu vois ! Des fois, les mères, ça voit plusse loin que le boutte de leur nez. Je pense qu'un voyage là-bas, avec un peintre comme c'te Gabriel dont m'a parlé Adrien, ça vaut pas mal plusse qu'un voyage à New York tuseul. Va falloir que tu préviennes ton boss, par exemple. Monsieur Morin va devoir se trouver quèqu'un pour te remplacer.

Évangéline, qui commençait à comprendre la teneur de l'appel, promenait son regard curieux de Bernadette à Antoine. Elle était soulagée de voir que, finalement, tout semblait s'arranger pour son petit-fils, et elle était fière de Bernadette qui retournait la situation à son avantage. C'est de cette manière qu'elle avait élevé ses deux fils, sans jamais perdre la face, et elle ne voyait pas meilleure façon de faire.

L'été finirait mieux qu'il avait commencé, à la condition, bien sûr, que son fils Adrien décide de rester à Montréal.

— Bon ben ! On va faire le souper, astheure.

Les deux mains appuyées sur la table, Évangéline se releva.

— Deux menutes, la belle-mère. Faudrait petête savoir comment faire pour réserver un billet d'avion, d'abord. Faut que j'aye toute ça pour demain quand Adrien va nous rappeler. J'sais pas par quel boutte prendre ça, moé. J'ai jamais faite ça, appeler pour un avion. On téléphone-tu à l'aéroport ? Ou ben y' a une compagnie spéciale qui fait ça pour nous autres ? L'an dernier, pour Paris, c'est madame Émilie qui s'en était occupé.

Évangéline haussa les épaules avec placidité.

— Ben t'as juste à l'appeler, madame Émilie. Me semble que c'est pas dur à comprendre, ça. A' va toute te dire quoi faire. Moé, pendant c'te temps-là, j'vas continuer de préparer le souper. J'ai faim. Pis, c'est comme rien qu'y' faut que le souper soye prêt quand Marcel va se pointer icitte si tu veux l'amadouer pour le voyage d'Antoine.

— Tant qu'à ça...

— Pis moé, lança Antoine, j'ai quèqu'un à aller voir.

Le temps que Bernadette se retourne, il avait déjà disparu. Elle l'entendit dégringoler les marches de l'escalier.

— Bâtard ! Veux-tu ben me dire ousqu'y' s'en va de même, lui ?

— Laisse-lé aller, Bernadette, répondit Évangéline quand sa belle-fille posa un regard intrigué sur elle. J'ai pour mon dire qu'y' s'en va annoncer la bonne nouvelle à madame Anne.

— Anne ? Madame Anne la musicienne ?

— En plein ça !

— Que c'est qu'a' l'a à voir là-dedans, elle ?

— Pas grand-chose, je te l'accorde. Mais Antoine y avait parlé de sa déception de pas aller à New York pis elle, ben, a' m'en avait parlé à moé, espérant que je pourrais faire quèque chose pour lui. Comme je pouvais rien faire, je t'en avais pas parlé. C'est toute... Astheure, assez perdu de temps. Passe-moé la casserole que je mette les patates dedans, sinon c'est pas un souper qu'on va manger, viarge, c'est un déjeuner !

Trois jours plus tard, Antoine arrivait au Portugal. Comme Gabriel n'avait pas d'auto, c'est Adrien qui se chargea d'aller le chercher à l'aéroport.

Le jeune homme se présenta à la guérite avec armes et bagages. D'une main, il soulevait avec peine la grosse valise de la tante Estelle, pleine à craquer, et de l'autre, sa mallette de peinture, tout aussi remplie de tubes, pinceaux et autre matériel qu'il avait jugé essentiel d'apporter avec lui.

Restée à la maison pour l'attendre, la petite Michelle surveillait la route menant à la plage. Dès qu'elle aperçut l'auto qui arrivait dans un nuage de poussière, elle poussa un cri de joie qui alerta Gabriel et Miguel.

Tout le monde se retrouva donc sur la terrasse pour accueillir Antoine. Si ce n'avait été de Michelle qui se précipita vers lui, Antoine aurait été intimidé.

— Antoine !

La petite fille se jeta dans ses bras.

— Je suis TRÈS contente de te voir, annonça-t-elle enfin, reculant d'un pas pour mieux détailler son grand cousin. C'est pas mal gentil, tu sais, d'être venu jusqu'ici pour me voir !

L'arrivée d'Antoine se fit dans un grand éclat de rire que Michelle, mortifiée, ne comprit pas.

Le lendemain, très tôt, Antoine s'installa dans l'atelier de Gabriel.

— C'est pas mal le fun d'avoir tout un océan devant moi quand je lève la tête, murmura-t-il, ébloui par le paysage qui s'ouvrait devant lui. Me semble que ça donne des idées.

— C'est vrai que c'est inspirant.

Antoine regarda tout autour de lui.

La pièce était immense, nettement plus grande que l'atelier de madame Émilie. Sur les murs blanchis à la chaux, il y avait une dizaine de toiles grand format. Dans un coin, il y en avait plusieurs autres, de différentes grandeurs, appuyées les unes sur les autres.

— C'est vous qui avez fait toutes ces peintures-là ? demanda Antoine.

Il enviait celui qui pouvait tant peindre.

— Oui, c'est moi.

— Chanceux ! Et votre fils, lui, il ne peint pas ?

— Miguel se contente de dessiner quand il en a envie. Il ne sera jamais peintre, si c'est ce que tu veux savoir. Pourtant, je peins et sa mère aussi peignait.

À l'emploi de l'imparfait, Antoine comprit que la mère de Miguel ne peignait plus. Pour quelle raison, il l'ignorait, mais, gêné, il n'osa le demander.

— Comme ça, la plupart du temps, vous êtes tout seul ici, constata-t-il, ramenant les yeux sur Gabriel.

— Exactement. Mais j'aime bien être seul quand je peins. Sauf quand je suis en compagnie de gens qui partagent ma passion, je préfère être seul. J'ai eu, à quelques reprises dans ma vie, des ateliers où je réunissais des amis, peintres comme moi. Je t'en avais parlé l'an dernier à Paris. Et ici, à notre maison d'hiver, je donne des cours à quelques gamins du village. Certains ont un talent indéniable.

— Vous avez deux maisons ? Eh ben… Mon ami Ti-Paul avec, y' a deux maisons. Un chalet pour l'été dans le boutte de Valleyfield, pis la maison dans notre quartier. Mais c'te maison-là est pas à ses parents. Y' font juste la louer pour…

En s'écoutant parler, Antoine se mit à rougir. Son habituelle gêne lui faisait souvent chercher à meubler le silence quand il était avec des étrangers et souvent, il disait des bêtises.

— C'est pas ben intéressant, ce que je dis là, constata-t-il. Je ferais mieux de me taire. J'vas vous déranger.

— Au contraire. Pour bien travailler ensemble, il faut apprendre à se connaître et c'est souvent à travers les petits détails qu'on se connaît le mieux.

— Ouais, vu de même...

Malgré cette remarque, Antoine préféra s'emmurer dans un silence contemplatif. À pas lents, il commença à faire le tour de la pièce, s'attardant à certains tableaux, passant plus vite devant certains autres.

Puis, il s'arrêta devant une toile immense où une jeune femme, drapée de rouge, semblait le suivre des yeux.

— Elle est très belle.

Gabriel suivit son regard et esquissa un pâle sourire quand il vit de qui Antoine parlait.

Charlotte.

Antoine était devant une des nombreuses toiles que Gabriel avait peintes en pensant à Charlotte.

— Cette femme est ma muse depuis près de vingt-cinq ans, expliqua-t-il sans entrer dans les détails.

Antoine n'osa demander si cette femme était la mère de Miguel. Si Gabriel avait voulu en parler, il l'aurait fait. Il se contenta de répéter :

— Elle est belle.

— Oui, tu as raison : elle est très belle... Et maintenant, qu'est-ce que tu dirais de te mettre au travail, toi aussi ?

De toute évidence, Gabriel voulait changer de sujet de

conversation. Antoine se dirigea alors vers son chevalet.

L'avant-midi passa sans qu'il voie les heures filer.

Contrairement à madame Émilie qui l'encourageait fréquemment et qui donnait de nombreux conseils, Gabriel, lui, se contentait de jeter parfois un furtif coup d'œil sur la toile d'Antoine. Les commentaires ne vinrent qu'en fin de session.

En après-midi, Miguel se joignit à eux et l'atmosphère fut différente. À peu près du même âge, les deux jeunes gens se mirent à parler d'études et d'avenir. Gabriel les laissa faire, trop heureux de voir que son fils était aussi volubile. Depuis le décès de Maria-Rosa, sa mère, alors qu'il n'avait que six ans, Miguel avait été un enfant trop sage, trop silencieux.

Une première semaine passa. Adrien et sa fille profitaient de la plage ou partaient en promenade tandis que Gabriel, Miguel et Antoine peignaient. Puis, un bon matin, Gabriel décréta que la journée, un peu plus fraîche, se prêtait à merveille à une séance de dessin au port.

— Rien de mieux que des bateaux pour apprendre à maîtriser les perspectives.

Antoine leva un regard inquiet par-dessus son assiette de tartines au miel.

— Au port ? Dehors devant tout le monde ? Je serai jamais capable de dessiner devant du monde qui me regarde.

Gabriel laissa filer un rire moqueur.

— Je n'ai aucune espèce de crainte pour toi, Antoine. Tu dessines comme d'autres respirent ! Il suffit de briser la glace, voilà tout ! Une fois ta gêne envolée, tu vas apprécier toutes les possibilités que cela donne d'être devant son modèle, au lieu de toujours travailler de mémoire ou à partir de photographies. C'est vrai que maintenant avec le nouvel appareil, le Polaroïd, on n'a plus à attendre pour obtenir nos photos, mais je considère que de peindre en extérieur sera toujours ce qu'il y a de mieux.

Et Antoine apprit à travailler dehors, sous le regard admiratif des badauds. Il en vint même à oublier leur présence.

Une deuxième semaine passa.

Adrien s'éloignait de moins en moins, se contentant de longues promenades sur la plage quand sa fille faisait la sieste. Il en revenait silencieux, une ride profonde traversant son front.

Antoine savait que son oncle avait une décision importante à prendre. Chaque fois qu'Adrien posait un regard sérieux sur lui, Antoine y répondait d'un sourire. Sait-on jamais, ça pourrait peut-être l'aider à faire son choix.

Pendant ce temps, Antoine apprenait l'amitié avec un jeune de son âge. À part Ti-Paul qu'il connaissait depuis la première année, Antoine n'avait jamais eu d'amis de son âge. Miguel lui ressemblait tellement dans sa façon d'être qu'il s'était tout de suite senti à l'aise avec lui.

Discrets, solitaires, silencieux, les deux jeunes hommes se comprenaient souvent à mi-mots.

Le soir, les deux garçons arpentaient la plage côte à côte, attendant le coucher de soleil, toujours admirable. Le jeu des lumières orangées du couchant, miroitant sur l'eau, fascinait Antoine.

— C'est tellement beau ! Un jour petête, j'amènerai

mes crayons pis quelques tubes de couleur.

Puis le compte à rebours commença. Plus que quatre jours avant le départ. Si Michelle comptait les dodos avec impatience, Antoine, lui, se désespérait de devoir partir.

La perspective de retourner à Montréal, de reprendre une routine qui ne correspondait plus à ses aspirations, rendait Antoine morose, presque désemparé. C'est pourquoi, ce soir, ses deux pieds nus plantés dans le sable et le regard perdu sur l'horizon qui s'embrasait, il se battait désespérément contre quelques larmes idiotes qui alourdissaient ses paupières.

Il n'allait toujours pas se mettre à pleurer devant Miguel !

Ce dernier, à quelques pas de lui, sentait bien qu'Antoine était malheureux. Il pouvait le comprendre. Il avait suffisamment voyagé avec son père pour savoir qu'il avait le privilège de vivre dans un coin de paradis. Pour quelqu'un comme Antoine, avec une sensibilité à fleur de peau, ça devait être très difficile de s'arracher d'ici, de retourner à l'école, alors que son grand rêve était de peindre toute la journée.

Mais comment lui faire comprendre qu'au-delà d'un départ inévitable, il resterait une amitié sincère capable de résister à la distance entre eux ? Miguel en était convaincu. Chacun suivrait sa destinée, sachant que quelque part dans le monde, il y avait un ami qui pensait à lui. À ses yeux, cela avait beaucoup d'importance. Ils pourraient s'écrire, se soutenir l'un l'autre, se confier l'un à l'autre et se revoir à l'occasion quand la vie le permettrait.

Mais les mots faisaient défaut à Miguel pour exprimer tout ce qu'il ressentait.

Alors, il fit ce que tout le monde dans sa famille faisait quand les mots devenaient accessoires.

Il marcha les quelques pas qui le séparaient d'Antoine et il passa son bras autour de ses épaules.

C'était la seule façon qu'il avait trouvée pour lui dire qu'il s'ennuierait, lui aussi. Ici, au Portugal, dans sa famille, à l'école ou même dans la rue, les accolades étaient normales, les embrassades aussi. Ça ne portait pas à confusion.

La réaction d'Antoine fut aussi imprévisible que brutale.

Le coup partit comme un réflexe et Miguel le reçut en plein ventre. La surprise et la douleur le plièrent en deux.

Pourquoi Antoine avait-il fait cela ?

La rage aveugle d'Antoine ne dura qu'une fraction de seconde. Le temps d'un réflexe de survie.

Horrifié par le geste qu'il venait de poser, Antoine recula jusqu'à ce que l'eau de la marée montante vienne lui lécher les pieds.

Mais qu'est-ce qui lui avait pris ? Il connaissait Miguel comme il se connaissait lui-même. Il savait que jamais ce bras autour de ses épaules ne voudrait dire autre chose que l'amitié entre eux.

Du poing, Antoine se frappait la tête comme s'il voulait abrutir certaines idées incontrôlables. Comme s'il voulait se punir.

— Je m'excuse, Miguel, je m'excuse tellement. Je voulais pas, je voulais pas, je voulais surtout pas te faire mal…

Antoine bégayait d'une voix monocorde.

— Mais tu m'as fait mal.

Miguel s'était redressé, partagé entre la colère et l'envie

de pardonner. Ça ne ressemblait tellement pas à Antoine d'agir comme il venait de le faire. Ça ne ressemblait pas à celui qu'il avait côtoyé ces dernières semaines.

C'est alors que son regard croisa celui d'Antoine. Un regard blessé, désabusé, écorché le fixait intensément.

Alors, sans hésiter, Miguel choisit de pardonner.

— Oui, tu m'as fait mal, répéta-t-il. Mais pour que tu me frappes, c'est que toi aussi, tu as mal. Très mal.

Maria-Rosa, sa mère, lui avait appris qu'il faut parfois regarder derrière les apparences, écouter derrière les mots. Cette femme merveilleuse avait peut-être quitté sa vie alors qu'il n'était qu'un enfant, Miguel n'en avait pas moins retenu tous les messages qu'elle lui avait laissés. C'est encore elle, ce soir, qui lui avait montré ce qu'il devait voir, qui lui avait dicté les mots à dire.

— Je vais rentrer, Antoine. Si tu veux venir, tu n'as qu'à me suivre. Sinon, on se verra demain, au petit déjeuner.

Puis, Miguel se retourna et s'éloigna lentement, espérant que son ami le suivrait. Son ombre immense le précédait sur le sable de la plage et le soleil jouait dans les rayures de son chandail bleu et blanc.

Mais Antoine ne le suivit pas. Il en était incapable. Ses jambes étaient de plomb comme lorsqu'il était enfant et qu'il passait tous ses samedis après-midi chez monsieur Romain.

L'ombre de son ancien professeur passa devant le soleil, brouillant les pas de Miguel qui s'éloignait.

Cette ombre le poursuivrait-elle ainsi jusqu'à la fin de sa vie ?

Antoine revint face au soleil. Il se laissa tomber sur le

sable, ramena les jambes contre sa poitrine, appuya son menton sur ses genoux.

Puis il se mit à pleurer, silencieusement.

Toutes les larmes qu'il avait réussi à retenir un peu plus tôt montaient en lui, porteuses de souvenirs, incapables d'espoir.

— Je déteste ce que j'ai fait, murmura-t-il enfin alors que le soleil n'était plus que braise sur l'océan. Je déteste les batailles, les chicanes. Pourquoi, d'abord ? Pourquoi j'ai fait ça ? Je me déteste, je me déteste tellement...

Antoine resta assis face à la mer jusqu'à ce que les larmes tarissent d'elles-mêmes. Il vit le soleil disparaître et le ciel virer à l'indigo. Puis au noir, courtepointe sombre, matelassée et piquée de clous d'argent.

Il attendit que la lune soit devant lui, traçant un chemin ondulé entre la plage et le ciel, pour se relever.

Quand il entra dans la maison, tout était sombre, à l'exception d'une raie de lumière jaunâtre qui filtrait sous la porte de la chambre d'Adrien.

Le jeune homme se demanda si son oncle était inquiet à cause de lui ou à cause de cette décision qu'il devait prendre et dont il ne parlait jamais.

Il traîna les pieds en passant devant la chambre d'Adrien, juste au cas où. Puis, il s'enferma dans sa propre chambre, à l'autre bout du couloir.

Il était prêt à affronter une longue nuit d'insomnie.

CHAPITRE 5

Laisse-moi te dire
Tu dis des bêtises, des petits mots qui te nuisent
Ne dis rien mon amour, ce n'est pas le jour

Tu dis des bêtises
DONALD LAUTREC

Montréal, samedi 4 septembre 1965

Aujourd'hui, Marcel s'était payé la traite !

Marc, le jeune boucher, assistait aux noces de sa sœur, et son absence était prévue depuis longtemps. Marcel avait donc, tout naturellement, repris sa place derrière le comptoir de la boucherie. À la veille de la fête du Travail, les demandes pour des coupes spéciales seraient nombreuses et la boucherie ne pouvait rester sans boucher.

Les clientes avaient eu l'air tout bonnement ravies de retrouver Marcel à son ancien poste.

— Monsieur Marcel ! Chus don contente de vous voir là, vous ! M'en vas en profiter... Laissez faire le steak haché pour à matin, pis préparez-moé don un beau rôti de côtes, à place, pas trop gras. Y a juste vous pour le faire comme j'aime. M'en vas finir ma commande pis j'vas venir le chercher t'à l'heure.

Marcel buvait du petit-lait.

Il n'avait pas vu la journée passer. De la chambre froide au comptoir et du comptoir au congélateur, il avait multiplié les gentillesses pour ses clientes tout en se faisant plaisir à lui-même.

Vers trois heures, il avait fait signe à son jeune commis de venir le remplacer. Lui, il voulait fermer ses livres pour ne pas avoir à travailler le lendemain ni le surlendemain. Ça serait ses vacances d'été, les seules qu'il se permettrait de prendre. Comme on annonçait une belle température pour les prochains jours, il avait promis à son fils Charles de l'emmener pique-niquer à la plage de Pointe-Calumet.

— Les clientes qui avaient des commandes spéciales à passer sont déjà venues, avait-il expliqué à Pierre-Paul venu le rejoindre derrière le comptoir réfrigéré. Rendu à trois heures passées, c'est juste les retardataires qui vont se pointer, pis eux autres, d'habitude, y' se contentent de ce qu'y a dans le comptoir. Montre-toé convaincant pis essaye de *clairer* le plus de viande possible. À cinq heures moins quart, tu pourras commencer à toute ramasser comme je t'ai déjà montré de le faire pis tu m'envoyes ça dans le congélateur. On est fermés pour deux jours, j'ai pas envie de toute perdre. Pour le lavage du comptoir, m'en vas m'en occuper moé-même quand le magasin va être fermé. C'est pas que je te fais pas confiance, comprends-moé ben, mais c'est ben délicat le nettoyage des comptoirs pis toé, tu sais pas comment faire. Ça fait qu'à cinq heures tapant, si y a pas de clientes à boucherie, comme de raison, tu pourras t'en aller. On se reverra mardi.

C'est ainsi qu'à cinq heures, il ne restait plus que Laura à la caisse, Marcel, toujours enfermé dans son bureau, et quelques clientes tardives qui se hâtaient de finir leurs courses.

Quelques minutes plus tard, Laura poussait le loquet qui fermait le magasin.

Pourtant, pour elle, la journée n'était pas encore terminée. Seule sur le plancher à l'heure de fermeture, elle n'avait pas fini de tout ranger.

Laura se dirigea donc vers le fond du magasin pour s'attaquer au comptoir des fruits et légumes. Tout comme le faisait Marcel, elle replaça machinalement boîtes, sacs et conserves tout en remontant l'allée.

Puis, elle pivota sur elle-même, nostalgique.

Elle venait de vivre sa dernière journée de travail à l'épicerie. Le mercredi suivant, elle reprenait ses cours à l'université, et son père avait été formel : il n'avait pas besoin d'une employée qui ne serait là que le samedi.

— Que c'est ça donnerait que tu soyes là juste le samedi, ma pauvre Laura ? T'as faite de la belle job, je dis pas le contraire, mais pour astheure, j'ai pus besoin de tes services. À temps plein, ça serait pas pareil. Mais juste le samedi... Si tu veux travailler, va falloir que tu retournes voir monsieur Albert.

Alors, oui, Laura était nostalgique, et la perspective de retourner au casse-croûte ne lui souriait guère. Elle avait beaucoup aimé travailler ici, aux côtés de son père. Ce faisant, elle avait découvert un homme qui, sans être tout à fait différent de celui qui vivait avec eux à la maison, possédait quand même certaines qualités qu'elle n'avait jamais soupçonnées avant de passer un été avec lui.

Marcel Lacaille avait été un bon patron. Exigeant, certes, mais juste et vaillant.

Se rappelant qu'on était samedi et que l'épicerie serait fermée jusqu'au mardi suivant, Laura revint sur ses pas pour prendre quelques sacs de papier brun. Puis, elle retourna au comptoir des fruits et légumes afin de récupérer tout ce qui était susceptible de se perdre en deux jours. Le reste, comme les pommes et les oranges, les pommes de terre nouvelles et les carottes, elle le placerait au réfrigérateur de l'entrepôt et le jeune commis s'en occuperait mardi.

Après, elle irait saluer son père comme elle l'aurait fait avec n'importe quel autre patron en fin de saison. Ici, Marcel Lacaille était son patron avant d'être son père. La nuance était peut-être subtile pour un regard étranger, mais dès la première journée d'ouvrage, Marcel avait été catégorique.

— Pis pas de passe-droite pasque t'es ma fille. C'est-tu clair ?

Ceci ne l'empêcha pas de se faire un devoir de dire, les épaules rejetées vers l'arrière et le torse bombé, à tous ceux qui entraient dans l'épicerie que Laura était sa fille et qu'elle le secondait pour l'été.

— Après, a' retourne à l'université !

Quoi de mieux, en effet, pour signifier que l'épicerie se portait à merveille que de souligner, mine de rien, qu'il avait les moyens d'envoyer sa fille à l'université ?

Chaque fois que le scénario s'était répété, au cours de l'été, Laura s'était détournée pour sourire discrètement. Bernadette avait vu juste. La gloriole que son père tirait de ses études la servait à merveille.

Pour une première fois, il n'y avait pas eu la moindre discussion au sujet de l'université !

Quand Laura eut fini de tout ranger, trois gros sacs remplis de fruits et de légumes attendaient près de la porte. Le temps de saluer son père et Laura pourrait quitter l'épicerie à son tour.

Comme elle avait l'habitude de le faire, la jeune fille frappa un coup bref contre la porte qu'elle entrouvrit aussitôt.

— Popa ?

Marcel termina le calcul qu'il était en train de faire, puis il leva les yeux par-dessus les lunettes qu'il portait depuis quelques semaines.

— Ouais ?

— Ben... J'ai fini. J'ai rangé les fruits et les légumes dans le gros frigidaire de l'entrepôt et la caisse est prête à être comptée.

— Parfait. Chus justement rendu là.

Retirant ses lunettes de lecture, Marcel les lança sur son bureau.

— Tu pourras dire à ta mère que j'achève, précisa-t-il. Encore une petite heure pis j'vas être à maison... Dis-y don, avec, de mettre une couple de bières au frette, c'est sûr que j'vas avoir envie d'en prendre une bonne.

— D'accord, je vais le lui dire... Pis moi, ben, je voulais te dire que j'ai pas mal aimé ça, travailler ici.

Marcel regarda sa fille en soupirant, se rappelant subitement que c'était la dernière journée de celle-ci à l'épicerie. L'été avait passé et il ne l'avait pas vu.

— C'est vrai, ça, que t'as aimé ça travailler icitte ?

Laura haussa les épaules avec un brin d'impatience. Avec son père, il fallait souvent répéter les choses, comme s'il n'était certain de rien. Ni de vous, ni de vos propos.

— Chus comme toi, popa, j'ai pas l'habitude de mentir. Oui, c'est vrai.

— Ben tant mieux... Moé avec, j'ai trouvé ça le fun de travailler avec quèqu'un de la famille. J'ai ben aimé ça travailler avec toé... Ah ouais, avant que je l'oublie...

Marcel se releva et plongea une main dans sa poche de pantalon pour en ressortir un billet de dix dollars presque neuf.

— Quin, prends ça...

Il tendit le billet maladroitement. Tout au long de la journée, il avait pensé à cet instant, se demandant comment il allait se présenter. Finalement, c'était plus facile que tout ce qu'il avait imaginé. Tant mieux. Marcel détestait les effusions en tout genre.

— C'est pour ton école, précisa-t-il, faussement bougon. Tu dois ben avoir besoin de cahiers, de crayons...

Brusquement, Marcel avait peur de s'embourber dans ses mots. Une émotion imprévue lui serrait la gorge.

— J'sais pas, moé, poursuivit-il brusquement, tu dois ben avoir besoin de choses d'école, non ? Le dix piasses, c'est pour ça. Une façon comme un autre de te dire merci. Une sorte de bonus.

Laura tendit la main.

— Ben merci, popa. Je m'attendais pas à ça.

— C'est sûr que dans la vie, on travaille pas pour des bonus, on travaille juste pour faire de la belle job. Mais si t'avais pas été là, j'sais pas trop comment j'aurais faite pour passer à travers de l'été avec les vacances des employés pis je voulais que tu le saches. Bon, astheure, fiche-moé le camp que je finisse ma journée. J'ai pas envie de moisir icitte jusqu'à minuit... Ah ouais... Tu vas-tu encore à Québec demain ?

— C'est ce qui est prévu.

— Ben, prends don un peu de stock dans tes sacs pis donne-lé à Francine. Une fille tuseule avec un p'tit, ça doit pas être facile tous les jours, pis les primeurs, calvaire, ça coûte la peau des fesses.

Émue et surprise, Laura n'osa rétorquer que c'est ce que Bernadette faisait toutes les semaines.

— Merci, popa. Merci pour Francine.

— Ouais, c'est ça... Astheure, va-t'en, j'veux pas passer la nuitte icitte. Après toute, même si c'est juste pour deux jours, c'est mes vacances à moé qui commencent à soir. J'veux en profiter. Pis en calvaire, à part de ça !

* * *

Cette fois-ci, le départ d'Adrien n'avait suscité aucune larme. Ce n'était qu'un autre voyage, comme une sorte de vacances. Après, il reviendrait, il l'avait promis.

Assises toutes les deux sur la galerie, Évangéline et Bernadette avaient regardé l'auto tourner le coin de la rue et disparaître à leurs yeux.

Puis, Évangéline poussa un long soupir, sans quitter du regard le coin de la rue, au cas où Adrien aurait oublié quelque chose.

— C'est fait ! Y' est encore parti, viarge ! Pis la p'tite Michelle avec.

— Ouais, mais y' va revenir. C'est ça qui est important. On sait qu'y' va revenir avant les fêtes.

— C'est ce qu'y' a dit. Je le sais. Mais va don savoir si c'est vrai.

— Pourquoi y' nous aurait menti ?

— Pour pas qu'on aye de peine à le voir s'en aller.

Devant une telle logique, Bernadette resta silencieuse un moment.

— Non, analysa-t-elle finalement, je pense pas que vous avez raison, la belle-mère. C'est pas le genre d'Adrien de nous faire des accroires de même. Si y' avait eu dans l'idée de partir pour de bon, y' nous l'aurait dit franchement... Pis y' aurait pas laissé tout son stock dans le logement d'en bas. Y' l'aurait *clairé* avant de partir pis y' vous aurait dit de mettre le logement en location. Adrien sait que vous avez besoin de c't'argent-là.

— Tant qu'à ça...

Quelques jours après son retour d'Europe, Adrien s'était assis avec sa mère au salon, en tête-à-tête, pour lui faire part de sa décision.

— Je vais aller au Texas parce que je crois que Bernadette a raison quand elle dit que Michelle a le droit de connaître sa mère. Mais pas question d'y rester. Michelle s'est trop ennuyée de vous tous ici durant nos vacances en Europe. Pour elle, sa famille c'est vous, c'est Bernadette et les enfants, c'est matante Estelle...

— C'est sûr que c'est nous autres !

Évangéline avait eu l'air ulcérée de voir qu'on pouvait mettre une telle chose en doute.

— On s'en occupe depuis qu'est au monde, c't'enfant-là, avait-elle rétorqué, la voix chargée d'impatience. Pis on l'aime, ta fille, tu sauras. Oublie jamais ça, mon gars, on l'aime ben gros.

— Comment voulez-vous que j'oublie ça ?

Évangéline n'avait pas répondu et le temps de refaire

ses valises, Adrien partait à nouveau, en direction du sud, sous le regard approbateur de Marcel. Enfin, son frère agissait comme lui il l'aurait fait.

Assis à la cuisine, Marcel prenait un café après le souper tout en analysant la situation de son frère. Même si l'école était commencée depuis quelques jours déjà, il faisait encore passablement chaud, et de la ruelle montait la voix de Charles qui jouait avec ses amis.

— Pour une fois, calvaire, y' s'est servi de sa tête. Y' était temps qu'y comprenne que c'est juste normal qu'une fille comme sa Michelle connaisse sa mère, voyons don ! Tu verrais-tu ça, toé, que notre Laura te connaîtrait pas ? Qu'a' l'aurait passé toute sa vie à faire semblant, comme si t'étais morte ? Non, hein ? Ben c'est pareil pour la p'tite Michelle.

Affairée à la vaisselle, Bernadette ne répondit pas. Marcel, prenant ce silence pour un assentiment à tout ce qu'il venait de dire, se cala contre sa chaise pour continuer sur sa lancée.

— Pis en plusse, y' a fait ça dans le sens du monde, le frère. Par étapes, comme qui dirait, pour pas trop maganer les sentiments de la mère. Un premier voyage pour qu'a' s'habitue de pas le voir dans maison pis là, le départ pour le Texas. C'est sûr que pour lui avec, c'est la meilleure place pour retourner s'installer. Après toute, c'est là qu'Adrien a une job à son goût.

Le temps d'une gorgée de café et Marcel poursuivit sans tenir compte du silence persistant de Bernadette.

— C'est ben pour dire, hein ? La vie, des fois, c'est ben arrangé. Pour toutes sortes de raisons, Adrien retontit icitte avec sa fille qui est juste un bebé. Pis pas longtemps après, y' rencontre un docteur capable d'aider Michelle à avoir une main quasi normale. Petête ben que si Maureen avait pas faite de cas de l'infirmité de sa fille, petête ben qu'Adrien serait jamais venu à Montréal. Pis petête ben, avec, que la p'tite Michelle aurait jamais rencontré c'te docteur-là... Ouais, la vie, des fois, ça voit plus loin que nous autres. La mère, elle, a' dirait que c'est la divine Providence. Pis, calvaire, des fois je me demande si a' l'aurait pas raison. Toute ça pour dire que je pense que c'est une bonne affaire pour tout le monde. Michelle va retrouver sa mère, Adrien va retrouver sa job pis la mère va pouvoir relouer son logement. A' l'arrête pas de se plaindre qu'est cassée, depuis un boutte, ben, c'est à partir d'astheure que ça va changer pis chus sûr que ça avec, ça va l'aider à moins penser à Adrien.

Marcel était rarement aussi volubile. Cependant, tenant compte de la relation plutôt froide qui unissait les deux frères, Bernadette pouvait très bien comprendre que son mari se sente soulagé par le départ d'Adrien et que son souhait le plus sincère soit qu'il ne revienne jamais habiter Montréal. La bonne humeur de son mari avait une valeur inestimable aux yeux de Bernadette, et c'est pour cela qu'elle ne démentirait pas ses présomptions.

Mais elle, Bernadette, elle savait pourquoi Adrien était reparti aussi vite et elle l'approuvait, même si son absence lui pesait lourd par moments.

— Tu aurais dû voir les regards curieux qui se posaient sur Michelle, avait-il dit, la voix enrouée, quelques jours après son retour de vacances. Par moments, j'avais l'impression que ma fille était une monstruosité de foire. J'étais tellement en colère, Bernadette, tellement.

Pourtant, Michelle ne s'en apercevait même pas. C'est pour cette raison que je veux partir tout de suite. Si jamais sa propre mère, ou un cousin, ou sa grand-mère, posait un regard horrifié sur elle, Michelle ne s'en apercevrait probablement pas. Et c'est très bien comme ça. Dans un an, ça ne serait peut-être pas la même chose.

Puis, dans un souffle, il avait ajouté :

— Ça donne un sens à tout ce que je t'ai dit. Je sais que Michelle doit rencontrer sa mère, mais en même temps, c'est ici que je veux l'élever. Ça m'a pris du temps avant de le comprendre, mais c'est fait. Il va falloir que les Prescott l'acceptent. Comme je te l'ai déjà avoué, c'est aussi à cause de toi que je veux revenir. Pour une fois, j'ai envie de faire confiance à la vie. C'est tout.

Ce soir-là, Bernadette avait dormi comme un bébé, rassurée face à l'avenir. Son avenir. Comme Adrien, elle avait envie de faire confiance à la vie. Advienne que pourra : rien ne pourrait être pire qu'une vie sans Adrien et Michelle habitant tout près.

Et c'est pour cette même raison que ce soir, elle abonderait dans le même sens que Marcel. Un petit mensonge ne pouvait pas faire de tort. Le jour où son mari comprendrait qu'il s'est trompé à l'égard de son frère viendrait bien assez vite.

Mais Bernadette n'eut pas le temps de répliquer que Marcel se remettait à monologuer.

— Pis j'vas même donner un coup de main à la mère, pour son logement, proposa-t-il. J'vas préparer une belle annonce, avec plein de numéros de téléphone qu'on peut déchirer, pis j'vas l'afficher à l'épicerie, proche de la caisse. Comme ça...

— Deux menutes, Marcel.

Bernadette se retourna pour faire face à son mari.

— Tu viens de le dire toé-même qu'Adrien avait eu une bonne idée de partir par étapes. C'est tes propres mots.

— Ouais. Pis ?

— Ben me semble que c'est clair. Va pas toute détruire ça avec ta proposition. Est bonne, ton idée, je dis pas le contraire, mais y' est ben que trop de bonne heure pour en parler. Toé pis moé, on sait ben ce qui s'en vient, mais pour l'instant, je pense qu'on est mieux de tenir ça mort. Laisse ta mère se faire une idée par elle-même.

— Ouais… T'as petête raison.

— C'est sûr que j'ai raison. Tu sais comment a' l'est, ta mère, quand ça va pas à son goût, non ?

— Ouais, est pas parlable.

— Justement. Ça fait que pour astheure, toé pis moé, on parle pas d'Adrien à moins qu'elle-même le fasse, comme de raison. Mais on fait ben attention à ce qu'on dit. Pis on attend. C'est pas quèques semaines de plusse ou de moins qui vont faire une grosse différence dans ses finances. Pis nous autres, pendant c'te temps-là, on va être tranquilles.

— Ouais, vu de même…

— Adrien a promis à ta mère de l'appeler toutes les semaines.

Bernadette était revenue face à l'évier où elle se remit à la vaisselle tout en parlant. Elle s'écoutait aligner les arguments pour défendre sa position et elle se demanda si elle agissait ainsi pour Marcel ou pour elle-même. Qui cherchait-elle vraiment à convaincre ?

— Chus sûre que ça prendra pas trop trop longtemps pour que ta mère comprenne que son gars est parti pour de bon. Une mère, ça sent ça, ces choses-là. C'est à c'te moment-là que tu pourras y faire ta proposition d'affiche. Ça va y faire plaisir de voir que tu penses à elle pis ça va l'aider à avaler la pilule. Pasque c'est clair qu'Évangéline acceptera pas facilement de voir qu'Adrien reviendra pas. Ça sera pas facile pour elle. Pas facile pantoute.

DEUXIÈME PARTIE

Printemps – été 1966

CHAPITRE 6

Ooh I need your love babe
Guess you know it's true
Hope you need my love babe
Just like I need you, Ooh
Hold me, love me, hold me, love me,
I ain't got nothin' but love babe
Eight days a week

Eight days a week
THE BEATLES

Montréal, mercredi 6 avril 1966

Avril était peut-être déjà là — c'est ce que le calendrier affirmait —, pourtant, cette année, l'hiver tardait à plier bagage. Une vieille neige grisâtre, sale de tout un hiver assez rigoureux, traînassait encore sur les parterres et s'entassait au fond des ruelles. En cette fin de journée, alors que le soleil courtisait les toits avant d'aller se coucher, les gens marchaient à petits pas pressés comme en plein mois de janvier quand il faisait un froid à pierre fendre.

Laura n'échappait pas à la règle. Les yeux au sol, elle se dépêchait afin de ne pas être en retard. Elle avait promis à monsieur Albert qu'elle serait là pour l'aider à nettoyer le fond du restaurant, là où se dresserait bientôt la machine à crème glacée molle que monsieur Albert louait, année après année, dès les premiers beaux jours du printemps.

— C'est certain que je vais vous aider à faire le ménage, mais vous pensez pas, vous, que c'est un peu trop tôt pour faire ça, par exemple ?

— Pantoute, ma belle, pantoute. Chus pas né de la dernière pluie pis des printemps tardifs, comme c't'année, j'en ai vu d'autres. Faut se méfier ! Le beau temps va nous tomber dessus comme la misère sur le pauvre monde. Attends, pour voir ! Tu sauras m'en reparler ! J'ai toujours été le premier, dans le quartier, à offrir de la crème à glace à mes clients quand la chaleur nous tombe dessus. C'est pas cette année que ça va changer !

C'est pour cette raison que dès sa sortie de l'université, où elle avait passé une longue journée harassante, Laura avait pris l'autobus pour traverser la ville et que maintenant elle marchait à pas prudents mais rapides sur le trottoir rendu glissant par la gadoue qui commençait à figer encore une fois. Le temps d'avaler un souper expéditif, offert par monsieur Albert, et Laura s'attaquerait au ménage. Mais contrairement à ce que l'on pourrait penser, cette perspective ne la rebutait pas. Une soirée sans étude serait la bienvenue. L'année scolaire avait été longue, le travail accablant, et Laura commençait à être fatiguée de toutes les exigences académiques qui s'accumulaient en cette fin d'année scolaire.

Ainsi, c'est avec déception et colère qu'elle buta sur une porte fermée.

— Maudite marde ! Qu'est-ce qui se passe, encore ?

Une note, collée contre la vitre, annonçait que le restaurant ouvrirait le lendemain matin, à six heures, comme d'habitude.

Affamée, déçue, inquiète, Laura poursuivit son chemin et tourna le coin de la rue menant chez elle. Elle détestait les changements d'horaire à la dernière minute. Ce soir, elle se faisait une joie de ne pas étudier et voilà qu'elle n'aurait pas le choix de s'y mettre si elle voulait libérer une autre soirée.

Laura poussa un long soupir contrarié.

Et en plus, sa mère ne l'attendait pas pour souper. Pourvu qu'il reste de quoi manger à la maison !

Bernadette achevait de faire la vaisselle quand Laura entra enfin chez elle. L'odeur qui persistait laissait deviner qu'ils avaient mangé du spaghetti.

— Bon enfin, te v'là !

S'essuyant machinalement les mains sur son tablier, Bernadette se tourna vers sa fille.

— Ben oui, me v'là ! Le casse-croûte est fermé, tu sauras ! C'est ben la première fois que ça arrive, une affaire de même.

— Je le sais ben, ma pauvre fille. Monsieur Albert m'a appelée, t'à l'heure, pour m'annoncer qu'y' fermait. Mais comment c'est que tu veux que je t'avertisse dans ta salle de cours ? T'as pas ça sur toé, un téléphone.

Laura avait fini de se dévêtir. Elle tourna un regard inquiet vers sa mère.

— Comment ça se fait que le casse-croûte soit fermé ? J'espère que monsieur Albert n'est pas…

— Crains pas, monsieur Albert a rien, coupa Bernadette. Y' est vieux, mais en bonne santé. Non, c'est sa sœur qui est morte subitement après-midi. Pis comme monsieur Albert est la seule famille qui y restait, y' a ben fallu qu'y' s'en occupe.

— Sa sœur ? Monsieur Albert a une sœur ?

Malgré la gravité de la situation, Laura éclata de rire.

— C'est un peu fou, mais j'arrive pas à imaginer monsieur Albert ailleurs que devant sa plaque à hot-dogs pis sa cuve à patates frites.

— C'est vrai que c'est toujours là qu'on le voit, mais y' a une vie privée, lui avec…

Tout en parlant, Bernadette avait sorti une partie des restes mis au réfrigérateur et les avait déposés dans une casserole pour les réchauffer.

— Toutes les boss ont une vie de famille comme les autres, précisa-t-elle en servant une généreuse portion de pâtes enrobées de sauce pour Laura.

Puis, Bernadette déposa l'assiette sur la table.

— Ouais, les boss aussi sont supposés avoir une vie privée, répéta-t-elle. Comme tout le monde… Des fois !

Le ton amer employé par Bernadette n'avait pas échappé à Laura.

— Pourquoi tu dis ça comme ça, moman ? Y a quelque chose qui va pas ?

— Rien de plusse qu'à l'accoutumée.

Les gestes de Bernadette étaient brusques tandis qu'elle finissait de ranger la cuisine.

Le temps de calmer les gargouillis de son estomac en dévorant quelques rapides bouchées de pâtes et Laura revint à sa question.

— T'as l'air préoccupée, moman, affirma-t-elle, catégorique, imbue de tout son savoir psychologique récemment acquis. Est-ce qu'il y a quelque chose d'important qui ne va pas ? D'habitude, tu t'assois avec moi quand j'arrive plus tard comme ça, pis tu me fais…

— Je viens de te le dire, Laura : rien de plusse qu'à l'accoutumée, trancha Bernadette qui n'avait pas particulièrement envie de parler de ses états d'âme. C'est déjà ben en masse.

— Ben voyons donc !

Depuis quelques mois déjà, grâce à ses cours, probablement, Laura avait la nette impression d'être plus réceptive aux gens, plus perspicace pour ressentir les variations dans les humeurs et les caractères. Ça valait pour Antoine qui avait passé une très mauvaise année, renfermé dans sa chambre ou parti on ne savait trop où. Ça valait pour sa grand-mère qui n'était pas à prendre avec des pincettes après chacun des appels d'Adrien lui annonçant que le retour à Montréal était repoussé. Ça valait pour son père qui avait les traits tirés à un point tel que Laura avait l'impression qu'il venait de vieillir de dix ans en quelques mois à peine. Et ce soir, ça valait pour sa mère qui, jusqu'à ce jour, était restée la même, avec son caractère égal. Seul son petit frère Charles avait échappé à ses analyses. Il était trop jeune et sa vie, trop facile pour qu'il puisse être d'un quelconque intérêt.

Devant sa mère qui persistait à frotter un comptoir déjà propre, Laura insista.

— Si tu me disais ce qui se passe vraiment, moman ? suggéra-t-elle gentiment. Je te connais assez pour savoir que ça ne va pas tellement bien quand tu te mets à frotter sans raison !

À ces mots, Bernadette esquissa un sourire. Sa fille la connaissait bien !

Puis, elle lança son torchon dans l'évier.

Pourtant, elle ne se retourna pas vers Laura. Elle leva

les yeux sur la cour remplie d'ombres alors que le soleil venait enfin de disparaître complètement. Elle avait le cœur lourd.

Comment dit-on à sa fille que le cœur a mal ? Comment peut-on oser avouer que cette douleur à la poitrine qui empoisonne le quotidien, elle est causée par un autre que son mari ? Existe-t-il des mots pour confesser cela ? Des mots qui sauraient parler sans tout détruire ? Parce que Bernadette n'avait pas envie de tout détruire autour d'elle. Ni leur vie de famille, ni les illusions de Marcel, ni les espoirs d'Évangéline qui s'entêtait à soupirer après son Adrien, ni le petit bonheur un peu étriqué qui était le sien. Bernadette entendait bien conserver tout ça. Il n'y avait que cette petite épine au cœur quand elle repensait aux promesses d'Adrien.

Aux promesses qu'il n'avait pas tenues.

Cela suffisait, parfois, à assombrir ses journées.

Mais comment pouvait-elle l'expliquer à sa fille, alors qu'elle se refusait souvent de se l'expliquer à elle-même ?

Se laissant tomber sur une chaise en face de Laura, Bernadette se contenta donc de dire :

— Chus probablement ben fatiguée de l'hiver qui finit pas par finir. Pis y a ton père qui m'inquiète.

Pour expliquer des états d'âme qu'elle ne voulait pas développer, Bernadette s'était souvent servie de Marcel. Le sujet était inépuisable et pouvait justifier n'importe quoi. Ce soir encore, même si elle ne s'en faisait pas trop pour lui, Marcel servirait d'exutoire.

— Popa ?

— Ouais, ton père. J'espérais ben qu'avec le temps, c'te fichue épicerie-là lui demanderait moins de temps. Mais c'est pas le cas. C'est même de pire en pire, depuis quèques semaines. Tu t'en es petête pas rendu compte, rapport que tu passes tes grandes soirées dans ta chambre à étudier, mais c'est pas rare, astheure, que ton père revienne de l'épicerie à neuf heures passées.

— C'est vrai qu'il soupe de moins en moins souvent avec nous autres…

— Tu vois ben !

— Mais c'est vrai, aussi, que popa est un gros travailleur, enchaîna Laura, sans tenir compte de la réplique de Bernadette. Pis perfectionniste dans tout ce qu'il fait… Pauvre popa ! Une épicerie comme la sienne, ça doit lui demander bien des efforts et des sacrifices.

C'était probablement la première fois que Bernadette entendait Laura parler de son père sur ce ton. Elle haussa les sourcils.

— Verrat, Laura ! On dirait que tu parles d'un étranger, toé là.

— Pantoute, moman. J'ai passé tout un été à travailler avec popa, pis j'ai appris à mieux le connaître. C'est tout. Il est peut-être tout croche quand il essaie de dire les choses, mais comme patron, c'est un homme juste même s'il est très exigeant pis qu'il nous parle parfois un peu rudement. Mais comme il donne l'exemple, on n'a pas le choix de répondre à ses exigences.

Décontenancée par tout ce que Laura lui disait, Bernadette la laissait parler sans même chercher à l'interrompre.

La jeune fille repoussa son assiette, repue. Et comme elle n'avait pas l'intention d'étudier, ce soir, elle proposa sur un coup de tête :

— Si tu me préparais une portion de spaghetti pour popa ? Je pourrais aller la lui porter pis j'en profiterais, en même temps, pour lui demander s'il pense avoir besoin de moi l'été prochain.

— Aller porter un souper à ton père ?

Malgré l'interrogation, Bernadette était déjà debout.

— C'est vrai que c'est pas ben ben bon de travailler le ventre vide.

Un chaudron était déjà sorti, quelques ustensiles, le vieux thermos.

— Donne-moé deux menutes pis ça va être prêt.

Puis, au bout d'un petit silence alors que Laura se levait pour déposer son assiette dans l'évier avant de passer à sa chambre pour se changer, Bernadette ajouta, comme dans un chuchotement :

— C'est fin de penser à Marcel comme ça. Ben fin. Dans le fond, c'est pas souvent qu'on cherche à y plaire.

Laura se demanda pour qui sa mère parlait. Intimidée, elle n'osa le demander. Quelques instants plus tard, nantie d'un sac gonflé par le thermos et une pointe de tarte aux pommes, elle quittait la maison.

L'épicerie était plongée dans la pénombre. Seules les quelques lumières des comptoirs réfrigérés permettaient de voir où l'on posait les pieds.

Laura fut surprise de constater que la porte n'était pas verrouillée. Fallait-il que son père soit préoccupé pour avoir oublié de pousser le verrou ! Elle entra sans faire de bruit, sachant pertinemment que Marcel Lacaille avait une sainte horreur d'être dérangé. Elle comptait sur la bonne odeur qui s'échappait du sac pour l'amener à accepter sa visite sans trop récriminer.

— Popa ?

Marcel sursauta, échappa son crayon et leva les yeux, partagé entre l'agacement de voir son travail interrompu et le plaisir indéniable qu'il ressentit en reconnaissant sa fille.

— Laura ? Calvaire que tu m'as fait faire un saut, toé là ! Mais que c'est que tu fais icitte en pleine soirée ?

— Y' est pas mal tard pis t'as pas encore mangé.

Ce n'était que cela ? Malgré la gentillesse du geste, Marcel sentit l'impatience prendre le dessus. Ce n'est pas en prenant le temps de manger, là maintenant, qu'il allait finir de préparer sa commande pour pouvoir enfin rentrer chez lui.

— J'ai pas le temps de manger ! trancha-t-il, impératif. Tu le vois ben, calvaire, que chus occupé.

Le ton était brusque, la voix rauque de fatigue.

— J'ai les calvaires de commandes à finir de préparer.

Les commandes ! Laura se retint pour ne pas lever les yeux au ciel. Cela faisait deux ans que son père n'avait que ce mot à la bouche.

Malgré cela, et quitte à se faire rembarrer, Laura insista.

— Je vois. Mais c'est du spaghetti, précisa-t-elle en lui tendant le sac. Ton souper préféré. J'ai pensé que ça te ferait plaisir. Prends le temps de manger pis tu finiras tes commandes après. À moins que tu veuilles que je t'aide ?

— M'aider ?

L'idée sembla tellement saugrenue que Marcel esquissa un sourire moqueur. Cependant, sans quitter sa fille des yeux, il allongea le bras pour prendre le sac que Laura lui tendait toujours. La tentation était trop grande.

De la main, il repoussa les papiers qu'il était en train de consulter.

La bonne odeur qui s'échappa du thermos, dès qu'il l'ouvrit, emporta les derniers vestiges de son agacement.

— Tu veux m'aider ? répéta-t-il après quelques bouchées, amusé par la proposition de Laura.

— Pourquoi pas ? Ça doit pas être si compliqué que ça, remplir une commande.

Quelques mots et l'amusement céda tout grand la place à l'indignation. Marcel leva un regard courroucé au-dessus du thermos. Sa fille le prenait-elle pour un imbécile ? Un demeuré incapable de comprendre une commande d'épicerie ?

— C'est pas pasque j'ai pas faite l'université comme toé que chus un cave, Laura Lacaille, grommela-t-il entre deux bouchées. Si c'est juste des affaires plates de même que t'as envie de me dire, tu peux ben t'en retourner à maison.

— J'ai jamais dit que t'étais un cave. Bien au contraire.

Il n'y avait qu'ici, à l'épicerie, où Laura osait répliquer à son père, comme si le lien filial s'estompait, remplacé par une relation différente qui se jouait sur un autre niveau.

— Ben, c'est quoi d'abord ?

Laura hésita. Cela faisait longtemps qu'elle y pensait. Ce n'était peut-être qu'une question de hasard, mais elle n'en était pas certaine. Elle avait surtout une envie irrésistible de vérifier.

— Je ne pense pas que ça soit les commandes, ton problème.

— Mon problème ? Pasque selon toé, j'aurais des problèmes ?

— C'est sûr. T'es encore ici à huit heures du soir, t'as pas soupé pis t'as pas encore fini ta journée ! Si c'est pas un problème, ça…

Marcel se contenta d'abord d'un long regard soutenu en direction de Laura, puis, imperceptiblement, il haussa les épaules. Si lui n'était pas un imbécile, les autres non plus ne l'étaient pas. Laura n'avait pas tort. Marcel rêvait du jour où ses journées finiraient avant le souper, comme tout le monde.

— Ouais, pis ? Faut ben que quèqu'un les fasse, les maudites commandes. Sinon, dans pas long, y aura pus rien sur les tablettes.

Laura sentait que la colère de son père était sur le point d'éclater. Quand la ride entre ses deux yeux s'intensifiait comme maintenant, ce n'était pas bon signe.

Elle fut sur le point d'abdiquer. Elle ne connaissait rien de plus désagréable qu'une bonne colère de Marcel Lacaille. Quelques traces sur les murs de leur appartement en faisaient foi.

Laura ferma les yeux une fraction de seconde.

Combien de fois avait-elle entendu des disputes et des bruits suspects, intenses et soutenus, provenant de la chambre de ses parents ? La petite fille qu'elle était alors se cachait la tête sous l'oreiller pour calmer sa peur.

Pourtant, depuis quelque temps, il n'y avait plus de cris ou de disputes provenant de la chambre des parents.

Alors ?

En même temps qu'elle était soudée à sa peur de voir éclater une colère, il y avait une supposition qu'elle aurait voulu vérifier. Mais pour le faire, il fallait avoir accès aux livres de son père et pour l'instant, il n'y avait que lui qui s'octroyait le droit de les consulter. Malgré tout, Laura était persuadée d'avoir raison. Pour se donner un peu de courage, elle se répéta qu'une occasion comme celle de ce soir ne se représenterait peut-être jamais. Que risquait-elle, au fond ? Son père n'avait jamais levé la main sur un de ses enfants.

À cette pensée, Laura se traita de ridicule. On n'en était pas là et elle le savait pertinemment.

— Je le répète, fit-elle enfin prudemment. Je ne crois pas que les commandes soient le problème. Pas directement, en tout cas.

— Si c'est ça que tu penses, ma pauvre Laura, c'est que t'as rien compris dans le roulement d'une épicerie comme icitte pis dans c'te cas-là, vaut mieux que tu touches pas à ça.

Marcel avait remis le thermos et l'assiette ayant contenu la tarte dans le sac. Sans attendre, il avait repris son crayon et ramenait sa paperasse vers lui.

— Ça fait deux ans que je m'occupe des calvaires de commandes, pis j'arrive pas encore à faire ça dans le sens du monde. Le pire, c'est que j'arrive pas à comprendre pourquoi des fois ça marche, pis que d'autres fois, ça marche pas. Pourquoi des fois, on vend toute ce que j'ai acheté pis que d'autres fois, je me retrouve avec un surplus d'inventaire qui moisit sur les tablettes. Avec le cannage, c'est pas trop grave. Mais avec les produits frais...

À ces mots, Marcel poussa un long soupir contrarié.

— Arrête de dire que c'est facile, Laura, tu sais pas de quoi tu parles. Astheure, tu vas me faire le plaisir de sacrer ton camp pour que je puisse travailler.

— C'est comme tu veux.

Laura était déjà debout et elle avait repris le sac contenant les vestiges du repas de son père.

Tout en se traitant de poltronne, Laura attendit quand même d'être près de la porte avant de lancer son idée. Peut-être bien que son père la retiendrait et qu'il irait vérifier. Pour l'instant, elle ne pouvait faire plus.

— Moi, popa, je dirais que le problème, c'est toi.

— Moé ?

Cette fois-ci Marcel fulminait.

— Va-t'en, Laura, va-t'en d'icitte avant que je voye pus clair. Tu viendras pas m'insulter dans ma propre épicerie.

— Je ne t'insulte pas, popa, lança alors Laura précipitamment, une main sur la poignée de la porte. C'est tout le contraire. Je me suis peut-être mal exprimée, mais quand je dis que le problème c'est toi, je veux juste dire que tu devrais retourner dans ta boucherie.

— C'est quoi encore, c'te calvaire d'idée-là ? coupa Marcel, hors de lui, sans laisser le temps à Laura de finir. Chus pas assez brillant pour être propriétaire de toute une épicerie, je suppose ? C'est ça ? Pis dire que c'est ma propre fille qui vient me lancer ça, de même, en pleine face. T'en as-tu encore ben ben d'autres, des folleries de même à dire ?

— C'est pas une follerie, popa. Pis j'ai jamais dit que t'étais pas capable d'avoir une épicerie à toi. Mais l'été dernier, quand tu as remplacé Marc à la boucherie, j'ai remarqué que les clientes étaient plus nombreuses. On aurait dit qu'elles se passaient le mot pour venir ici.

— C'est ben niaiseux, ce que tu dis là !

— Es-tu bien sûr de ça ? Peut-être bien, après tout.

Mais je pense que tu devrais quand même vérifier.

Laura parlait à toute allure, sans reprendre son souffle.

— Avec ton grand livre de comptes, tu devrais être capable de faire ça, non ? À mon avis, si l'épicerie Perrette marchait si bien, dans le temps, c'était à cause de toi. C'est toi et ta boucherie qui attiraient les clientes. C'est arrivé souvent que je sois obligée de faire la file avant que tu me serves quand je venais faire une commission pour moman. Aujourd'hui, y en a plus de files devant le comptoir de la boucherie, sauf quand tu remplaces Marc.

Laura s'arrêta, essoufflée. Voyant que son père ne rétorquait rien, se contentant de la fixer, les sourcils froncés comme le faisait Évangéline quand elle réfléchissait intensément, elle ajouta alors, d'une voix très douce:

— Je veux juste t'aider, popa. Je le sais que tu travailles fort, mais je pense que tu devrais mettre tes efforts ailleurs. C'est tout. Maintenant, je te laisse travailler. Bonne nuit.

Elle quitta l'épicerie sur le bout des pieds, surprise de ne pas entendre une voix de stentor la rappeler ou lui crier par la tête qu'elle n'était qu'une insolente.

C'est en passant devant le casse-croûte fermé que Laura prit la mesure exacte de ce qu'elle venait de faire.

Jamais, jusqu'à maintenant, elle n'avait tenu tête à son père. Personne, dans leur famille, n'aurait osé le faire. Prompt, colérique, Marcel Lacaille faisait peur à tout le monde, même à ses propres enfants. Il n'y avait qu'Évangéline capable de lui tenir la dragée haute quand elle sentait le besoin de ramener son fils à de meilleurs sentiments. Et peut-être aussi sa mère, quand elle discutait avec lui dans le secret de leur chambre. De cela, cependant, Laura n'était même pas certaine.

Alors, qu'est-ce qui lui avait pris, ce soir, de lui parler de ce qui n'était au fond qu'une intuition ?

Laura ferma les yeux en soupirant.

Tout ce qu'elle risquait, dans cette histoire, c'était de ne pas ravoir sa place à l'épicerie durant l'été parce qu'elle s'était trompée et que son père lui en voulait. À moins que, trop choqué après elle, Marcel ne vérifie même pas son point de vue.

Elle aurait mieux fait de se taire et de se contenter de lui demander s'il pensait avoir besoin d'elle durant l'été.

C'est tout ce qu'elle espérait: travailler à l'épicerie avec son père durant les mois d'été.

Et voilà qu'à cause de sa grande langue, elle avait peut-être tout gâché.

Laura ouvrit alors les yeux. Au fond du casse-croûte, la grosse horloge Coca-Cola brillait dans le noir. La grosse horloge que monsieur Albert lui demandait de laver, une fois par mois, grimpée dans le lourd escabeau. La grosse horloge qu'elle serait peut-être obligée de laver, cette année encore, suant à grosses gouttes dans la touffeur du casse-croûte qui sentait la graisse et les hot-dogs.

Écrasant avec rage une larme idiote qui glissait le long de sa joue, Laura reprit sa route en essayant de faire le vide dans son esprit.

Demain, elle avait un compte-rendu à remettre à un professeur et elle voulait se lever tôt pour tout relire.

* * *

Comme l'avait prédit monsieur Albert, le printemps envahit la ville en moins de deux jours, bousculant la neige qui n'eut plus qu'à fondre. Les souliers remplacèrent les bottes, les chandails firent oublier les lourds manteaux et monsieur Albert sortit sa vieille pancarte pliante annonçant que la crème glacée molle était de retour.

— Que c'est que je t'avais dit, Laura ?

Il jubilait, nez en l'air, à scruter le ciel.

— Pas encore tout à fait le mois de mai pis la chaleur arrive ! Je le savais, je le savais don qu'y' fallait que je me prépare. Avant de prendre ton service, ma belle Laura, tu vas me faire une pancarte que j'vas coller avec l'autre. Une pancarte qui annonce que cette année, y' va y avoir de la crème molle au chocolat, en plusse de la vanille.

— Au chocolat ?

Laura avait une lueur gourmande dans le regard et une intonation de même acabit dans la voix.

— En plein ça. Cette année, on va offrir deux sortes de crème molle. On peut même avoir les deux sortes de crème dans le même cornet, tu sauras. Envoye ! Va faire la pancarte. Tu vas trouver toute ce que t'as besoin dans mon bureau. Pis après tu reviendras me voir pour que je te montre comment ça fonctionne, c'te nouvelle machine-là. Ah ouais ! Écris avec, sur ta pancarte, que pour aujourd'hui, c'est moitié prix. Ça va attirer le monde !

Partagée entre le plaisir d'avoir quelque chose de neuf à offrir à la clientèle du casse-croûte et la déception de se dire que, selon toute vraisemblance, elle y travaillerait tout l'été puisque son père ne lui avait pas reparlé depuis l'autre soir, Laura tourna les talons et se dirigea vers le fond du restaurant, là où monsieur Albert avait une petite salle qui servait de bureau, de salle de repos et d'entrepôt.

À la fin de l'après-midi, elle avait les épaules et les poignets en charpie, à force de préparer des cornets. La file d'attente n'avait pas diminué de la journée, ce qui lui avait fait penser, à plusieurs reprises, à son père et à sa boucherie, où les files d'attente se faisaient de plus en plus courtes et rares.

C'est encore à lui et à l'épicerie que Laura réfléchissait quand elle rentra enfin chez elle, fourbue. Une journée comme celle qu'elle venait de vivre lui avait clairement rappelé qu'elle ne voulait pas travailler au casse-croûte durant l'été.

Mais comment en parler à son père ? Et surtout, comment ne pas le heurter si jamais il n'avait pas les moyens de l'engager ?

Laura grimpa l'escalier à la course, rêvant d'une bonne douche chaude. Quand elle entra dans la cuisine, elle fut surprise de n'y voir personne. L'appartement était étrangement calme. Tellement calme qu'elle sursauta quand le téléphone se mit à sonner. Elle répondit aussitôt tout en se tortillant pour enlever son chandail, alors qu'elle tenait l'appareil d'une main.

— Allô ?

— Laura ?

— Oui, c'est moi. Bébert ?

L'interpellé fut soulagé. Chaque fois qu'il devait appeler chez les Lacaille, il avait la hantise de tomber sur Évangéline qui, invariablement, lui raccrochait la ligne au nez dès qu'elle reconnaissait sa voix.

— Ben content de te parler, Laura. J'arrive de Québec.

— Pis ? Comment va Francine ?

C'était devenu un rituel entre eux. Quand Bébert allait voir sa sœur sans Laura, il se faisait un devoir de l'appeler dès son retour chez lui.

— Ben justement… Penses-tu qu'on pourrait se voir ?

— Maudite marde, Bébert ! Qu'est-ce qui se passe, pour l'amour, pour que tu veuilles pas m'en parler au téléphone ? Est-ce que ça pourrait attendre à demain, au moins ? Ce soir, je suis pas mal fatiguée pis je…

— Justement non, interrompit Bébert, avec une pointe marquée de précipitation dans la voix. Ça peut pas attendre pis j'ai pas envie de parler de ça dans le téléphone.

— Tu m'inquiètes.

— Ben, je pense qu'y a de quoi être inquiet, justement. Si je passe te prendre dans une demi-heure, ça pourrait-tu aller ?

— Mettons une heure, d'accord ? Je veux me changer pis manger un peu.

Il y eut un court silence au bout de la ligne. Puis, d'une tout autre voix, Bébert proposa :

— Moé non plus, j'ai pas mangé. Je… On pourrait petête souper ensemble, toé pis moé ?

Laura n'hésita même pas. Non seulement elle était curieuse d'entendre ce que Bébert avait à lui dire, mais en plus, elle détestait se retrouver seule chez elle. Par manque d'habitude, probablement.

— Pourquoi pas ? répliqua-t-elle, soulagée de ne pas avoir devant elle une longue soirée à ruminer sur le sort qui l'attendait durant l'été qui commencerait bientôt. En autant que c'est pas de la crème glacée pis qu'on ne va pas chez monsieur Albert, ça va me faire plaisir de manger avec toi. Dans une demi-heure, j'vas être sur le trottoir en face de chez nous.

Bébert était d'une ponctualité irréprochable et dans la

demi-heure, Laura et lui partaient ensemble sans que Laura ait vu âme qui vive chez elle.

— C'est quand même un peu bizarre, lança-t-elle après qu'elle se fut assise dans l'auto en mentionnant le fait qu'elle était seule à la maison.

— Je peux pas répondre à ça, Laura, fit Bébert, une main sur le dossier de la banquette pour faire reculer l'auto dans la ruelle afin de reprendre le chemin en direction de la rue principale. Mais je peux te dire, par exemple, qu'à Québec avec, c'était bizarre... Que c'est tu dirais qu'on aille dans un coin tranquille pour en parler ? De toute façon, pour astheure, j'ai pas ben ben faim. À moins que toé, tu veuilles manger tusuite pis...

— Pantoute, répliqua Laura, légèrement incommodée en pensant aux quelques cornets vanille-chocolat qu'elle avait mangés durant l'après-midi. Moi non plus, je n'ai pas très faim pour l'instant.

C'est ainsi qu'ils se retrouvèrent sur le belvédère du mont Royal, avec la ville qui commençait à scintiller sous leurs yeux.

— C'est beau, ici, murmura Laura. C'est fou, tu trouves pas, qu'on en profite pas plus souvent ? Combien de fois ma mère s'était-elle plainte d'avoir juste un petit carré de cour pour savourer l'été, comme elle le dit si joliment ? Pourtant, elle n'aurait qu'à venir ici pour avoir tout l'espace dont elle peut avoir envie. Pis en plus, elle a une auto pour le faire.

Laura resta un moment de plus à contempler la ville, puis elle se tourna vers Bébert et vint le rejoindre alors que, déjà assis sur un banc, il semblait songeur.

— Maintenant, raconte-moi ta journée, ordonna-t-elle

joyeusement, persuadée qu'il s'en faisait probablement pour rien. C'est à peine si tu as dit deux mots entre chez nous pis ici.

Bébert se sentit rougir. Chaque fois qu'il devait discuter avec Laura, il avait peur de ne pas être à la hauteur. C'est pour cela qu'il était resté silencieux, durant le trajet en auto, préparant soigneusement tout ce qu'il voulait lui confier.

— C'est juste que je cherchais mes mots, Laura, avoua-t-il simplement, sans pour autant entrer dans les détails. Je veux pas t'inquiéter pour rien, mais en même temps, chus sûr qu'y a quèque chose de pas normal.

Bébert se frappa la paume d'une main avec le poing.

— Sacrifice que ça m'énerve, toute ça.

— Bébert ! Tu vas te calmer pis tu vas me raconter ta journée, répéta Laura avec fermeté. C'est pas difficile, ça, il me semble. Après, on essaiera d'y voir clair ensemble.

— T'as ben raison…

Bébert prit une profonde inspiration pour calmer les palpitations qu'il ressentait à être avec Laura autant que celles qu'il ressentait depuis le matin chaque fois qu'il repensait à sa courte visite chez Francine.

— Mon inquiétude a commencé à l'instant où Francine a ouvert la porte, fit-il en reportant les yeux devant lui comme s'il revoyait la scène. C'était ben évident qu'a' l'avait pleuré pas mal fort. A' l'avait les yeux toutes rouges…

Mais ce qui avait le plus surpris Bébert, c'est que Francine était déjà maquillée comme pour une grande sortie.

— Pomponnée, toé, comme pour une grande soirée.

C'est pas son genre, à Francine, de se maquiller de même le samedi matin. Mais quand j'en ai parlé, en riant, a' s'est choquée ben noir pis a' m'a dit de me mêler de mes affaires.

S'il n'avait pas insisté, Francine l'aurait même laissé sur son balcon.

— C'était évident qu'a' voulait pas que je rentre chez elle. Pourquoi? Fouille-moé, je le sais pas! D'autant plusse que quand j'ai enfin réussi à passer pour aller dans sa cuisine, y avait personne. Jean-Marie était même pas là.

C'est en entrant dans la cuisine, sous l'éclairage cru du plafonnier, que Bébert avait compris pourquoi sa sœur était si maquillée.

— Je te mens pas, Laura, a' l'a un bleu grand de même, annonça-t-il en montrant, avec ses mains, la forme d'une petite soucoupe. C'est pour ça qu'a' s'était maquillée comme une catin. A' voulait pas que ça paraisse. Pis si j'étais pas allé dans sa cuisine, je l'aurais jamais vu, son bleu. Tu sais comment a' l'est ma sœur! Pour le maquillage, est ben bonne. Fait que j'ai laissé passer un p'tit bout de temps avant d'y en parler. Je la sentais remontée comme un ressort de cadran pis je voulais qu'a' soye un peu plusse calme quand j'y demanderais ce qui s'était passé pour qu'a' soye maganée de même. Ça a rien donné. Quand j'ai essayé d'y poser une couple de questions, a' l'a revirée quasiment folle. A' s'est mis à rire ben trop fort pour que ça soye vrai pis a' m'a montré le coin de son armoire qui était, selon elle, le grand responsable... Voir que ma sœur a pu se faire un bleu grand de même en se cognant sur un coin de porte d'armoire... J'ai vu une couple de bagarres dans ma vie, tu le sais, pis c'est pas une armoire qui peut faire ça. Ça ressemble ben plusse à une raclée, son affaire. Mais essaye pas d'y faire dire autre chose que son armoire. Deux menutes après, a' m'a mis à porte en disant qu'a' l'avait une tonne de commissions à faire pis qu'à l'avenir, je serais ben mieux de l'appeler pour m'annoncer… Fait que chus revenu. Sept belles piasses de gaz pour aller prendre un café à Québec pis en revenir inquiet comme c'est pas possible. Pis je peux même pas en parler chez nous. Y a juste avec toé que je peux le faire. Pis y a autre chose… C'est juste en revenant que j'y ai pensé, mais le p'tit, à matin, je l'ai pas vu. Pis ça, c'est pas normal. Jamais ma sœur a passé un samedi sans son p'tit. Je pense que ça m'inquiète encore plusse que son histoire d'armoire.

Bébert n'avait pas à s'inquiéter quant à la clarté de ses propos: son discours était fort éloquent. À peine une brève description de son périple à Québec et Laura était déjà debout.

— Envoye, Bébert, lève-toi. On repart pour Québec.

— Quoi ? Québec ? Là, tusuite ?

— Oui, là, tout de suite. On passe par chez nous le temps de faire un petit bagage et prévenir nos familles pis on repart. Tu vois-tu autre chose, toi ? Pis inquiète-toi pas pour le gaz: j'ai fait pas mal de pourboire après-midi en vendant des cornets, c'est donc moi qui vas le payer…

Hébété, surpris, Bébert regardait Laura sans réagir.

— Qu'est-ce que t'attends, Bébert ? insista la jeune fille.

Tendant le bras, Laura saisit la main de Bébert pour l'obliger à se lever.

— Si tu veux qu'on passe à travers la semaine qui s'en

vient, on n'a pas le choix. Faut savoir exactement ce qui se passe à Québec, sinon on va se morfondre pis s'inquiéter sans bon sens. Pis tout ce que tu viens de me raconter, si tu veux mon avis, c'est pas quelque chose qu'on peut régler par téléphone.

Une heure plus tard, la vieille auto de Bébert traversait le pont Jacques-Cartier pour la troisième fois de la journée.

— Te rends-tu compte, Laura ? Ça va nous mettre chez Francine vers dix heures, dix heures et demie ?

— Pis ça ? Raison de plus pour continuer, Bébert. C'est sûr que personne va nous attendre à cette heure-là. S'il y a quelqu'un à surprendre, dans toute cette affaire-là, c'est en arrivant sans que personne puisse se douter de quoi que ce soit... Et je sens que c'est ce soir que ça va se passer.

Et pour la seconde fois en quelques heures à peine, Laura tendit le bras pour saisir la main de Bébert et la serrer dans la sienne.

— Ensemble, Bébert, on va finir par trouver une solution pour aider Francine. C'est sûr... Pis pour le p'tit Steve, tu dois sûrement t'inquiéter pour rien. Il devait dormir encore.

Mais au timbre de la voix de Laura, Bébert comprit que c'est elle qu'elle cherchait à rassurer, d'abord et avant tout.

Laura n'aurait su dire si elle se sentait soulagée ou inquiète quand elle aperçut un peu de clarté à la fenêtre du salon de Francine. Au moins, se dit-elle, ils n'auraient pas à réveiller qui que ce soit. Ceci n'empêcha pas qu'elle reste assise sur la banquette de l'auto, incapable de se décider à sortir.

Laura prit une profonde inspiration avant de chercher du regard un certain réconfort de la part de Bébert.

C'était facile de se montrer téméraire, au loin sur le mont Royal, mais au fur et à mesure qu'elle s'était approchée de Québec, Laura avait vu fondre sa belle assurance, remplacée par une anxiété grandissante.

Qu'allait-elle dire, qu'allait-elle faire si jamais Jean-Marie était là ? De quoi pouvait-il être capable si c'était vraiment lui qui avait frappé Francine ? Car c'était bien là ce qu'elle croyait, tout comme Bébert, d'ailleurs : Francine avait affaire à un homme violent, comme il y en avait tant. On en avait parlé lors de certains de ses cours, comme on avait parlé de la façon d'amener les gens à se confier.

Saurait-elle mettre en application toutes les belles théories apprises en classe ? Saurait-elle amener Francine à se confier ?

Tandis que, toujours aussi indécise, Laura fixait la maison de son amie, la main de Bébert chercha la sienne.

— On y va ? demanda-t-il dans un souffle.

Laura avala sa salive.

— On y va, répondit-elle avant de retenir de force un Bébert décidé qui s'apprêtait à sortir de l'auto. Qu'est-ce qu'on dit si Jean-Marie est là ?

Le jeune homme haussa les épaules.

— On dit la vérité. On est de passage à Québec pis on est venus voir Francine pour y demander si on peut coucher chez elle comme on a l'habitude de faire. C'est toute. Pis y' a rien à redire à ça, le Jean-Marie. Francine, c'était ma sœur pis ton amie ben avant que lui, y' soye dans le décor.

— Drôle d'heure pour arriver. Pis en plus, t'étais là ce matin et pas moi.

— C'est de même, sacrifice. Je commencerai pas à toute justifier pour un cave qui frappe ma sœur.

— Si c'est lui.

— C'est sûr que c'est lui. Attends de voir pis tu vas vite comprendre qu'une porte d'armoire peut pas faire autant de ravage… Bon, on y va, astheure ?

— D'accord, on y va.

À leur grande surprise, Francine était seule. Elle fit semblant de croire que Laura avait enfin un dimanche de repos et qu'elle en profitait pour venir saluer son amie et Cécile qu'elle espérait voir le lendemain, sans compter le petit Steve dont elle s'ennuyait beaucoup.

— Il est là, n'est-ce pas ?

— Bonté divine, Laura, c'est quoi c'te question-là ? C'est sûr que mon p'tit est icitte. On est samedi. Où c'est que tu veux qu'y' soye ?

— Chez matante Lucie, sa gardienne, peut-être ?

— C'est pus comme dans le temps de Cécile qui avait des empêchements des fois. Astheure que Jean-Marie est là, y' trouve toujours moyen d'aller chercher mon p'tit le vendredi soir. Y' emprunte le char d'un de ses chums pour le faire. Pis c'est pareil le dimanche après-midi. Y a-tu d'autres choses que tu veux savoir ? Pasque ton histoire d'ennuyage, Laura Lacaille, tu sauras que j'y crois pas ben ben. Vous avez l'air de deux seineux, toé pis Bébert. Pis tu sauras, avec, que ça commence à me tomber sur les nerfs, pis pas à peu près. Chus pus un bebé, bonté divine. Si c'est ma face de Mardi gras qui a faite rappliquer mon frère deux fois dans la même journée, ben, vous perdez votre temps.

Ils étaient assis dans le salon, tous les trois, et le regard de Francine passait de Bébert à Laura, puis de Laura à Bébert. Sans maquillage, son ecchymose était très visible, passant du bleu au mauve au-dessus de la paupière.

Mais, de toute évidence, le discours n'avait pas changé.

— Avant que tu me poses la question, Laura, je me suis cognée sur le cadre de l'armoire, annonça Francine avec une certaine agressivité dans la voix. Je me suis enfargée dans une chaise, pis j'ai atterri sur l'armoire. Me semble que c'est pas dur à comprendre, ça, lança-t-elle en reportant les yeux sur son frère à qui elle avait dit exactement les mêmes mots quand il lui avait demandé qui l'avait frappée.

Puis elle revint à Laura et, se levant, elle s'approcha de son amie et la prit par la main.

— Viens, viens avec moé, sainte bénite ! Tu vas ben voir que je te mens pas.

Laura opposa une certaine résistance, ne sachant vraiment plus si elle devait croire Francine, qui était, ma foi, très crédible, ou se fier aux intuitions de Bébert qui n'avait pas l'habitude de parler à travers son chapeau. Elle-même, elle ne savait plus trop quoi en penser. Devant l'insistance de Francine qui lui tirait toujours le bras, Laura se leva et la suivit dans la cuisine.

Tout comme Bébert l'avait raconté, dès qu'elle entra dans la cuisine, Francine se mit à rire et à parler très fort. Elle semblait survoltée.

— Astheure, regarde-moé ben aller, je le ferai pas deux fois… C'est de même que ça s'est passé.

Francine déplaça une chaise, fit semblant de s'y accrocher, arriva le visage contre l'armoire.

— Tu vois ben, sainte bénite, que c'est de même que ça

s'est passé. Regarde ! J'ai la face à la même hauteur que le cadre d'armoire.

Pas de doute, la grande Francine avait le visage à hauteur d'armoire. Mais l'un ne justifiant pas nécessairement l'autre, Laura demeura sceptique. Qui avait raison ? Bébert ou Francine ?

— Moman ?

Laura tourna vivement la tête tandis que Francine, arrêtée en plein élan, baissa les yeux vers son fils, qui, alerté par les cris de sa mère, s'était levé. En pyjama, debout dans l'embrasure de la porte, il regardait la scène, le menton tremblant de larmes retenues.

Le silence qui s'empara de la cuisine fut très inconfortable.

— Encore bobo, moman ?

Francine se précipita vers le petit Steve à l'instant où Laura se penchait pour être à la hauteur du gamin.

— Bonjour, Steve…

Laura prit le petit garçon tout contre elle et, surprise, elle constata qu'il tremblait comme une feuille. Elle le souleva dans ses bras et du regard, elle chercha Francine qui ressemblait à un pantin désarticulé, immobile à côté de la table.

— Je peux aller le coucher ?

Francine haussa les épaules, visiblement perturbée par la présence de son fils.

— Si tu veux, murmura-t-elle.

Puis elle s'approcha et d'une main, elle prit le menton de Steve et tourna son visage vers elle.

— Maintenant, c'est l'heure du dodo, fit-elle d'une voix très tendre en l'embrassant sur la joue. Pis inquiète-toé pas, y a pas de bobos. C'est moman qui s'amusait avec matante Laura. Y en aura pus de bobos.

— Promis ?

— Promis, promis. Astheure, va te coucher, mon homme. Si tu fais un beau dodo, moman va te faire des crêpes demain pour déjeuner.

Rassuré, le petit garçon se laissa emporter par Laura.

C'est au moment où elle le bordait que Laura sentit que la curiosité n'était pas éteinte. La frayeur de Steve l'avait troublée. De toute évidence, le petit garçon avait eu vraiment peur, tout à l'heure dans la cuisine, et Laura voulait savoir pourquoi. Si Francine disait vrai, voir sa mère se blesser pouvait terrifier un enfant de trois ans. Mais peut-être aussi que...

Laura se pencha pour embrasser le petit Steve sur le front, à la lisière de ses cheveux bruns qui étaient bouclés comme ceux de Francine. L'enfant sentait bon le savon de bébé, et Laura inspira profondément, les yeux fermés. Puis elle leva les paupières et recula son visage pour bien voir son filleul.

— T'avais peur tantôt, hein ?

L'enfant se contenta d'opiner, sans dire un mot.

— Est-ce que t'as peur souvent, comme ça ?

À nouveau, le petit Steve se contenta d'un bref signe de la tête.

— Est-ce que moman se fait souvent des bobos ?

Cette fois-ci, le petit garçon détourna les yeux, sourcils froncés comme s'il cherchait ce qu'il devait répondre. Puis, lentement, il revint face à Laura.

— Moman, m-a-l-a-d-r-o-i-t-e, réussit-il à articuler.

Il parlait d'une voix monocorde, comme un perroquet.

De toute évidence, on lui avait appris ce mot.

Et ce n'était pas Francine qui employait ce genre de mot.

Laura se pencha une seconde fois et ramenant la couverture sur les épaules de Steve, elle l'embrassa sur les deux joues, le cœur dans l'eau et les larmes au bord des paupières.

Quand elle referma la porte de la chambre, Laura s'y appuya un long moment pour reprendre sur elle. Elle venait d'avoir la réponse qu'elle était venue chercher. Mais de là à savoir quoi faire…

Du salon lui parvenaient les voix de Bébert et Francine, comme si de rien n'était. C'était d'une banalité incroyable à un point tel que Laura se demanda si elle ne fabulait pas, si elle ne venait pas de rêver, d'imaginer les quelque quinze dernières minutes.

Puis, la voix du petit Steve résonna dans sa tête et elle comprit qu'elle n'inventait rien.

— M-A-L-A-D-R-O-I-T-E.

À part quelques exceptions comme la petite Michelle qui parlait déjà comme une adulte, un enfant de trois ans n'utilise pas de tels mots.

Sauf si on les lui a appris.

Laura passa par la salle de bain pour se rafraîchir le visage, pour essuyer ses dernières larmes.

Quand elle revint au salon, la conversation était tombée. Francine lisait une revue et, debout à la fenêtre, Bébert semblait concentré sur la rue.

— On y va ?

La voix de Laura résonna étrangement dans le silence de la pièce. Bébert se tourna vers elle.

— D'accord.

Bébert ne posa aucune question et Francine ne chercha pas à les retenir.

— Comme je l'ai dit à Bébert à matin, fit-elle avant de refermer la porte sur Laura, la prochaine fois, ça serait ben mieux d'appeler avant de venir me voir. Ça serait plate pour vous autres que je soye pas là.

En une toute petite heure, ils étaient arrivés, avaient eu leur réponse et étaient repartis.

Mais ils n'étaient pas plus avancés.

Le front contre la vitre de la portière, Laura regardait défiler maison et lampadaires sans les voir. De temps en temps, elle reniflait.

Bébert respecta son silence. Depuis le temps qu'il faisait la route avec elle, Bébert avait appris à la connaître. Quand Laura s'enfermait dans un silence méditatif, il valait mieux ne pas la bousculer. Les confidences et la discussion viendraient après, quand elle serait prête.

Et Bébert savait que ce dialogue viendrait tôt ou tard, car à l'instant où il avait posé les yeux sur Laura, quand celle-ci était venue les rejoindre au salon, il avait compris, sans l'ombre d'un doute, qu'il ne s'était pas trompé. Un drame s'était joué sous le toit de Francine.

— Bébert !

Laura était sortie de son mutisme si brusquement que Bébert avait fait une embardée.

— Sacrifice, Laura ! T'aurais pu prévenir.

— Excuse-moi, Bébert, mais l'idée m'est venue sans crier gare en voyant le pont de Québec. Continue dans le rond-point pis reprends le boulevard Laurier. On retourne en ville.

— En ville ? Chez Francine ?

— Non, pas chez Francine. Ça ne donnerait rien de retourner voir ta sœur, elle est plus toquée qu'une mule... On va chez Cécile.

— Ben voyons don, toé ! T'as-tu vu l'heure ?

À la lueur d'un réverbère, Bébert crut voir l'ombre d'un sourire traverser le visage de Laura.

— Y a pas d'heure pour arriver chez Cécile, murmura-t-elle.

Puis elle se tourna franchement vers Bébert.

— Crains pas, elle va être contente de nous voir.

Malgré ces bonnes paroles, Bébert fut soulagé de voir qu'il y avait de la lumière à plusieurs fenêtres de la maison et tel que prédit par Laura, Cécile fut effectivement heureuse de les voir même si en ouvrant la porte, elle porta les deux mains à son cœur.

— Bébert ? Laura ? Mon Dieu, il est arrivé quelque chose à Francine !

Laura jeta un regard en biais à Bébert puis, revenant à Cécile, elle s'expliqua.

— Oui pis non. En fait, on sait pas trop. C'est pour ça qu'on aimerait bien te parler, Bébert et moi.

— Alors, entrez ! On arrive du concert, Charles et moi. Passez au salon, je vous rejoins dans deux minutes.

Laura entra alors avec assurance, suivie de Bébert qui, lui, marchait sur le bout des pieds. Cette grande maison cossue l'avait toujours grandement impressionné.

D'un simple regard, il s'en remit à Laura pour expliquer la situation, ce qu'elle fit dans une abondance de mots et d'émotion.

Cécile l'écouta avec attention. Même Charles, son

mari, avait replié son journal et se montra attentif. Francine, cette grande jeune fille qu'ils avaient accueillie lors de sa grossesse, avait su se faire aimer de tous les membres de la famille.

— Pis, Cécile, penses-tu qu'on a raison de s'en faire pour Francine ? Après tout, on a aucune preuve, juste des intuitions.

— Certaines intuitions sont plus solides que la vérité, Laura. Quand c'est le cœur qui s'inquiète, c'est rare qu'il se trompe.

— On fait quoi, d'abord ? intervint Bébert, trop heureux de se glisser dans la conversation.

Après tout, c'est lui qui avait déclenché le signal d'alarme.

— Pour l'instant, il n'y a pas grand-chose à faire, à part se coucher et laisser la nuit agir sur tout ça. Chose certaine, c'est que vous pouvez compter sur moi. Ça faisait des mois que je n'avais pas eu de nouvelles de Francine et je n'osais la relancer. Je me disais qu'elle avait l'occasion de refaire sa vie et que c'était merveilleux. En fait, ce n'est peut-être pas si merveilleux que ça.

— Avez-vous rencontré son Jean-Marie ?

— Non... En fait, je crois qu'il était dans la cuisine la dernière fois où je suis allée chercher le petit Steve chez matante Lucie, mais il ne s'est pas présenté à moi. Je me souviens m'être dit qu'il devait être gêné et que les présentations se feraient une autre fois. L'occasion ne s'est jamais représentée... Et à bien y penser, c'est exactement à partir de ce jour-là que les appels de Francine se sont faits de plus en plus rares. Ça remonte à l'automne dernier. À moi de la relancer, maintenant que je sais que ça ne va peut-être pas aussi bien que je le croyais.

Bébert et Laura échangèrent un long regard soulagé. Si Cécile s'en mêlait, peut-être bien que les choses changeraient. Francine avait toujours eu confiance en elle.

— Bon ! C'est bien beau tout ça, mais il est tard. Toi, Laura, tu prends la chambre d'ami et toi, Bébert, on va te faire un lit de fortune sur le divan.

— Je ne veux surtout pas déranger.

Bébert était déjà debout, embarrassé à l'idée de passer la nuit chez Cécile. Il était peut-être venu voir sa sœur régulièrement, quand elle était enceinte ou quand le bébé venait de naître, mais jamais il n'avait osé dormir ici.

— On peut reprendre la route à soir, vous savez. Chus pas trop...

— Pas question !

Cécile était catégorique.

— On a une grande maison, il faut que ça serve. Mais avant de se coucher, on va prendre une bonne tisane. La camomille n'a pas son pareil pour détendre les nerfs, et je crois que tout le monde en a besoin... Quand je pense à ma petite Francine... Tu as bien fait de venir, Laura. Très bien fait. Maintenant, suis-moi, on va à la cuisine ensemble. On préparera le lit après.

Assis sur le bout de son fauteuil, Bébert regarda Laura disparaître dans le long couloir. C'est au moment où il se demandait ce qu'il pourrait bien dire pour meubler le silence entre Charles et lui que le mari de Cécile lui fit un petit signe avec l'index.

— C'est bien beau de la tisane, mais moi, je préfère un petit cognac. Ça fait le même effet et c'est bien meilleur. Je t'en sers un ?

Charles était déjà debout, face à une desserte en bois verni dont il ouvrit la porte.

— Ben, c'est pas de refus. Si ça dérange pas, comme de raison.

— Ça ne dérange pas. Bien au contraire. Pour une fois, je ne serai pas seul à apprécier mon cognac.

— Merci ben... J'avoue que la journée a été longue en sacrifice. Venir deux fois à Québec dans la même journée, c'est pas des maudites farces ! Deux fois !

— Mais c'était pour la bonne cause. Je suis d'accord avec Cécile: il n'y a pas de fumée sans feu. Ne vous inquiétez plus, on va s'occuper de Francine.

— Tant mieux.

Bébert était sincèrement soulagé.

— Pasque moé, je voyais pas pantoute comment c'est que j'aurais pu faire pour aider ma sœur. J'étais toujours ben pas pour déménager icitte à Québec. Pis Laura non plus.

— Alors, on va prendre la relève... Mais en attendant, suis-moi au jardin. Un bon cigare, il n'y a rien de meilleur avec un cognac et ça aide à dormir. Malheureusement, Cécile déteste quand je fume à l'intérieur... Allez, jeune homme, suis-moi ! On va passer par la cuisine pour dire aux femmes qu'on ne prendra pas de camomille.

CHAPITRE 7

I see my red door and I want it painted black
No colours anymore I want them to turn black
I see the girls walk by dressed in their summer clothes
I have to turn my head until my darkness goes

Paint it black
THE ROLLING STONES

Texas, dimanche 22 mai 1966

Assis sur la dune où il avait installé son bivouac, son vieux cheval attaché à un arbuste du bosquet derrière lui, Adrien regardait la lune se lever. Au loin, plus bas dans la vallée, il voyait le ruisseau qui scintillait dans les derniers rayons du soleil, et de temps en temps, il entendait le meuglement d'une bête du troupeau.

S'il y avait un moment qu'il avait souvent espéré revivre au moins une fois dans sa vie, c'était bien celui-ci.

Dans les pires épreuves, lorsqu'il vivait à Montréal, c'est à ce paysage qu'Adrien pensait et à nul autre. Comme le disait si bien sa fille, ici, les yeux allaient loin. L'univers lui appartenait. Adrien n'avait qu'à tourner la tête vers la gauche pour contempler la lune qui se levait et revenir vers la droite pour admirer les dernières lueurs du soleil couchant. Dans quelques minutes, il le savait à l'avance et il l'attendait, le ciel passerait du bleu à l'indigo et envelopperait la vallée comme une couverture confortable se pose sur les épaules. Le firmament étoilé serait alors plus proche de lui que nulle part ailleurs dans le monde.

Chuck n'avait pas eu à insister longtemps pour qu'Adrien accepte de venir voir au troupeau, comme il l'avait si souvent fait par le passé.

Pourtant, au moment où il était parti de Montréal, l'automne précédent, jamais il n'aurait cru qu'il resterait ici aussi longtemps. Il avait été sincère quand il avait promis d'être de retour avant l'hiver.

Mais rien, dans ce voyage, ne ressemblait à ce qu'il avait prévu.

Quand il avait quitté Montréal, Adrien avait demandé de ne rien dire à Chuck si jamais celui-ci appelait pour prendre des nouvelles de Michelle, comme il le faisait régulièrement.

— Je veux leur faire une surprise.

Bernadette avait alors émis des réserves.

— Une surprise ? Pas sûre, moé, que ça soye une ben bonne idée, ton affaire, Adrien. Imagine comment c'est que Maureen va se sentir, elle, à l'autre boutte. Si c'était moé, la mère de Michelle, je pense que j'aimerais ça avoir une couple de jours devant moé pour me revirer, pour me faire à l'idée.

— Ben voyons don, avait rétorqué Évangéline, visiblement en désaccord avec sa belle-fille. Moé je pense qu'Adrien a raison pis que c'est mieux de rien dire. Tu te rends-tu compte du sang de nègre que Maureen va se faire en attendant, toé ? Ça a pas d'allure de faire ça à une mère. Moé, quand Adrien est revenu, après douze ans d'absence, pis ça c'est long en viarge, tu sauras, je m'y attendais pas pis c'était mieux de même.

Adrien avait débattu mentalement les deux idées jusqu'à Memphis. Puis, une fois Michelle endormie, il était descendu dans le hall de l'hôtel pour appeler son beau-père, Chuck.

Tout comme Bernadette, à bien y penser, lui aussi, il aurait nettement préféré être prévenu.

Le reste de la route s'était fait sous le bombardement des questions de Michelle quand elle était éveillée :

— Pourquoi on va au Texas ?

— Parce que c'est là que tu es née.

— Pourquoi, d'abord, on est partis ?

— Parce que le docteur qui pouvait opérer ta main habite à Montréal.

— Ah, oui ! C'est vrai... J'ai hâte d'arriver. C'est loin, le Texas.

Quand Michelle s'assoupissait, la route se faisait alors sous une avalanche de suppositions quant à l'accueil qui leur serait réservé.

Le portail serait-il grand ouvert ? Y aurait-il une banderole leur souhaitant la bienvenue ? Ou peut-être des ballons comme pour une fête d'enfants ? Après tout, c'était une fête, non ?

Il n'y avait rien eu de tout cela. Ni banderole, ni ballons, ni comité d'accueil, et Adrien avait dû sortir de sa voiture pour ouvrir le portail.

Cependant, Chuck devait surveiller leur arrivée, car dès qu'il mit un pied sur la galerie, Adrien l'entendit lui crier d'entrer, que la porte n'était pas barrée.

Chuck et Eli, ses beaux-parents, étaient debout au milieu du salon, l'un contre l'autre.

L'attitude de Chuck avait été désarmante de spontanéité. Comme tout bon grand-père attentif aux petits de la famille, il s'était approché de Michelle sans hésitation à l'instant où elle était entrée dans la pièce. En grimaçant, il s'était accroupi pour être à la hauteur de la petite fille qui dévorait des yeux ce géant de la nature, impressionnée. Pour éviter un choc inutile, Adrien lui avait mis un chandail à manches longues qui cachait son épaule gauche. De l'autre main, celle avec laquelle elle était de plus en plus habile, Michelle se cramponnait désespérément au pantalon de son père.

— *Welcome...* Toi être très jolie.

C'était la première fois qu'Adrien entendait son beau-père parler français. Chuck devait s'être préparé à cette rencontre, et Adrien en avait été touché.

— *Yes,* très jolie, avait-il répété.

De son gros doigt boudiné, Chuck avait caressé malhabilement la joue rebondie de Michelle, puis, tout aussi grimaçant, il s'était redressé et il avait tendu la main à Adrien.

— *Welcome home, Adrian.*

Adrien s'était dit, à ce moment bien précis, qu'il devrait tout de suite mettre les choses au clair. Il ne revenait pas pour rester en permanence, mais simplement pour une visite.

Adrien n'avait pas pu.

Le plaisir de Chuck était si évident, si légitime, qu'il avait préféré se taire. Adrien s'était contenté de serrer la main de son beau-père avec chaleur. Puis, à son tour, il s'était penché pour pouvoir regarder Michelle droit dans les yeux.

— Lui, Michelle, c'est ton grand-papa.

— J'ai un grand-papa, moi ?

— Bien sûr. Je t'en ai souvent parlé. Hier encore, dans l'auto...

— C'est vrai, l'avait interrompu Michelle. J'avais oublié.

Avec tout ce qu'elle avait vécu ces derniers mois, il n'était pas surprenant que la petite fille en ait oublié quelques bribes.

— Ce n'est pas grave, avait assuré Adrien.

Puis, de l'index, il avait alors montré Elizabeth Prescott qui, visiblement, n'était pas aussi à l'aise que son mari.

— Et là-bas, c'est ta grand-maman.

— Une grand-maman ? Comme grand-maman Vangéline ?

— Comme grand-maman Évangéline, oui.

— J'ai deux grands-mamans, comme ça ?

— Exactement. Viens, on va aller la voir.

Figée, Eli n'avait pas avancé d'un pas. Il avait alors fallu que Chuck la prenne par le coude pour l'amener à la rencontre de Michelle. Un baiser furtif avait scellé ces retrouvailles, car pour Eli, il s'agissait bien de retrouvailles, émouvantes puisque Michelle ressemblait étrangement à Maureen, dérangeantes, car ces mêmes retrouvailles viendraient bouleverser le fragile équilibre de sa fille, elle en était persuadée.

Puis, l'instant d'après, parce qu'elle n'avait pas le choix d'accepter l'inévitable, Eli avait proposé de conduire Michelle à l'étage.

— *Come with me.* Maureen est dans sa chambre.

Adrien avait alors compris que depuis trois ans, sa

femme était redevenue la fille de la maison, et à voir l'attitude de sa belle-mère à l'égard de Michelle, il n'aurait su dire si c'était une bonne chose.

— *Thank you,* Eli, mais je préfère être seul.

D'un regard, Chuck avait approuvé la décision. D'une main ferme, le vieil homme avait retenu sa femme tandis qu'Adrien guidait Michelle vers le long escalier.

Maureen les attendait, assise à la fenêtre. La chambre était telle qu'Adrien en gardait le souvenir : une chambre de jeune femme, fleurie et garnie de dentelles, dans les tons de rose.

Était-ce cette ambiance féerique, suggérée par les tissus et les couleurs, qui avait interpellé la petite Michelle ? Probablement, car, dès qu'Adrien avait ouvert la porte, Michelle avait levé les yeux vers lui, visiblement ravie.

— C'est beau, ici. On dirait une chambre de princesse.

Puis Michelle avait aperçu Maureen et, intimidée comme jamais, elle s'était agrippée de plus belle au pantalon d'Adrien.

D'instinct, elle savait qui était cette femme étant donné que son père lui en avait parlé en même temps qu'il lui avait parlé du voyage qu'ils entreprendraient ensemble, mais curieusement, cela ne l'avait pas vraiment intéressée.

— J'en ai une maman, ici, avait-elle répondu du tac au tac. C'est matante Bernadette. Mais on peut quand même aller voir mon autre maman si ça te fait plaisir.

Adrien n'avait pas insisté.

Peut-être aurait-il dû, car alors qu'il s'était trouvé devant Maureen, il n'avait plus su s'il avait pris la bonne décision.

Indécis, Adrien était resté sur le seuil de la porte, attendant que Maureen l'invite enfin à entrer.

Il ne l'avait pas vue depuis trois ans, ne lui avait jamais reparlé depuis le matin où il avait emmené Michelle à l'autre bout du monde. À peine avait-elle écrit quelques lettres, récemment, disant qu'elle aimerait connaître sa fille.

Un simple regard dans la direction de celle qui était toujours sa femme et Adrien avait compris qu'il n'y avait plus rien entre eux. L'amour ressenti lors de la grossesse de Maureen était mort à la naissance de Michelle. En rejetant leur fille, Maureen l'avait rejeté, lui aussi. Qu'importent les raisons, excusables ou non, le geste avait laissé une cicatrice ineffaçable, encore douloureuse.

Maureen avait beaucoup changé. Au fil des années, elle avait maigri et ses cheveux grisonnaient. La femme dont il gardait le souvenir n'aurait jamais toléré voir ses cheveux grisonner de la sorte et elle les aurait fait teindre.

Un mot était alors venu à l'esprit d'Adrien, un seul: étioler. Maureen, comme une fleur fragile, s'était étiolée.

Quand elle avait enfin tendu la main à Michelle, Adrien avait dû se faire violence pour conduire la petite fille, réticente, jusqu'à Maureen. Cette femme-là n'avait rien en commun avec celle qui avait donné naissance à sa fille. S'il s'était écouté, il aurait fait demi-tour et serait reparti chez lui, à Montréal, sur-le-champ.

De tout ce temps, Maureen n'avait pas levé les yeux vers lui. Elle avait cependant longuement fixé la petite Michelle. Puis, une larme, une seule, avait glissé sur sa joue à l'instant où, tremblante, elle avait enfin tendu les bras vers sa fille.

Quelques instants plus tard, Maureen leur avait

demandé de se retirer. Elle était épuisée et elle les verrait au souper.

D'apprendre qu'elle avait une maison, ici aussi, avait semblé nettement plus captivant, aux yeux de la petite Michelle, drôlement plus fascinant qu'une maman qui ne pouvait même pas lui parler.

Chuck venait de dire à Adrien qu'il avait fait nettoyer et aérer sa maison, et celui-ci traduisit ces quelques mots pour Michelle.

— On a une maison ici ? avait-elle demandé, surprise.

— Hé oui !

Michelle était toute souriante.

— Comme Miguel !

Avec le temps, la petite fille avait fini par prononcer son nom sans difficulté.

— On a une maison pour l'été et une maison pour l'hiver, comme Miguel ! Ici, papa, c'est la maison d'été ou la maison d'hiver ?

— Ici, Michelle, il n'y a pas vraiment d'hiver.

— Alors, c'est la maison d'été, avait-elle décrété. Pis quand l'hiver va revenir, on va retourner chez grand-maman Vangéline. Hein, papa, on va retourner chez grand-maman Vangéline quand ça va être l'hiver ?

— Promis, Michelle.

Il y avait tellement d'attente dans la voix de sa fille qu'Adrien n'avait aucun doute quant à un retour incontestable chez sa mère. Quelques semaines ici, puis ils repartiraient. Quitte à revenir l'été prochain. Comme l'avait dit Michelle : ils avaient maintenant deux maisons.

Mais l'hiver était venu et ils n'étaient pas partis pour Montréal.

La barrière du langage avait fait en sorte que Maureen et Michelle se comprenaient à peine. Chuck avait alors intercédé pour sa fille.

— Donne-lui du temps, Adrian. *Please!* Ma fille a trois ans à rattraper. Et laisse-moi profiter de ma petite-fille.

Le vieil homme, qui restait une force de la nature même s'il avait le geste moins vif et la démarche plus lente, avait tellement donné pour le bien-être de Michelle qu'Adrien s'était incliné.

Sans lui, Michelle n'aurait jamais été opérée et pour Adrien, cela justifiait amplement quelques semaines de plus au Texas, d'autant plus que sa fille ne demandait plus à partir. Pour elle, c'était évident: l'hiver n'était pas arrivé!

Il avait donc retrouvé sa maison et curieusement, de jour en jour, Adrien avait eu l'impression qu'il n'en était jamais parti.

Maureen et lui avaient refait la décoration de la chambre de Michelle, comme ils auraient dû le faire trois ans plus tôt, et une sorte de routine un peu bancale s'était installée entre eux. Ils formaient une drôle de famille où Adrien jouait le rôle de l'interprète, où la grand-mère s'incrustait quotidiennement sous prétexte d'aider sa fille et où le mari dormait invariablement dans la chambre d'ami.

Puis il y avait eu Noël, la Saint-Valentin, Pâques.

D'un appel à l'autre, de ceux qu'il faisait à Montréal, Adrien ne pouvait qu'entretenir l'espoir, à défaut de donner suite à ses promesses de façon formelle.

— Tu reviens pas encore? Viarge, Adrien, le temps des tempêtes est fini. Ça va être quoi ton excuse, à soir?

À l'autre bout de la ligne, Évangéline fulminait.

— Quand c'est que tu vas mettre tes culottes, mon

garçon ? Tu me dis que toute ce que tu voudrais c'est de t'en revenir icitte, chez nous, pis tu fais rien.

— Essaie de comprendre.

— Crains pas, Adrien, j'ai toute compris. Tu me fais des accroires pour que je me morfonde pas trop. Mais dans le fond, c'est pas vrai, ton affaire. Ou ben tu te sens pogné pis tu sais pas comment faire pour te sortir de ton guêpier pis c'est pas demain la veille que tu vas nous revenir, ou ben t'es confortable là-bas, pis tu sais pas comment me le dire. Mais c'est du pareil au même, toute ça : tu reviendras pas de sitôt. J'haïs ça, j'haïs don ça quand on joue avec mes nerfs de même. Je te l'avais dit, avec, qu'y avait pas de presse... Pis Michelle, elle, comment c'est qu'a' va, ma belle Michelle ? Je peux-tu au moins avoir des nouvelles de ma p'tite-fille sans que tu me dises trop de menteries ? Pasque tu sauras, mon gars, qu'icitte, chus pas la seule à m'ennuyer de ta fille. On est toute une gang ! Pis la dernière fois, j'ai ben senti dans ta voix que c'était pas les gros chars, son affaire. Ça fait qu'on est toutes inquiètes, Bernadette, Estelle, les filles pis moé.

Et sur ce point Évangéline avait raison.

Adrien avait l'impression que Michelle régressait. Lui qui s'était fait un devoir de l'aider à devenir de plus en plus autonome se retrouvait confronté à deux femmes qui ne voyaient en elle qu'une enfant de trois ans, infirme de surcroît, qu'elles devaient aider pour satisfaire le moindre de ses besoins.

Alors, incapable encore de s'exprimer adéquatement en anglais, Michelle se laissait manipuler et aider comme si elle n'était qu'un bébé. Adrien avait beau s'interposer, intervenir et expliquer, rien à faire : Maureen et Eli n'en faisaient qu'à leur tête dès qu'il tournait les talons.

Pourtant, Michelle, elle, ne se plaignait de rien. Au contraire, elle répétait que Maureen était gentille. Eli aussi.

— Chus chanceuse, j'ai deux grands-mamans pis deux mamans aussi pasque matante Bernadette, c'est une sorte de maman. J'ai juste hâte de comprendre tous les mots en anglais. Je trouve ça difficile, l'anglais.

Mais Adrien, lui, avait dépassé le stade du langage. Il attendait l'incident, l'erreur magistrale qui justifierait son départ. Pour le mieux-être de sa fille, Adrien était convaincu qu'il devait retourner à Montréal. C'est pourquoi, quand Chuck lui avait demandé d'aller voir au troupeau, Adrien avait accepté sans trop rechigner. Même s'il n'était pas d'accord avec leur façon d'agir, il savait que Michelle ne manquerait de rien avec Maureen et Eli, et lui, il pourrait enfin réfléchir à son avenir et tenter de trouver une excuse pour retourner à Montréal. De toute façon, cette chevauchée aux confins des terres de Chuck ne prendrait que quelques jours.

C'est là qu'il en était, ce soir, assis sur la dune qui surplombait la vallée.

Adrien regarda autour de lui.

La nuit était tombée, mais il ne faisait pas noir. Ici, la noirceur n'était jamais totale, comme si une parcelle de la lumineuse clarté du jour flottait en permanence dans l'air.

Adrien se dit alors que si les miracles existaient, c'est ici qu'il bâtirait sa maison. C'est ici qu'il vivrait avec Bernadette.

Mais les miracles n'existent pas et Bernadette était loin, si loin.

Ses conseils, son gros bon sens lui manquaient terriblement.

Sa simple présence lui manquait.

Depuis quelques mois, il ne vivait pas avec Maureen. Leurs existences se déroulaient en parallèle, avec Michelle entre les deux. Un peu comme avec Bernadette, mais les sentiments et la complicité en moins.

— Et toujours pas de femme dans mon lit, murmura-t-il, amer.

Adrien s'en voulut aussitôt d'avoir de telles pensées alors que l'avenir de sa fille semblait s'assombrir.

Il poussa un long soupir, s'étira. Le feu qu'il avait allumé pour réchauffer son repas n'était plus que braises. Il y versa son café refroidi, se releva, ramena un peu de sable au-dessus des braises avec la semelle de sa botte puis il se dirigea vers son cheval qui, bien que vieux, l'avait emmené au bout des terres de son beau-père sans hésitation. Il versa un peu d'eau dans la gamelle de l'animal et lui flatta doucement le museau.

— Et toi, murmura-t-il, qu'est-ce que tu ferais à ma place ?

Quelques minutes plus tard, s'enroulant dans une couverture, la tête sur la selle, Adrien tenta de s'endormir.

— Deux semaines, murmura-t-il encore tout en fermant les yeux. D'ici deux semaines, je veux être parti. Pour Michelle, je dois repartir.

Le lendemain, quand il revint chez lui, Maureen l'attendait à la cuisine. L'après-midi tirait à sa fin.

Au premier coup d'œil, il vit qu'elle avait pleuré. Mais il n'eut pas envie d'aller vers elle. Une rancœur malsaine, vorace, lui étreignait le cœur. Lui aussi, il avait beaucoup pleuré à cause de Michelle et personne ne l'avait consolé.

Alors, Adrien se dirigea vers l'évier, comme il le faisait

tous les jours quand il vivait et travaillait ici, puis, tournant le robinet, il se mouilla la tête pour rafraîchir son visage brûlé par le soleil.

C'est en prenant une serviette dans l'armoire qu'Adrien prit conscience que la maison était étrangement calme, silencieuse. Son inquiétude fut aussi vive que soudaine.

— Où est Michelle ?

Sa voix était sourde, dure, comme s'il accusait Maureen d'avoir négligé leur fille.

Et Maureen le perçut comme tel. Ce fut comme un coup de poignard en plein cœur. Elle pouvait comprendre qu'Adrien lui en veuille, mais pas à ce point-là. Elle aussi, elle avait souffert, comme personne ne pourrait jamais le savoir. Elle se sentait tellement coupable face à Michelle. Et jamais, au grand jamais, elle ne ferait de mal à sa fille.

De l'index, Maureen montra la maison de ses parents.

— *Dad* est venu la chercher. Il fait chaud et il a acheté de la crème glacée pour les enfants.

Un sourire fugace éclaira brièvement le visage de Maureen.

— Michelle est comme moi, elle adore la crème glacée. Et tu sais aussi qu'elle adore être avec ses cousins.

Peut-être était-ce parce qu'ils lui faisaient penser à Charles, mais c'était un fait: Michelle s'entendait à merveille avec ses cousins Prescott. Entre eux, la barrière du langage n'existait pas. Ensemble, ils s'amusaient comme des fous. Et bien que parfois il n'y ait pas plus méchants que des enfants entre eux, l'inverse pouvait être aussi vrai et les différences, à leurs yeux, n'ont aucune importance. Michelle avait été accueillie à bras ouverts.

En fait, Adrien ne percevait de recul que dans le regard d'Eli.

Et peut-être aussi un peu de maladresse dans les gestes de Maureen. Mais comment lui en vouloir ? Elle commençait tout juste à apprendre à devenir une mère.

À cette pensée, il regretta le réflexe de rancœur qu'il avait eu à l'égard de Maureen quelques instants auparavant. Même Bernadette, les yeux pleins de larmes alors qu'ils étaient ensemble dans sa cuisine au moment où il s'apprêtait à partir, l'avait mis en garde.

— Faut jamais que t'oublies qu'a' l'a été malade, Maureen. Pas sûre, moé, qu'a' savait ce qu'a' faisait quand la p'tite est venue au monde. Un homme peut pas comprendre ça, fait que t'as pas le choix de me croire... Chus ben triste de te voir partir, Adrien, je veux surtout pas que tu penses le contraire, pis j'ai hâte en verrat que tu me reviennes, mais là-dessus, je changerai jamais mon idée : Maureen, c'est la mère de Michelle pis faut jamais l'oublier... Pis si tu penses que c'est mieux pour ta fille de rester là-bas, ben reste là-bas, même si ça va me déchirer le cœur. Astheure, sors d'icitte avant que je me mette à brailler pour de bon. Ça serait ben malaisé d'expliquer ça aux autres.

C'est en entendant la voix de Bernadette qu'Adrien fit les quelques pas qui le séparaient de Maureen.

Il n'y aurait plus jamais d'amour entre eux, Adrien le savait. Son cœur appartenait à Bernadette. Mais Maureen serait toujours la mère de Michelle et cela, il ne devrait jamais l'oublier.

Tirant une chaise, Adrien s'installa à côté de Maureen qui leva les yeux vers lui.

— *I'm so sorry, Adrian.* Michelle est une enfant merveilleuse. Je regrette, je regrette tellement ce qui s'est passé. Et je l'aime...

Adrien soutint le regard de Maureen, incapable cependant de faire le moindre geste de réconfort.

Michelle.

Le nom de la petite fille s'imposa, gommant peu à peu la voix de Bernadette qu'Adrien entendait toujours en lui.

Michelle.

C'est pour elle qu'il était venu ici. Pour qu'elle connaisse sa famille, sa mère. Mais s'il voulait être honnête jusqu'au bout, il devait admettre que c'est pour lui aussi qu'il avait fait le voyage. Pour revoir le Texas et ses grands espaces. Pour retrouver, ne serait-ce que pour quelques semaines seulement, ce qu'il avait, jadis, choisi comme vie.

Il avait cru qu'il pourrait tout contrôler. Les gens, les attitudes, les émotions. Ce n'était qu'un voyage, qu'une visite de courtoisie, n'est-ce pas ?

Adrien avait simplement oublié que ce serait aussi la rencontre entre une mère et sa petite fille et il avait mésestimé le charme que Michelle exerçait autour d'elle.

Michelle.

Qui voulait-il convaincre quand il s'entêtait à répéter que sa fille serait mieux à Montréal ? Lui-même, sa mère, Bernadette ? Sûrement pas Maureen parce qu'il ne lui parlait jamais d'un éventuel départ vers Montréal.

Et Michelle, que pensait-elle vraiment de ce séjour qui se prolongeait ? N'était-ce pas à elle de décider, ultimement ? Elle aurait bientôt quatre ans ; elle n'était plus un bébé.

Par la fenêtre ouverte sur l'été, Adrien entendit des cris

de joie. Il détourna la tête. Sur la pelouse devant la maison de ses beaux-parents, il vit une dizaine d'enfants qui s'égaillaient en riant. Ils étaient nombreux, maintenant, les petits-enfants Prescott. La plus jeune n'avait que deux ans.

Puis, une petite silhouette primesautière se détacha du groupe pour se diriger vers leur maison. Michelle courait et criait, toute joyeuse.

— *Mommy !* J'ai *ice cream* pour toi !

La petite Michelle tenait deux cornets. Un à son épaule gauche et l'autre à sa main droite.

Adrien comprit alors qu'il venait d'avoir sa réponse. Repoussant sa chaise, il se releva et tendit la main à Maureen.

Pour Michelle, il irait jusque-là, repoussant encore une fois l'image de Bernadette pour qu'elle ne devienne qu'un tendre souvenir.

— *Come with me,* Maureen. Sèche tes yeux, affiche un sourire et suis-moi. Notre fille t'appelle.

* * *

Cela faisait au moins trois fois que Marcel vérifiait ses papiers. Pas de doute, Laura avait raison. Il aurait dû lui faire confiance et consulter ses livres de comptes bien avant aujourd'hui. Mais il ne l'avait pas fait, par manque de temps et d'intérêt, tellement l'idée lui paraissait saugrenue. Encore tout à l'heure, c'est uniquement par curiosité qu'il s'était enfin décidé.

— Calvaire de calvaire ! Comment ça se fait que j'ai pas vu ça tuseul, moé, coudon ? Faut-tu que les maudites commandes prennent toute la place.

Du doigt, il suivit certains calculs datant du mois de décembre dernier, question de vérifier une dernière fois, puis il referma son cahier. Sans la moindre équivoque, les profits de l'épicerie fluctuaient avec ceux de la boucherie, et quand Marcel Lacaille était derrière le comptoir, la boucherie se portait à merveille. Ça valait pour le mois de décembre, pour l'été dernier et aussi pour le mois de mars à l'époque où Marc, son jeune boucher, avait été malade.

— Astheure, calvaire, que c'est que je fais avec ça ?

La porte de son bureau était ouverte et, seul dans l'épicerie, Marcel prenait les tablettes chargées de pain tranché à témoin.

— J'peux toujours ben pas installer Laura icitte, dans le bureau, à ma place, est pas là durant l'hiver, poursuivit-il à voix haute. Maudite université, aussi… Pis, *anyway,* j'ai besoin d'elle à caisse astheure que madame Légaré pis son mari ont décidé de louer un chalet pour l'été. Mais que c'est que j'vas faire ?

Pourtant, Marcel savait fort bien ce qu'il pourrait faire. Il y pensait depuis des mois, sans égard à la boucherie, uniquement parce qu'il en avait assez des commandes à faire semaine après semaine.

Mais il n'osait pas.

S'il fallait qu'il soit mal reçu, pour quelque raison que ce soit, il ne le prendrait pas. Et il se connaissait suffisamment pour présumer de sa frustration, de sa grogne, et c'est alors que la situation virerait à la catastrophe.

Et cela, il ne pouvait se le permettre. Depuis deux ans, tout était assez pénible comme ça au travail. Il ne pouvait prendre le risque d'envenimer la situation à la maison en plus.

Mais avait-il le choix ?

— Calvaire que j'haïs ça, des affaires de même !

Marcel se releva, éteignit les lumières derrière lui et regagna l'épicerie.

Il aimait écouter le ronronnement des moteurs des réfrigérateurs. Il trouvait ce bruit rassurant, et de l'entendre lui permit de se calmer.

Marcel arpenta quelques allées, se dirigeant par instinct vers la boucherie.

Puis il fit volte-face, laissa son regard errer à droite, à gauche.

Il aimait se répéter que tout, ici, lui appartenait. Il était fier de ce qu'il avait réussi à conserver jusqu'à ce jour même si c'était encore très difficile.

Marcel ébaucha un petit sourire de satisfaction. Oui, il était fier de lui même si la situation n'était pas parfaite.

Puis il repensa aux allégations de Laura qui, de prime abord, semblaient fondées et il se rembrunit.

— Maudit calvaire !

Marcel se retourna pour se retrouver face au comptoir de la boucherie. Que ne donnerait-il pas pour y retravailler comme avant ! Il adorait son métier de boucher et il savait qu'il était apprécié. Et si en plus les chiffres lui donnaient raison…

Marcel poussa un long soupir contrarié.

Pour reprendre sa place ici, derrière le comptoir et dans la chambre réfrigérée, il devrait demander de l'aide, et juste à l'idée d'avoir à demander quelque chose, son poil se hérissait.

— Chaque chose en son temps, lança-t-il à haute voix, furieux contre la situation inconfortable où il se trouvait.

M'en vas commencer par savoir quand c'est que Laura peut venir me rejoindre icitte, pis je verrai au reste après. On est quand même pas dans le feu, calvaire !

Quand Marcel arriva devant chez lui, Laura était assise sur le balcon, seule. De toute évidence, elle était éreintée. Cheveux en bataille, sueur au front, elle portait encore l'uniforme du casse-croûte.

Marcel sortit aussitôt de son auto, heureux de voir qu'il pourrait parler tout de suite à sa fille. Il la salua d'un large mouvement du bras.

— Laura !

Épuisée, la jeune fille se contenta de tourner les yeux vers son père qui grimpait l'escalier deux marches à la fois.

— Faut que je te parle.

Cette fois-ci, Laura se redressa imperceptiblement sur sa chaise.

— Ah oui ?

— Ouais.

Marcel se laissa tomber sur la chaise en rotin à côté de celle de Laura. Après plus de quinze ans, Évangéline s'était enfin décidée à changer le mobilier extérieur.

— Je veux juste savoir quand c'est que ton université va finir.

— Mais j'ai fini. Depuis deux semaines, déjà.

Marcel fronça les sourcils. Il était tellement persuadé que Laura l'avertirait quand elle aurait terminé ses études qu'il ne savait comment interpréter cette réponse. N'avait-elle pas envie de travailler à l'épicerie ?

Marcel fut sur le point de se relever sans rien demander, détestant recevoir des réponses négatives. Puis, il se ravisa. Tant qu'à passer une nuit blanche à s'interroger, aussi bien vider la question tout de suite. Si Laura n'avait pas envie de travailler avec lui, il préférait le savoir maintenant.

— T'as fini depuis deux semaines pis tu me l'as pas dit ? demanda-t-il, rébarbatif, pour être certain d'avoir bien compris.

Laura haussa les épaules.

— Oui, deux semaines. Mais pourquoi je te l'aurais dit, popa ?

— Pour que je sache quand c'est que tu vas revenir à l'épicerie, c't'affaire !

— Mais tu m'avais rien demandé !

Tout en parlant, Laura s'était redressée complètement.

— Comment est-ce que j'aurais pu deviner que tu voulais que je travaille avec toi ?

— Me semble que c'était clair, non ?

— Non, justement. Quand je suis partie, l'automne dernier, tu m'as clairement dit que tu n'avais plus de travail pour moi.

— Ça, c'était pour l'hiver, rapport que t'avais juste une journée de disponible. Mais c'est pas pareil pour l'été, calvaire. Une fille intelligente comme toé aurait dû le savoir.

Laura prit ces derniers mots pour un compliment. À côtoyer Marcel durant tout un été, elle avait appris à interpréter ses propos et surtout ce qui se cachait derrière ses propos. Curieusement, toute sa fatigue était en train de disparaître.

— Comme ça, tu as besoin de moi ?

— C'est sûr que j'ai besoin de toé. Imagine-toé pas que les employés ont changé d'idée pour ce qui est de leurs vacances. Deux semaines, calvaire ! Marc m'a demandé deux semaines pour c't'année. C'est comme rien que Pierre-Paul va faire pareil. Pis madame Légaré, elle, a' veut suivre son mari qui vient de prendre sa retraite pis qu'y' a décidé de louer un chalet dans le nord pour fêter ça... Bon assez de niaisage... Tu veux-tu, oui ou non, travailler avec moé durant l'été ?

— C'est sûr que tu peux compter sur moi.

Brusquement, Laura avait des ailes.

— Donne-moi la semaine pour tout régler avec monsieur Albert, pis lundi prochain, si tout va pour le mieux, je serai là à sept heures, comme d'habitude. Mais je pense pas qu'il va y avoir de problème. Édith, la fille qui m'a remplacée l'été dernier, est justement venue aujourd'hui pour demander de l'ouvrage.

Marcel était déjà en train de se relever.

— Parle-moé de ça, une fille qui sait ce qu'a' veut ! C'est pour ça que j'aime ça travailler avec toé : tu niaises pas avec la puck, calvaire. Pis en plusse, j'sais que t'es fiable.

Devant tant de compliments, Laura fut sur le point de demander si son père avait regardé ses livres comptables. Ce n'était pas la première fois qu'elle y repensait, depuis avril dernier, et en ce moment, les mots lui démangeaient le bout de la langue. Si Marcel semblait si content qu'elle revienne travailler avec lui, c'était sûrement qu'il ne lui en voulait pas. Et s'il ne lui en voulait pas, c'était peut-être qu'elle avait raison.

Mais c'était peut-être aussi parce qu'il n'avait pas donné suite à ses suppositions et qu'il avait tout bonnement oublié ce qu'elle avait présumé.

À cette pensée, déçue, Laura préféra se taire. Au même instant, Marcel se rasseyait, songeur.

— Astheure que j'sais que tu vas revenir...

Marcel hésita. Puis, il tourna brièvement les yeux vers sa fille avant de revenir fixer la rue devant lui.

— Tu te rappelles-tu ce que tu m'as dit le mois dernier ?

— À propos de quoi ?

Laura préférait être prudente même si, quand son père avait ouvert la bouche, elle avait senti son cœur bondir dans sa poitrine.

— Calvaire, Laura ! Tu dois ben le savoir ! Me semble qu'on parle pas ensemble si souvent que ça ! Fais pas l'innocente.

Laura avala sa salive.

— D'accord, je sais ce dont tu veux parler. Je m'excuse. Pis ? As-tu vérifié ?

— Ouais, j'ai vérifié. Ça m'avait sorti de l'idée rapport que je trouvais ça exagéré, ton affaire, mais à soir, avant de partir de l'épicerie, j'y ai repensé pis j'ai regardé dans mes livres. J'étais curieux de voir. Ben, t'avais raison, calvaire ! Du moins à première vue.

— Et ?

Méfiant, Marcel se tourna vers Laura.

— Comment ça, et ? Que c'est tu veux que je te dise de plus, calvaire ? Les chiffres sont là, mais ça me donne pas de solution, par exemple.

Pour une seconde fois, Marcel reporta les yeux sur la rue. Puis, lentement il se remit à parler, tant pour lui-même que pour Laura.

— Non, j'ai pas de solution, répéta-t-il. Chus pas Dieu

le Père, moé, ça fait que chus pas capable d'être à deux places en même temps. Je peux pas être dans le bureau à préparer les maudites commandes, à vérifier les chiffres pis à faire les bilans en même temps que chus à boucherie à préparer ma viande pis à la vendre aux clientes. Sans compter que là avec, y a des commandes à passer pis de la comptabilité à faire. Pis à moins de travailler le jour pis la nuitte, j'vois pas comment c'est que j'vas pouvoir arranger ça. C'est sûr que je pourrais petête trouver un meilleur boucher que Marc, mais chus pas sûr, par exemple, que ça serait la bonne chose à faire. Comme tu le dis toé-même, c'est quand chus là, moé, que les chiffres augmentent...

D'un vigoureux hochement de la tête, Marcel soutenait ses paroles.

— Pis toé, calvaire, t'avais vu ça ! Mais en attendant, ça me donne pas de solution pour essayer de régler le problème.

Laura hésita à peine avant de lancer :

— Et si tu demandais à moman de t'aider ?

Ce fut au tour de Marcel de sentir son cœur s'emballer. Laura avait exactement la même idée que lui.

— Tu penses que ça pourrait l'intéresser ? demanda-t-il d'une voix qui se voulait indifférente.

— Aucune idée !

Marcel sentit son enthousiasme baisser d'un cran.

— Pourquoi c'est faire, calvaire, que j'y en parlerais, d'abord, si c'est pour me faire dire non ?

— Parce que si tu ne lui en parles pas, tu ne sauras pas non plus si elle a envie de dire oui.

La réponse était tellement évidente aux yeux de Laura qu'elle n'avait pu retenir ces quelques mots qui laissaient quand même entendre que son père n'était pas très logique. Contre toute attente, après un bref silence, Marcel approuva.

— Tant qu'à ça…

Puis il retomba dans son mutisme, essayant d'imaginer comment il se sentirait si jamais Bernadette disait non.

Ses mâchoires se crispèrent.

Et Laura, qui l'observait à la dérobée, s'en aperçut.

— Faut pas t'en faire avec ça, popa. Un non, ça restera toujours bien rien qu'un non. Ça n'engage que la situation concernée. Au moins, tu sauras à quoi t'en tenir et tu pourras chercher une autre solution. Malgré tout, moi, je pense que tu devrais d'abord en parler à moman.

— Pis Charles ?

— Quoi Charles ?

— Qui c'est qui va s'en occuper si ta mère est pas là ?

— Grand-moman pis Estelle. Comme elles le font déjà quand moman va voir ses clientes.

Dans un premier temps, Marcel approuva d'un second hochement de tête avant d'arrêter brusquement.

— Calvaire, les clientes !

Marcel tourna un regard consterné vers sa fille.

— Ta mère voudra jamais laisser tomber ses clientes, observa-t-il. Tu le sais comme moé qu'a' tient à sa job comme à la prunelle de ses yeux.

— Ça, popa, y a juste moman qui peut répondre à ça. Pis y a pas trente-six manières de le savoir, t'as juste à lui demander. Elle est justement dans la cuisine. Va la rejoindre pis tu vas le savoir tout de suite.

— Ouais… Pis j'ai faim en plusse…

Marcel resta immobile une minute de plus, puis il se

releva lourdement tout en soupirant. Après tout, si Laura pensait comme lui que Bernadette pouvait l'aider, l'idée n'était peut-être pas si mauvaise que cela.

— M'en vas aller souper, annonça-t-il. Pis si je vois que ta mère est dans une bonne journée, m'en vas petête y parler à soir. Petête. Ça fait que toé, pour astheure, tu tiens ça mort. On sait jamais, j'vas petête changer d'idée pis je voudrais pas que Bernadette se fasse des accroires à cause d'une grand-langue qui aurait trop parlé, calvaire !

Laura arriva à retenir le sourire moqueur que ses lèvres avaient terriblement envie d'esquisser, puis, quand elle entendit la voix de sa mère saluer Marcel, elle entra à son tour dans la maison pour se changer.

Marcel mangea quelques bouchées sans dire un mot, ajoutant machinalement une quantité monstre de ketchup Heinz sur son pâté chinois. Il aimait bien le pâté chinois, bien relevé, même s'il préférait le spaghetti à la viande de Bernadette. Pendant ce temps, sa femme finissait de ranger la cuisine.

À deux reprises, elle jeta un regard discret par-dessus son épaule.

Marcel avait l'air épuisé. Il avait les yeux cernés, les traits tirés, le teint blafard et il mangeait comme un automate, sans plaisir. Bien malgré elle, Bernadette sentit son cœur se serrer.

À quelques reprises, durant l'hiver, elle avait pensé lui offrir son aide.

À quelques reprises, durant ce même hiver, elle avait remisé ses bonnes intentions.

Bernadette connaissait suffisamment Marcel pour savoir qu'elle risquait de le heurter, de l'insulter si lui ne voyait pas le besoin d'être aidé. Elle ne voulait surtout pas allumer une autre chicane entre eux. Il y en avait eu suffisamment depuis leur mariage et comme ça allait un peu mieux depuis quelque temps…

— Bernadette, j'aurais quèque chose à te dire.

La voix de Marcel, rauque et impatiente, résonna désagréablement dans la cuisine silencieuse.

D'instinct, Bernadette sut qu'il allait lui parler de l'épicerie. Elle ferma les yeux pour cacher son inquiétude.

Pourvu que Marcel ne lui annonce pas qu'il avait décidé de vendre.

Bernadette ouvrit les yeux brusquement et se mit à frotter de plus belle jusqu'à l'instant où elle prit conscience qu'elle astiquait un comptoir déjà luisant de propreté. Elle lança alors sa guenille dans l'évier, puis elle se dirigea vers le bout de la table où elle prit place en face de Marcel.

— C'est beau, Marcel, je t'écoute.

Ce dernier prit le temps d'avaler quelques bouchées supplémentaires, ne sachant trop comment aborder la question. Pour une première fois dans sa vie, il avait l'impression que les rôles étaient inversés. Habituellement, c'était Bernadette qui semblait tourner autour du pot quand elle avait à lui parler.

L'image lui fut désagréable.

— Pis, Marcel, que c'est que t'as de beau à me dire ?

Marcel leva enfin les yeux.

— C'est à propos de l'épicerie, hasarda-t-il.

Le cœur de Bernadette se mit à battre la chamade.

— Ouais… Pis ?

Marcel poussa un profond soupir.

— M'en vas toute t'expliquer ça. J'sais pas trop si c'est une bonne affaire mais petête ben que oui.

Entre deux bouchées, il parla alors de ce qu'il avait découvert durant l'après-midi.

— Ça se peut-tu, toé ? L'argent que le père Perrette a faite, c'est grâce à moé, calvaire ! Du moins, c'est ce que je pense.

Fier de lui, par une habile circonvolution des événements, Marcel avait réussi à retourner la situation à son avantage.

— Pis moé, le cave, depuis deux ans, j'essaye de m'en sortir sans savoir que la solution, c'est moé !

Bernadette avait écouté le long discours de Marcel sans l'interrompre. Elle ne voyait pas où il voulait en venir.

— Mais astheure que je sais toute ça, faut que je trouve une solution, poursuivit Marcel en repoussant son assiette. Pis vite. L'été commence pis j'ai surtout pas envie de perdre toutes les fruits pis les légumes frais que j'ai perdus l'an dernier, calvaire, pasque les clientes viennent dans mon épicerie juste par bouttes. Ça coûte trop cher ! Pour ben faire, ça me prendrait quèqu'un pour voir aux commandes pis au roulant de tous les jours pendant que moé, je reprendrais ma place à boucherie. Mais je peux pas confier ça à n'importe qui, par exemple. J'avais ben pensé à Laura, je le sais qu'est fiable, mais avec son université, ça serait toute à recommencer à l'automne, pis ça, ça me tente pas pantoute... Ça fait qu'y' me reste rien que toé, Bernadette. Que c'est que tu penserais de ça, de venir travailler à l'épicerie ?

Quand Marcel se tut enfin, Bernadette resta immobile, sans émotion apparente. Pourtant, malgré une description un peu échevelée de la situation et le fait que Laura avait passé avant elle dans les intentions de son mari, elle était heureuse. Heureuse mais décontenancée.

Elle hésitait à donner une réponse. Brusquement, elle avait l'impression que tout le poids de leur famille reposait sur ses épaules, et cela lui fit peur.

Elle leva la tête et son regard s'accrocha à celui de Marcel durant quelques instants. Puis, Bernadette détourna les yeux.

— Donne-moé deux menutes, Marcel.

— Je pourrais comprendre que tu soyes pas capable de me donner une réponse tusuite, ajouta précipitamment Marcel, quand même déçu de voir que Bernadette ne semblait pas plus enthousiaste qu'il le fallait. Avec la maison pis tes clientes de rouge à lèvres, c'est sûr que ça fait beaucoup. Mais quand même, j'aimerais ça que tu penses à mon affaire ben comme faut avant de dire non.

Dire non ?

Bernadette avait-elle le droit de dire non ?

Elle était déjà debout, se dirigeant vers la cuisinière.

— M'en vas nous faire un bon café, lança-t-elle pardessus son épaule, comme si, à cet instant bien précis, il n'y avait rien de plus important à dire ou à faire. Pis j'ai un bon gâteau au chocolat dans *pantry*. Comme t'aimes !

— Ouais, ça serait ben bon.

Quand Marcel fut servi, Bernadette revint au comptoir pour attendre que l'eau se mette à bouillir. D'où elle était, elle voyait le hangar, dans le fond de la cour, et une parcelle du potager. Elle contemplait tout son univers. Elle savait que les plants de maïs avaient commencé à poindre hors de la terre, que les carottes offraient déjà leur feuillage en dentelle au soleil et que les radis seraient prêts à manger la semaine prochaine.

Si elle levait la tête et regardait par-dessus les toits, elle pouvait apercevoir le clocher de l'église du quartier voisin. C'est toujours lui qu'elle fixait quand elle pensait à Adrien.

Adrien…

Il y a un an, il partait pour l'Europe avec Michelle, se demandant s'il n'était pas temps, pour lui, de l'emmener au Texas voir sa mère. Puis il était revenu et Bernadette avait osé croire que c'était pour de bon. Mais après quelques jours seulement à la maison, il repartait pour le Texas, promettant de revenir avant l'hiver.

— Je ne peux envisager de vivre loin de toi, Bernadette.

Et Bernadette y avait cru.

Malheureusement, malgré ces belles paroles, Adrien n'avait pas tenu sa promesse.

Et Bernadette ne savait plus si elle avait encore envie de l'attendre, car c'est encore ce qu'Adrien disait à sa mère quand il l'appelait : il allait revenir.

Un jour.

Si au moins il lui avait écrit, elle aurait pu comprendre que certaines décisions ne dépendent pas toujours de notre seule bonne volonté. Avec la petite Michelle entre eux, une lettre de sa part n'aurait suscité aucun questionnement, et quelques mots seulement auraient pu entretenir le lien. Elle n'en demandait pas plus.

Mais Adrien n'avait pas écrit non plus et Bernadette était fatiguée d'avoir de la peine à cause de lui. Fatiguée de perdre son temps à attendre.

La bouilloire se mit à siffler. Machinalement, Bernadette sortit deux tasses, une cuillère, mesura la poudre de café instantané, versa l'eau bouillante.

Geste mille fois répété, pour elle comme pour Marcel.

Puis elle ajouta un nuage de lait dans les tasses et se tourna vers son mari.

Entre eux, il n'y avait jamais eu de grand amour. Elle en était consciente. Mais il y avait eu trois beaux enfants même si Charles…

Bernadette secoua la tête pour abrutir cette sempiternelle et désagréable culpabilité qu'elle ressentait en pensant à son plus jeune fils. Qu'importe si Adrien en était le père biologique ; Marcel s'occupait de lui comme un père, il était donc, d'une certaine façon, le vrai père de Charles. Pourquoi revenir là-dessus ?

Bernadette retint un long soupir de lassitude que Marcel aurait pu mal interpréter.

En prenant les tasses pour les porter sur la table, Bernadette eut une dernière pensée pour Adrien.

Adrien qui était au bout du monde alors que Marcel, lui, était là. Il avait toujours été là pour elle et les enfants.

Toute la vie de Marcel Lacaille avait été consacrée à sa famille. Parfois maladroitement, certes, mais toujours avec sincérité. Jamais Marcel ne s'était dérobé à son devoir. Jamais.

Alors ?

D'une certaine façon, Bernadette n'aurait pu espérer mieux comme mari, comme père pour ses enfants, même si entre eux, les sentiments n'avaient guère eu de place et d'importance. Le quotidien, lui, avait eu un sens, et c'est tout ce que Bernadette avait envie de retenir.

Elle déposa les deux tasses côte à côte sur la table puis elle se tira une chaise pour s'asseoir près de Marcel.

— D'accord, Marcel. Je sais pas trop ce que t'attends de moé, mais j'vas toute faire pour t'aider. On va passer à travers, crains pas, mon homme.

— Mon homme ?

Entre eux, il n'y avait jamais eu de mots tendres, et Marcel semblait décontenancé.

— Ouais, mon homme, répéta Bernadette d'une voix bourrue qui aurait dû cacher ses émotions mais y arrivait à peine. Quand tu parles de moé à tes chums, tu dis ben ma femme, non ? Je le sais, je t'entends, des fois, dans le salon. Ça fait que je vois pas pourquoi je dirais pas mon homme.

— Tant qu'à ça…

Marcel resta songeur un moment puis il leva les yeux vers Bernadette. Avant de se réjouir, il voulait être bien certain de tout comprendre. Il détestait les imprévus.

— Pis tes clientes, eux autres ?

Bernadette haussa les épaules.

— Pour astheure, y a rien de changé. On mettra pas tous nos œufs dans le même panier. Mes rouges à lèvres rapportent petête pas autant que ton épicerie, mais on va sûrement pas cracher sur c't argent-là, verrat. J'vas m'arranger, crains pas. Ça sera pas la première fois que j'vas prendre les bouchées doubles, tu sauras.

— C'est petête une bonne idée, approuva Marcel. Le temps qu'on s'ajuste.

— Pis on va s'ajuster, Marcel ! À nos deux, on va avoir la meilleure épicerie du quartier, tu vas voir !

Tout en parlant, Bernadette tapota le bras de Marcel

comme le faisait Évangéline quand elle voulait manifester un peu de tendresse.

— Tu devrais dire à nos trois, rétorqua Marcel. Pasque Laura avec, a' va travailler à l'épicerie durant l'été.

En prononçant ces derniers mots, ce fut comme si Marcel venait de prendre la mesure de tout ce qui s'était dit depuis une heure.

Son soulagement fut immédiat et total.

— Calvaire que chus content ! On va passer un bel été, Bernadette. Chus sûr. Un calvaire de bel été, tu vas voir !

Sur ce, rassuré, soulagé, Marcel porta sa tasse de café à ses lèvres.

C'est alors que Bernadette remarqua que la main de son mari tremblait. Troublée, elle plongea les yeux dans sa propre tasse.

Une tasse qu'elle tenait à deux mains pour que le liquide chaud ne déborde pas.

CHAPITRE 8

Les gens de mon pays
Ce sont gens de paroles
Et gens de causerie
Qui parlent pour s'entendre
Et parlent pour parler

Les gens de mon pays
GILLES VIGNEAULT

Montréal, jeudi 18 août 1966

Tous les jeudis, depuis le début de l'été, Antoine passait la journée chez madame Émilie, en plus du samedi matin. Le reste de la semaine, il travaillait au garage de Jos Morin qui, dans quelques semaines à peine, deviendrait le garage de Robert Gariépy, dit Bébert pour les intimes.

— Mais le nom changera pas, par exemple.

Là-dessus, Bébert était catégorique.

— Je pense que pour astheure, ça va être mieux de laisser le nom de monsieur Morin pour garder la clientèle.

Point de vue qu'Antoine et Laura, qui avaient été consultés sur le sujet, ne partageaient absolument pas. Bébert s'en faisait pour rien. La clientèle, ça faisait longtemps qu'elle venait au garage pour rencontrer monsieur Bébert, comme on l'appelait souvent, le meilleur mécanicien du quartier. La plupart de ceux qui se présentaient au garage pour une réparation n'auraient confié leur auto à personne d'autre. Elle allait donc être contente, cette même clientèle, de voir que désormais, Robert-Bébert Gariépy serait le patron. Le nom du garage n'était qu'accessoire, sans grande importance.

Et Bébert avait assuré à Antoine qu'il y aurait toujours du travail pour lui dans son garage.

— Sacrifice, Antoine ! Viens pas me dire que t'as peur de perdre ta job ? Depuis le temps que t'es pompiste icitte, tu fais quasiment partie des meubles. Toé avec, les clients sont habitués de te voir !

Antoine n'avait rien répondu, mais lui, c'est tout autre chose qu'il visait, et ce, depuis le mois de juin dernier, au moment où il avait appris, par l'entremise de madame Émilie, que Gabriel irait à New York dans le courant de l'été.

Avec un peu de chance, dans quelque temps, Antoine Lacaille n'aurait plus besoin d'être pompiste. Et il n'aurait pas besoin, non plus, de continuer à user son fond de culotte sur des bancs d'école. De toute façon, il avait respecté son engagement : en juin dernier, il avait terminé sa douzième année tel que promis à sa mère, et ses notes étaient excellentes.

Désormais, Antoine se sentait tout à fait libre d'envisager le reste de sa vie telle que lui la voyait.

Antoine en avait donc longuement parlé avec la seule personne susceptible de le comprendre et de l'aider, à savoir, madame Émilie.

— Je veux pus aller à l'école, madame Émilie. Ça, pour moé, c'est ben clair. Mais pour ça, y' faut que je sache si je peux gagner ma vie en vendant mes toiles.

Émilie avait écarté les craintes d'Antoine en balayant l'air d'un petit geste de la main devant elle, tout comme sa mère Blanche l'avait toujours fait.

— Ça ne fait aucun doute que tu vas vendre tes toiles. J'en suis certaine.

— Ben moé, ça me prend plusse que des espoirs pour me sentir bien. Ça fait que j'ai recommencé à penser à New York quand vous m'avez parlé de Gabriel, l'autre jour. Faut pas croire pasque chus pas allé l'an dernier que j'ai oublié ce projet-là pour autant. Pis Gabriel est d'accord avec moé, vous saurez. New York, c'est une étape importante dans une carrière. Pis y' m'a dit, l'été dernier quand j'étais chez eux, y' m'a dit qu'y' parlerait de moé à ceux qu'y' connaît là-bas. C'est pas rien, ça. Une fois les présentations faites, me semble que j'vas me sentir pas mal mieux pour prendre une décision quant à mon avenir.

Devant tant de logique et d'évidente détermination, Émilie s'était inclinée.

— D'accord avec toi, Antoine. Un, on peut gagner sa vie comme peintre et deux, je vais écrire de ce pas à Gabriel pour lui rappeler sa promesse. Je t'en donne des nouvelles le plus vite possible. En attendant, tu viens peindre ici aussi souvent que tu en as envie.

— Ben ça, madame Émilie, ça serait tous les jours si je m'écoutais. Mais pour astheure, je peux pas m'écouter, faut que je gagne de l'argent. Ça fait que j'vas voir avec Bébert lequel des jours de la semaine je pourrais prendre congé pis je vous en reparle. Déjà que venir toute une journée, en plusse du samedi matin, ça va être agréable, ben agréable.

C'est ainsi que depuis le début de l'été, Antoine se présentait chez madame Émilie le jeudi toute la journée et le samedi jusqu'à onze heures. Et c'est ainsi qu'invariablement, il demandait, en entrant dans l'atelier, si elle avait reçu des nouvelles de Gabriel.

— Pas avant le mois d'août, Antoine ! Tu le sais... Gabriel va parler de toi quand il va se rendre à New York et il y va au mois d'août.

Ce qu'Antoine ne savait pas, par contre, parce que madame Émilie voulait lui en faire la surprise, c'est que Gabriel se présenterait dans les galeries new-yorkaises avec plusieurs photos des toiles d'Antoine et qu'à la même période, elle-même aurait envoyé les deux toiles qu'elle jugeait les meilleures à la galerie que Gabriel lui aurait indiquée.

C'est pourquoi, ce matin, quand Antoine vit que madame Émilie l'attendait sur son perron et qu'elle se mit à brandir une lettre dès qu'elle l'aperçut, Antoine sentit son cœur bondir dans sa poitrine.

Enfin ! La lettre tant attendue était arrivée.

Et si madame Émilie avait l'air aussi excitée, c'est probablement que les nouvelles étaient bonnes.

C'était au-delà de ses espérances.

Antoine dut s'y reprendre à deux fois pour relire la lettre tant les mots dansaient devant ses yeux. Puis, quand même un peu incertain, il leva la tête, interrogeant madame Émilie du regard. Celle-ci éclata de rire.

— Tu as bien lu, Antoine ! Tout comme à Paris, les gens de New York sont intéressés par tes toiles.

— Ça veut-tu dire qu'y' vont les vendre, mes toiles ?

— Ça veut dire qu'ils vont les exposer et essayer de les

vendre, oui. Ils disent aussi, si ta lettre ressemble à la mienne, qu'ils aimeraient des paysages d'hiver...

Antoine regardait Émilie avec une interrogation dans le regard.

— Dans l'enveloppe, il y avait deux lettres, expliqua alors Émilie. Une pour toi et une pour moi dans laquelle on parle de paysages d'hiver. Paraîtrait-il que c'est à la mode... Gabriel m'écrit aussi qu'il doit venir ici, à Montréal, et...

De toutes ces années où Antoine était venu chez elle, jamais Émilie ne l'avait vu aussi exubérant.

— Gabriel ? Ici ?

— Oui. C'est souvent ce qu'il fait quand il doit se rendre à New York pour un vernissage. Mais laisse-moi terminer... Gabriel doit venir ici et il aimerait voir avec toi si tu pourrais, toi aussi, aller à New York pour un vernissage quand tes toiles seront prêtes.

— Moé ? À New York ? Pour un vernissage ? Ben voyons don, vous.

Puis, Antoine fronça les sourcils. Brusquement, tout allait trop vite, tout était trop beau. Il devait s'être trompé, avoir mal lu et madame Émilie aussi.

— Pourquoi c'est faire qu'y' veulent organiser un vernissage ? demanda-t-il, sceptique. Après toute, le monde à New York, y' ont jamais vu mes toiles. Y' se fient à ce que Gabriel leur a dit pour vouloir mes toiles, non ? Ça fait que ça se peut pas qu'y'...

— C'est ce que tu crois !

La voix d'Émilie pétillait de joie.

— Je vous suis pas, moé là.

— Je suis surprise que tu ne m'en aies pas parlé avant !

Comme pour Paris, j'avais envoyé quelques photos et Gabriel en a montré, lui aussi.

— C'est ben sûr, ça là ?

— Arrête de t'en faire, Antoine ! Si on te dit, dans la lettre, qu'on veut organiser un vernissage, c'est que c'est vrai !

Antoine était encore réticent à se réjouir. Il reprit la lettre au complet, lisant posément, puis il leva les yeux vers Émilie. Cette fois-ci, par contre, il affichait un franc sourire.

— Ben, que c'est qu'on fait à poireauter icitte, sur le perron, madame Émilie ? Faut que je me mette à travailler, moé là. Pis vite en mautadine !

Dans l'autobus le ramenant chez lui, ce jour-là, Antoine dut relire la lettre au moins dix fois, n'en revenant tout simplement pas. C'était de lui dont on parlait en disant qu'il avait du talent. C'était ses toiles que l'on voulait avoir, absolument, pour les exposer avant la période de Noël.

La seule chose qui lui faisait peur, c'était le vernissage dont on disait qu'il serait nécessaire.

Antoine détestait toujours autant la promiscuité. Savoir qu'il aurait des dizaines de mains à serrer, des gens peut-être à embrasser, ressemblait à un cauchemar. Dommage, car cette perspective ternissait sa joie.

— On verra à ça plus tard, murmura-t-il en repliant la lettre pour la glisser dans la poche de sa chemise. J'vas toujours ben pas gâcher mes chances en refusant tusuite l'idée d'un vernissage.

Il courut de l'arrêt d'autobus, au coin de la rue devant le casse-croûte de monsieur Albert, jusque chez lui. Sans se donner la peine de contourner la maison, il grimpa l'escalier de devant, deux marches à la fois, et entra en trombe dans la maison, claquant la porte derrière lui.

— Moman ?

Avant même la voix de Bernadette, ce fut un bruit de casserole qui lui signifia que sa mère était à la cuisine. Antoine s'y dirigea aussitôt.

— Moman ?

Bernadette se retourna. Essoufflé, échevelé, Antoine la regardait en souriant.

— Veux-tu ben me dire ce qui t'arrive, mon gars ? T'as l'air excité comme une puce !

— Regarde, moman, regarde ! Lis c'te lettre-là, pis tu vas comprendre que j'avais raison.

D'une main tremblante, Antoine lui tendait la lettre qu'il avait reçue.

— Donne-moé deux menutes...

Bernadette essuya consciencieusement ses mains sur son tablier avant de prendre la lettre qui semblait avoir beaucoup d'importance.

Tout comme Antoine l'avait fait avant elle, Bernadette relut la missive deux fois pour être bien certaine d'avoir tout compris. Puis, intriguée, elle leva les yeux vers son fils.

— Je comprends pas, Antoine... Comment ça se fait que c'te monde-là, à l'autre boutte du monde, savait que toé, Antoine Lacaille, t'existais icitte à Montréal pis que tu faisais des belles peintures ? Ça serait-tu madame Émilie qui aurait toute manigancé ça ?

Cette supposition fut une douche froide sur l'enthousiasme d'Antoine. Il n'y avait bien que sa famille pour ne pas vouloir regarder la réalité en face.

— Non, moman, fit-il d'une voix désabusée. Madame Émilie a rien manigancé, comme tu dis. A' l'a juste envoyé quèques photos de mes peintures pis Gabriel a faite la même chose.

— Gabriel ? Le Gabriel chez qui t'as passé quèques semaines l'an dernier ?

— Quel Gabriel tu veux que ça soye ? Ben sûr que c'est lui, mautadine, j'en connais pas d'autres.

Bernadette, le cœur en émoi, reporta les yeux sur la lettre qui allait peut-être ouvrir toutes grandes les portes de l'avenir d'Antoine. Elle savait que ce jour-là finirait bien par arriver. Elle n'avait jamais douté du talent de son fils, surtout depuis son voyage à Paris. Elle trouvait seulement qu'il se présentait peut-être un peu trop tôt. Pour elle, Antoine n'était encore qu'un petit garçon, et l'idée de le savoir seul à New York lui faisait encore terriblement peur même si, au-delà de cette réalité, elle était sincèrement fière de lui.

New York... Le mot lui faisait encore peur.

Mais avait-elle le droit d'empêcher son fils de vivre ?

Quand elle releva enfin les yeux vers Antoine, Bernadette s'efforça de dessiner un grand sourire même si elle avait le cœur dans l'eau. Elle buta sur un regard déçu et ravala son sourire. Alors, elle décida de s'en tenir à la vérité.

— Chus ben fière de toé, Antoine.

— Ben, ça paraît pas pantoute.

Les mots avaient échappé à Antoine tellement il était désappointé par la réaction de sa mère. Bernadette se dépêcha de justifier sa position.

— Écoute-moé ben, Antoine… Si y a quèqu'un, icitte, qui t'a toujours soutenu pis aidé, c'est ben moé. Moé pis ta grand-mère. Ça, mon homme, faudra pas que tu l'oublies le jour où tu seras devenu célèbre. Pasque chus sûre qu'un jour tu vas être un grand peintre. Mais en même temps, si t'as reçu c'te lettre-là, aujourd'hui, c'est pasque ta grand-mère pis moé, en quèque part, on a été là.

Penaud, Antoine baissa les yeux.

— C'est vrai, admit-il à mi-voix.

— C'est sûr que c'est vrai, bâtard ! Mais une fois que c'est dit, faut pas négliger ton talent pour autant. C'est lui qui a faite en sorte que t'as reçu ta lettre. Quand ben même on se serait démenées comme deux diables dans l'eau bénite, Évangéline pis moé, si t'avais pas eu de talent, ça aurait rien donné en toute. Pis pour c'te talent-là, pis pour ta persévérance, chus fière en verrat, tu sauras. Mais en même temps, chus une mère. Pis pour une mère, voir ses enfants grandir, c'est pas toujours facile. De savoir que tu vas être loin de moé, tuseul, je trouve ça ben dur.

— Pis en même temps, Bernadette, c'est toé qui m'as dit, un jour, que c'était normal que nos enfants partent du nid pis qu'on avait pas le droit de les retenir. Si toé tu t'en rappelles pas, moé, j'ai retenu la leçon. Pis ça m'a servi, l'an dernier, quand Adrien est reparti pour son Texas. Dans un certain sens, t'avais raison pis j'avais pas le droit de le retenir icitte juste pasque moé, ça aurait fait mon affaire.

Debout dans l'embrasure de la porte, Évangéline avait entendu une grande partie du dialogue entre Antoine et sa mère et elle n'avait pu s'empêcher d'intervenir.

Éveillée par l'arrivée intempestive de son petit-fils,

alors qu'elle faisait une petite sieste avant le souper, Évangéline avait tendu l'oreille. La curiosité avait fait le reste. Pour qu'Antoine fasse autant de bruit, il devait sûrement y avoir une bonne raison. Sans hésiter, Évangéline s'était alors relevée pour venir rejoindre Bernadette à la cuisine.

— Mais faut pas, non plus, partir en peur, ajouta Évangéline, voyant que Bernadette ne disait rien. Ta mère a pas tort, Antoine, quand a' dit qu'elle pis moé on t'a aidé.

Antoine haussa les épaules.

— J'ai jamais dit le contraire. Je pense qu'on est en train de toute mélanger.

À ces mots, Évangéline esquissa son inimitable sourire un peu croche.

— Mettons que t'as raison, Antoine, pis qu'on mélange un peu les choses. Mais mettons, avec, que ta mère a pas tort, elle non plus. Nos enfants, tu sauras, on passe notre vie à s'inquiéter pour eux autres.

Puis, elle tendit la main.

— Je peux-tu la voir, moé, c'te fâmeuse lettre-là ? Juste à penser que ça vient de New York juste pour toé, moé, ça m'impressionne.

Le temps de regarder, sans les lire, les mots qui s'alignaient, interminables, sur le blanc de la feuille, et Évangéline redonnait la lettre à Antoine tout en fixant Bernadette.

— Tu m'excuseras de me mêler de ce qui me regarde petête pas, Bernadette, mais je pense qu'Antoine a raison quand y' dit qu'on est en train de toute mélanger.

Sur ce, Évangéline tourna les yeux vers son petit-fils.

— Toi, mon homme, que c'est que ça te dit, c'te lettre-là ?

— Ça me dit qu'y' va falloir que je travaille fort, grand-moman, ben fort…

En prononçant ces mots, Antoine avait soutenu le regard de sa grand-mère, ayant la merveilleuse impression de remonter dans le temps et d'être à nouveau un gamin qui n'avait qu'à ouvrir son cœur à sa grand-mère pour trouver une oreille attentive à ses besoins. Entre eux, il y eut un petit sourire de connivence, puis Antoine se tourna vers Bernadette.

— Faut pas t'imaginer que je pars pour New York demain matin, moman, ni que j'vas m'installer là-bas pour vivre le reste de mes jours. Si jamais j'y vas, ça va être l'affaire de quèques jours.

Bernadette poussa un profond soupir.

— Je le sais ben…

Puis à son tour, elle esquissa un sourire.

— Je pense que j'ai pris le mors aux dents pis que je me suis énervée pour rien, hein, mon gars ? J'vas dire comme ta grand-mère : comment c'est que tu vois ça, toé ?

— Rien de plusse que ce que je viens de dire, moman : va falloir que je travaille en mautadine, expliqua-t-il avec ferveur sans quitter sa mère des yeux, devinant qu'il était peut-être en train de plaider la cause la plus importante de sa vie. Y' veulent, à New York, exposer mes toiles vers la fin du mois d'octobre. C'est ça qui est écrit dans la lettre. Pis y' disent, avec, que des peintures qui montrent des scènes d'hiver, ça serait l'idéal. Sauf que moé, depuis que chus revenu de chez Gabriel, l'an dernier, c'est juste des peintures d'été que j'ai faites. Des peintures d'hiver, j'en ai pus, rapport que celles que j'avais, je les ai vendues à Paris. Ça fait que pour arriver à faire ce qu'on me demande, va falloir que je demande à Bébert de me dire quels jours de la semaine je peux prendre pour travailler mes peintures. Pis va falloir, avec, que je demande à madame Émilie si a' l'accepte que je m'installe chez eux pour travailler trois ou quatre jours par semaine. En bas de ça, je vois pas comment je pourrais y arriver.

— Ouais, pis ?

Bernadette ne voyait pas ce qui suscitait autant de réticence. Car c'est ce qu'elle avait retenu de la longue tirade d'Antoine: il semblait vraiment contrarié par les événements.

— Me semble que c'est réalisable, ce que tu viens de dire là, poursuivit-elle. Pourtant, j'ai eu l'impression d'entendre une sorte d'indécision dans ta voix. Comme si t'étais pas content.

— C'est sûr que chus content ! Que c'est tu vas penser là ? C'est juste que je trouve ça ben malcommode d'avoir à me rendre chez madame Émilie chaque fois que j'ai envie de prendre mes pinceaux. C'est toute.

— Ben là, mon gars, va falloir que tu te fasses à l'idée ! Ça arrive souvent, dans une vie, que les choses se passent pas tout à fait comme on le voudrait pis que…

— Une menute, vous autres !

Assise à la table, Évangéline en frappait le formica du bout de l'index pour attirer l'attention.

— Une menute… J'veux être sûre de ben comprendre, moé là. Ce que tu dis, Antoine, c'est que t'as pas peur de travailler, mais en même temps, tu trouves ça ben malaisé de te déplacer à chaque fois que tu veux peinturer. C'est ben ça ?

— Ben… ouais.

— OK, j'ai ben compris. Pis, si on regarde plus loin que le boutte de notre nez, pis si on se fie avec ce qui s'est passé à Paris, ça s'arrêtera pas là, ton affaire ! Quand tes peintures vont être vendues là-bas, à New York, va ben falloir que t'en fasses d'autres. J'ai-tu raison de penser de même ?

— Ça, c'est sûr.

En prononçant ces derniers mots, Antoine avait le regard brillant d'espoir.

— C'est juste ça que je veux, grand-moman, être obligé d'en faire d'autres, pis d'autres encore. Je veux passer ma vie à faire des peintures. Mais pour astheure, j'ai pas le choix d'aller m'installer chez madame Émilie pasque t'aimes pas ça, la senteur de la térébenthine.

— Pis j'ai raison ! Ça pue sans bon sens, c't'affaire-là, pis ça s'infiltre partout. Pas moyen de s'en débarrasser.

— C'est ben ce que je viens dire !

— Pis c'est pas toute ! T'aurais pas vraiment de place pour t'installer, mon pauvre Antoine. Avec ton mobilier pis celui de Charles, y a pus ben ben de place dans votre chambre. Pis tu dérangerais ton frère.

— J'ai-tu dit le contraire ?

— Sois poli !

Antoine, dont la patience commençait à être épuisée, retint à la dernière minute un long soupir de contrariété.

— Je m'excuse, grand-moman, je voulais pas être malpoli, mais là, j'ai l'impression qu'on recommence à tourner en rond.

— Pas vraiment, mon gars, pas vraiment, précisa Évangéline. Je réfléchis à voix haute, c'est pas pareil. Pis si t'acceptes, deux menutes, de me suivre dans ma pensée, on va petête arriver à trouver une solution.

— Une solution ? Pasqu'y aurait une solution autre que ce que je viens de dire ?

— Petête.

À ces mots, Évangéline leva les yeux vers Bernadette qui suivait leur discussion sans oser intervenir. Quand Évangéline avait les sourcils froncés comme une forêt broussailleuse au-dessus des yeux, valait mieux ne rien dire. Un long regard unit les deux femmes avant qu'Évangéline revienne à son petit-fils.

— Antoine, tu vas aller dans ta chambre pour une couple de menutes pis tu vas attendre que...

— Comment ça, dans ma chambre ?

Antoine n'y comprenait plus rien.

— Chus pus un bebé pour que...

— Viarge, Antoine ! Je t'envoye pas dans ta chambre en pénitence comme quand t'étais p'tit. Je veux juste parler à ta mère en privé. Me semble que c'est pas dur à deviner, ça !

Sachant qu'il ne servait à rien d'insister, Antoine quitta la cuisine en grommelant, visiblement de mauvaise humeur. Lui qui s'attendait à un accueil rempli de fierté et de bonne volonté pour l'aider, il était servi. Il claqua la porte de sa chambre en se jurant que la prochaine fois, il se débrouillerait tout seul et mettrait sa famille devant un fait accompli. Après tout, comme il venait de le dire à sa grand-mère, il n'était plus un bébé.

Évangéline sursauta quand la porte claqua et, comme si elle n'attendait que ce signe, elle tourna la tête vers Bernadette.

— Viens t'assire. Faut que je te parle avant de le faire avec Antoine.

Évangéline resta un long moment silencieuse, ne sachant quels mots employer. Ce qu'elle avait à dire n'était pas facile. Elle savait que Bernadette le comprendrait même si elle aussi, elle serait bouleversée.

— Je pense que j'aurais petête une solution pour Antoine, hasarda-t-elle enfin. Mais d'abord, je veux savoir ce que toé t'en penses.

— Par rapport à quoi ?

— Par rapport à Adrien.

Bernadette se sentit rougir. Elle baissa les yeux et du bout du doigt, elle se mit à gratter une petite fêlure sur la table.

— Je veux juste savoir si t'es comme moé, Bernadette. Je veux juste savoir si toé avec, t'as l'impression que mon Adrien nous mène en bateau pis que dans le fond, y' a pas l'intention de revenir vivre avec nous autres. C'est pour ça que j'ai dit à Antoine d'aller dans sa chambre. J'avais pas envie de jaser de ça devant lui...

— Je peux comprendre ça.

— Je le savais que tu comprendrais. Pis ? Que c'est t'en penses, toé, d'Adrien pis de sa manière de faire ? J'ai eu beau entretenir l'espoir durant toute une année, là, y en a pus. Pus une miette.

Bernadette haussa les épaules.

— Je le sais pas, la belle-mère, c'est quoi qui se passe avec Adrien. Pis je vous avoue que depuis un boutte, j'essaye de pas y penser. J'ai en masse de quoi m'occuper l'esprit pis c'est bien de même. Je... Chus contente, vous saurez, de travailler avec Marcel. Je pensais jamais que ça serait de même, mais chus obligée de dire que c'est agréable, ben agréable. Le Marcel de l'épicerie, c'est pas tout à fait le même Marcel que celui qui vit icitte. Pis à cause de ça, j'ai moins envie de penser à Adrien. C'est sûr que je m'ennuie. De la p'tite Michelle, surtout, pis des longues conversations que j'avais avec Adrien. Mais en même temps, me semble que toute est plusse facile depuis qu'y' est parti. Je… je sais pas trop comment vous dire ça. Mais chus pas malheureuse de son absence pis par bouttes, chus comme vous, je pense qu'y' reviendra pas.

Évangéline resta songeuse un moment.

— C'est toute ce que je voulais savoir, Bernadette, murmura-t-elle après un long moment d'introspection. Finalement, on pense pareil, toé pis moé, pis comme ça, tu seras pas trop déçue si je prête l'appartement d'en bas à Antoine pour qu'y' fasse ses peintures en paix.

— L'appartement d'Adrien ?

— C'est pus l'appartement d'Adrien, Bernadette. Ça fait un an que ça l'est pus mais j'étais trop obstinée pour le voir… Astheure, va chercher Antoine. Ça fait une éternité, toé pis moé, qu'on sait qu'y' a de l'avenir dans la peinture, c't'enfant-là, c'est pas aujourd'hui qu'on va commencer à y mettre des bâtons dans les roues, viarge ! Envoye, Bernadette, grouille-toé ! Va le chercher avant que je change d'idée.

* * *

Depuis le début de l'été, Adrien avait réintégré son ancienne vie comme on retrouve une vieille paire de pantoufles oubliées : avec reconnaissance.

Tous les matins, quand il quittait la maison avant le réveil de Maureen et de Michelle, il y avait bien un petit moment de culpabilité quand il se répétait qu'il n'avait pas le droit d'abandonner sa fille comme il le faisait.

Une pensée pour les rires et les cris de joie de Michelle quand elle jouait avec ses cousins suffisait à le rassurer. Même si Michelle s'obstinait à ne pas parler anglais, Adrien la soupçonnait de comprendre assez bien tout ce qui se disait autour d'elle, car elle avait toujours la bonne réplique au bon moment, en français. Autour d'elle, on commençait donc à baragouiner un mauvais français, à l'exception d'Eli qui trouvait la mascarade déplacée.

Mais de toute évidence, Michelle n'était pas malheureuse, et c'est ce qui était important.

D'un autre côté, Maureen semblait s'adapter à sa nouvelle vie et elle aimait sincèrement sa fille. Cela aussi avait une importance capitale aux yeux d'Adrien. Après tout, elle était la mère de Michelle, même si dans sa manière d'agir, elle était encore maladroite. On lui avait dit, un jour, qu'il ne devrait jamais oublier qui était vraiment la mère de Michelle, et c'est exactement ce qu'il tentait de faire, avec la meilleure volonté du monde.

Et puis, Chuck aimait Michelle sans la moindre équivoque ni réserve, et comme c'était grâce à lui que Michelle avait pu être opérée, Adrien en tenait compte dans ses priorités.

C'est pourquoi, tous les matins, quand il quittait la maison pour rejoindre ses beaux-frères, Adrien fermait la porte derrière lui en poussant un soupir de soulagement à la pensée qu'il laissait à d'autres toutes les petites tracasseries domestiques. À ce sujet, les trois années passées à Montréal avaient été interminables, même s'il n'en avait jamais rien dit. Pour le reste, il faisait confiance à la vie.

C'est pourquoi, quand Chuck lui avait dit qu'il serait

de la partie pour récupérer le troupeau à la fin de l'été, Adrien avait accepté sans la moindre arrière-pensée. Bien au contraire. Il voyait ces quelque dix jours comme des vacances bien méritées à la fin d'une saison où il avait travaillé pour son beau-père sans compter ses heures, se sentant redevable envers lui.

Alors, Adrien partirait comme on le lui avait demandé et il profiterait de ses longues soirées auprès du feu pour écrire deux lettres. Une à sa mère et l'autre à Bernadette. Il n'avait que trop tardé.

Et c'est exactement ce qu'il avait fait.

Le travail harassant avait rassasié son corps.

L'écriture des deux lettres avait apaisé son esprit.

Il pourrait, désormais, laisser Montréal derrière lui, ne gardant, au fond de son cœur, que les doux souvenirs.

Adrien était bien conscient que sa vie allait en montagnes russes, passant du nord au sud avec un égal bonheur, mais que pouvait-il y changer ? Après tout, n'était-ce pas Bernadette qui l'avait poussé à venir ici, alléguant que Maureen avait le droit indiscutable de connaître sa fille ? Maintenant que Maureen acceptait Michelle, maintenant qu'elle avait appris à l'aimer, comment aurait-il pu faire marche arrière ? C'était un non-sens.

Et c'est ce qu'il avait écrit dans ses lettres, omettant cependant de dire que lui aussi, il avait été heureux de retrouver les grands espaces. Ni Évangéline ni Bernadette n'avaient besoin de le savoir. Écrire que Michelle avait trouvé une mère attentive, répéter que la petite fille semblait heureuse devraient suffire à justifier son choix de rester ici. Tant sa mère que Bernadette devraient le comprendre et ne pas lui en vouloir.

Il terminait en disant qu'il s'excusait d'avoir tant tardé à prendre sa décision. Comme toujours, c'était le bien-être de Michelle qui avait primé.

Deux lettres à peu près identiques sauf dans le choix des mots. Deux lettres qui se terminaient sur un post-scriptum qui disait, dans l'une, toute la reconnaissance d'un fils à sa mère et dans l'autre, un message d'amour que personne, autre que Bernadette, n'avait besoin de savoir.

La chevauchée le ramenant chez lui avait été empreinte d'un grand sentiment de bien-être. Le crissement du papier des deux lettres qu'il avait glissées dans sa poche avait un pouvoir apaisant. En quelques jours seulement, Adrien avait eu la sensation qu'un poids immense avait quitté ses épaules. Il pouvait enfin respirer à pleins poumons.

Et c'est cette même sensation qui guidait ses pas alors qu'il traversait la grande pelouse séparant l'écurie de sa maison. Le soleil commençait à frôler l'horizon, l'heure du souper n'était pas loin et Adrien avait faim. Demain, il posterait ses lettres et à partir de ce moment-là, il pourrait tenter de reprendre sa vie là où il l'avait laissée quelque quatre ans plus tôt. Il n'aurait pas l'impression d'être malhonnête envers qui que ce soit.

Quand il aperçut la poussette sur la longue galerie qui ceinturait sa maison, Adrien esquissa un sourire. Si l'antique poussette des Prescott était rangée devant chez lui, c'est que la petite Charlene était là. Michelle devait être heureuse ; elle adorait sa petite cousine, jouant à la grande sœur avec elle.

Il lui tardait de retrouver Michelle. C'était la première

fois depuis qu'elle était au monde qu'il était parti aussi longtemps.

Tout en enlevant ses bottes maculées de poussière, il se demanda si elle avait changé tout en sachant qu'à quatre ans, on ne change pas aussi vite qu'un bébé.

Quatre ans !

Michelle était maintenant une grande fille ; elle venait de fêter ses quatre ans en grandes pompes.

C'est le cœur léger qu'il ouvrit la porte pour entrer chez lui.

Mais c'est là, une main toujours posée sur la poignée, qu'il comprit que son univers venait encore une fois de basculer.

Assise sur deux coussins pour être à la bonne hauteur, une grande bavette la recouvrant complètement, Michelle ouvrait docilement la bouche pour qu'Eli, sa grand-mère, la fasse manger. Dos à la scène, Maureen s'affairait au fourneau.

En deux enjambées, Adrien traversa la cuisine et d'un geste autoritaire, il arracha la cuillère des mains d'Eli.

— *No, Eli !* Mais qu'est-ce que c'est que cette folie ?

Sa voix était dure, tranchante, brutale. Apeurée, Michelle leva les yeux vers lui. Jamais elle n'avait entendu autant de colère dans la voix de son père.

Alertée, Maureen s'était retournée. Sans hésiter, elle s'approcha de Michelle et posa une main protectrice sur ses épaules.

L'image fut insupportable pour Adrien. Il eut alors l'impression d'avoir été écarté de la main et que tout ce qu'il avait si laborieusement acquis, avec Michelle, ne voulait plus rien dire.

Avec éloquence, par son geste, Eli venait de lui rappeler que sa fille était infirme, réalité qu'il avait toujours voulu dépasser. Michelle serait toujours handicapée, soit, mais elle saurait se débrouiller. Il s'en était fait le serment au-dessus de son berceau de nouveau-né et jamais il n'avait renoncé.

Ici, on était en train de tout gâcher et lui, pauvre imbécile, il n'avait rien vu.

La rage qui bouillonnait en lui n'avait d'égale que sa déception.

Incapable de se retenir, il bouscula Eli pour qu'elle lui cède sa place sur la chaise face à Michelle.

— *Adrian!*

Maureen tenta de s'interposer et elle avait élevé la voix à son tour.

— *Shut up!* gronda Adrien.

Il n'avait que faire des bonnes manières et du respect. On se moquait de sa fille et rien d'autre n'avait d'importance.

Assis devant Michelle, Adrien prit une profonde inspiration avant de détacher avec délicatesse la grotesque bavette.

— Je crois que tu n'as plus besoin de ça, hein, Michelle?

La petite fille se contenta d'un signe de tête timide pour approuver.

— Pourquoi tu n'as rien dit?

Butée, Michelle resserra les lèvres sans répondre.

— Je comprends que tu es peut-être gênée de parler, mais pour l'instant, il n'y a que toi et moi pour vraiment comprendre les mots qu'on dit.

Incertaine, Michelle leva les yeux et son regard passa

de sa mère à sa grand-mère avant de revenir se poser sur son père.

— Alors ? demanda ce dernier qui faisait de gros efforts pour ne pas laisser éclater la colère qu'il ressentait toujours. Est-ce que ça arrive souvent qu'on te fasse manger comme ça ?

— Des fois.

La voix de Michelle n'était qu'un filet.

— Des fois… Je vois… Et toi, est-ce que tu aimes ça ?

— Non.

Rassurée par la voix douce d'Adrien, Michelle recommençait à se sentir en confiance.

— Chus capable de manger toute seule, affirma-t-elle d'une voix à demi convaincue. Hein, papa ?

— Oh oui ! Et tu le fais très bien, crois-moi. Tu es très débrouillarde.

Le sourire de Michelle glissa, brûlant, sur le cœur d'Adrien. Sa fille semblait soulagée qu'on lui confirme qu'elle était encore capable de faire plein de choses, seule.

— Est-ce qu'il y a d'autres choses que tu n'aimes pas, comme ça ?

Michelle hésita. À nouveau, elle leva brièvement la tête.

— Le carrosse, murmura-t-elle enfin.

— Le carrosse ? Quel carrosse ?

— Celui sur la galerie. Quand c'est grand-mère qui s'occupe de moi, elle veut que je m'assoie dans le carrosse pour aller jusqu'à sa maison.

— Mais pourquoi ? Tu passes ton temps à courir avec tes cousins à la grandeur du terrain ! Tu n'as vraiment pas besoin d'un carrosse comme celui-là pour aller d'une maison à l'autre.

Michelle hésita encore. Sans qu'on ait besoin de lui expliquer la chose, elle avait très bien compris ce qui motivait sa grand-mère à agir de la sorte.

— C'est ma main, expliqua-t-elle sur un ton de confidence. Grand-mère n'aime pas tenir ma main et pour aller dans sa maison, elle veut toujours qu'on lui donne la main. Elle fait la même chose avec Charlene.

Mais Charlene n'avait que deux ans.

Adrien dut faire un effort surhumain pour ne rien laisser paraître de la rage qui grondait en lui. Pour Michelle, il ferma les yeux et inspira bruyamment, cherchant ainsi, désespérément, à se calmer. Il allait parler, cela ne faisait aucun doute pour lui, mais il devait absolument le faire avec calme. À cause de Michelle.

Mais avant…

Adrien ouvrit lentement les yeux, évitant soigneusement de lever la tête pour ne pas croiser le regard de sa belle-mère.

— Qu'est-ce que tu dirais si toi et moi, on faisait un petit voyage ? proposa-t-il d'une voix qui se voulait légère.

— Encore ?

L'idée ne semblait pas réjouir Michelle.

— C'est toi, Michelle, qui avais l'air contente d'avoir deux maisons. Une pour l'été et l'autre pour l'hiver. Tu te rappelles ?

Comprenant alors à quoi son père faisait allusion, le regard de Michelle se mit à briller de plaisir anticipé.

— Montréal ? demanda-t-elle pour être bien certaine que son père et elle parlaient de la même chose.

— Exactement. Ici, c'est toujours l'été. Mais à Montréal, c'est l'automne qui arrive. L'automne et l'hiver.

Qu'est-ce que tu dirais d'aller passer la saison froide dans notre maison d'hiver, justement ?

— Pis voir grand-maman Vangéline ? Pis matante Bernadette, pis matante Estelle ? Y a Charles, aussi, avec Laura pis Antoine…

Maureen qui n'avait rien saisi de ce long dialogue entre Michelle et Adrien ne retint qu'un mot au passage : Montréal.

Elle tourna aussitôt un regard angoissé vers sa mère. Adrien n'avait pas le droit de repartir. Bien sûr, il y avait eu une formidable erreur au moment de la naissance de Michelle. Une erreur dont personne ne pouvait réellement sonder les raisons cachées au plus profond des âmes. Pas plus elle que tous les autres. Mais c'était du passé, maintenant. Ici, tout le monde aimait Michelle. Chacun à sa façon, bien sûr, mais quelle importance ? L'essentiel était que tous, dorénavant, puissent vivre heureux, en harmonie les uns avec les autres.

C'est ce que son thérapeute lui avait dit : il fallait apprendre à oublier le passé et se concentrer sur l'avenir.

Et maintenant, l'avenir de Maureen passait par Michelle. Elle allait le dire, elle allait le crier, s'il le fallait, pour qu'Adrien le comprenne.

Mais quand Adrien se releva enfin et que son regard chercha le sien, Maureen sut qu'il n'y aurait pas de discussion. La décision d'Adrien était prise et elle était irrévocable.

Maureen sentit ses jambes se dérober sous elle et elle dut s'asseoir.

Elle aurait dû tenir tête à sa mère, aussi, comme elle en avait envie. Mais elle n'avait pas osé, craignant de la blesser, elle qui l'avait tant aidée quand Adrien était parti avec Michelle.

Perdue dans ses pensées, Maureen sursauta quand Adrien se mit à parler, ignorant la présence d'Eli qui s'était approchée de sa fille et se tenait à ses côtés, raide comme la justice.

— Tu n'as rien compris, Maureen.

Adrien parlait calmement, mais sa voix était aussi glaciale qu'une banquise.

— Michelle, ce n'est pas une poupée. C'est ma fille. Et personne, tu m'entends, personne, pas plus toi que les autres, ne viendra lui faire du mal.

Devant une accusation qui, à ses yeux, n'avait aucun sens, Eli se sentit obligée d'intervenir pour défendre sa fille.

— Mais personne ne lui a fait de mal, *Adrian !* Tu exagères, non ? Essaie de nous comprendre ! Tu es parti longtemps, *Adrian.* Bien trop longtemps.

Le regard d'Adrien se promena alors d'Eli à Maureen, sans qu'il dise le moindre mot. Oui, il était parti, il en convenait, mais ce n'était pas ce qu'il aurait choisi de faire si on l'avait consulté. Lui, il était prêt à se battre. Tant pour Maureen que pour Michelle. C'est avec Maureen qu'il avait voulu traverser l'épreuve, c'est avec elle qu'il avait voulu bâtir une vie de famille et c'est uniquement quand il avait compris que sa fille serait placée qu'il avait décidé de partir. Pas avant. Alors, qu'on ne vienne jamais lui faire de reproche. Jamais.

Adrien revint à Eli et soutint son regard. Puis, reprenant exactement là où sa belle-mère avait fini de parler, il cracha, avec colère :

— Vous, taisez-vous. C'est à Maureen que je m'adresse, pas à vous. Et non, je n'exagère pas.

Puis Adrien revint à Maureen. Sa voix menaçait comme le grognement d'un animal piégé.

— Tu n'étais pas là, toi, quand Michelle a appris à se servir de ses mains. Tu n'étais pas là pour voir sa fierté quand elle arrivait enfin à faire quelque chose sans tout échapper. Tu n'étais pas là quand je l'ai consolée parce qu'elle souffrait à cause de son opération…

Adrien inspira bruyamment.

— Ce n'est ni ta faute ni la mienne si notre fille est infirme. C'est une suite malheureuse de circonstances. Ne va pas croire que je t'en veuille. Je m'en suis voulu pour deux durant de longs mois et ça a été bien suffisant. Mais malgré cela, un fait demeure : c'est Michelle, et elle seule, qui va devoir affronter la vie avec son handicap. Alors, notre unique devoir, c'est de l'aider à devenir autonome pendant qu'elle est encore petite. Le jour où elle sera devenue une adulte, il sera trop tard. Pour moi, c'est ça, aimer Michelle. Mais il semble bien que tu ne l'as pas compris.

— *Adrian, let me…*

De la main, Adrien repoussa la tentative de Maureen.

— Non. Pas maintenant, Maureen. Je ne te fais plus confiance. Il y a trop de colère en moi pour que j'aie envie de t'écouter. Ma vie, c'est Michelle, ce n'est plus toi et ce n'est plus nous…

Adrien ouvrit les mains devant lui.

— Que reste-t-il entre nous si nous ne sommes pas capables de faire front commun pour aider Michelle ?

Maureen avait les yeux pleins d'eau. Quand elle vit que

sa mère allait intervenir encore une fois, elle la retint du revers de la main. Elle comprenait fort bien ce qu'Adrien tentait de lui dire.

Et elle comprenait aussi qu'il avait raison.

— Je veux que tu y penses, Maureen. Le jour où tu auras une réponse, le jour où tu seras prête à me tendre la main pour aider notre fille, tu me le diras. Peut-être alors que je reviendrai. Si Eli ne se mêle pas de notre vie. En attendant, moi, je vais retourner chez ceux qui ont choisi d'aimer Michelle comme elle le mérite.

Tendant la main, Adrien aida Michelle à descendre de son perchoir.

— Viens, on va aller dire bonsoir à grand-père. Ensuite on va préparer nos valises. Demain, on part en voyage !

Puis, passant devant la poubelle, Adrien s'arrêta sans la moindre hésitation. Tirant les lettres de sa poche, il les déchira et les fit tomber en une pluie de confettis.

Il n'en avait plus besoin.

CHAPITRE 9

L'hiver, le vent, la pluie
Chantent leur mélodie
La brume ou le soleil
À mes yeux, c'est pareil [...]
L'amour, c'est ma chanson
Quatre saisons la chanteront pour toi

C'est ma chanson
PETULA CLARK

Montréal, mardi 6 septembre 1966

Pour une première fois en deux ans, il n'y avait eu aucune perte à leur retour de congé. Rien ! Pas un pain, pas une banane, pas une salade. Marcel venait de le vérifier en arrivant à l'épicerie. Ce qui aurait pu se perdre avait été congelé ou vendu à rabais samedi dernier.

— Ça, ça me fait plaisir en calvaire !

Bernadette, cuisinière chevronnée depuis tant d'années, tenait les cordons des commandes d'une main de maître. En quelques semaines, elle avait compris le principe des achats qui, comme elle l'avait avoué à Marcel, différait quand même pas mal de ses rouges à lèvres.

— Moé, d'habitude, je commande juste ce qui est déjà acheté. J'ai pas besoin de tenir un inventaire, à part pour mes échantillons. C'est ben différent d'icitte. Mais c'est pas grave, on va y arriver. Donne-moé une couple de semaines pour ben examiner toute comme faut, pour ben analyser la situation, comme on dit, pis après, je devrais être capable de ronner ça tuseule, sans ton aide. Si je perds pas de manger dans ma cuisine, bâtard, c'est comme rien que je devrais arriver à en perdre le moins possible dans ton épicerie.

— Notre épicerie, Bernadette. C'est notre épicerie, avait alors spontanément spécifié Marcel. Avec Laura pis toé qui travaillent avec moé tous les jours, c'est pus juste mon épicerie même si c'est mon nom qui est écrit sur les papiers de la banque pis ceux du notaire.

Cette précision avait fait plaisir à Bernadette, Marcel l'avait vu dans ses yeux et dans le sourire qu'elle lui avait renvoyé.

Et comme l'avait prédit Laura, le retour de Marcel Lacaille, boucher de son métier, en arrière du comptoir de la boucherie avait ramené dans son sillon une nouvelle stabilité.

— Verrat, Marcel ! On se croirait au meilleur du temps de Ben Perrette. Regarde les chiffres !

Ce soir-là, Marcel avait coupé un gros rôti de côtes, comme ils n'en mangeaient pas souvent, tellement le prix de revient était élevé.

Mais pour une fois, Marcel n'avait pas envie de regarder à la dépense ! L'épicier du quartier, ci-devant Marcel Lacaille, avait décidé de fêter, à défaut de prendre des vacances comme ses employés. Sa famille et lui méritaient bien un petit répit, calvaire !

L'été avait passé comme un éclair et, comme l'avait annoncé Bernadette samedi dernier quand ils avaient fermé pour la fête du Travail, à partir d'aujourd'hui, ce serait plus facile pour elle.

— Avec Charles à l'école, c'est sûr que j'vas quasiment avoir l'impression d'être en vacances.

— Ouais… Petête ben. Mais en même temps, oublie pas que Laura sera pus là pour nous aider.

— C'est sûr…

Bernadette et Marcel étaient dans leur chambre. Au lit, lumières fermées, ils faisaient le bilan de leur journée avant de dormir.

— Mais attends don une menute, toé là ! Si je demandais à Estelle de venir remplacer Laura ? Est quand même plus jeune que ta mère pis sa chaise roulante, en arrière de la caisse, a' dérangerait personne.

— Tu penses ?

Marcel parlait sur le même ton que Bernadette, à voix basse. Même s'ils discutaient de l'épicerie, Marcel considérait que ce qui se disait ici faisait partie de leur intimité, à Bernadette et lui.

— Pourquoi pas ? A' passe son temps à se plaindre qu'a' trouve les journées longues. T'auras juste à dire à madame Légaré que si a' veut revenir travailler à l'épicerie, ça va être sur le plancher, c'est toute. C'est toé le boss, non ? A' l'a eu le culot de partir tout un été, tant pis pour elle. C'est comme pour Marc, dans le fond. Comme boucher, y' faisait pas l'affaire, ben y' est parti sans rien demander d'autre qu'une semaine de salaire. Y' le savait ben, dans le fond, que sa job était mal faite… J'ai pour mon dire que dans la vie, quand on fait de quoi, ben on le fait comme faut.

— T'as ben raison.

— C'est toé qui décides, mon Marcel, c'est ben certain, mais si c'était moé le boss, je me gênerais pas pour annoncer à madame Légaré que les choses ont changé. A' l'avait juste à être là durant l'été pis a' l'aurait vu les différences arriver. C'est pas comme si tu la mettais à porte. C'est juste un changement d'affectation.

— M'en vas y penser.

Mais comme il y avait déjà pensé quand il avait élaboré l'ambitieux projet d'ouvrir d'autres épiceries, Marcel savait déjà qu'il demanderait à sa tante de les aider.

Depuis le début de l'été, maintenant, dans la chambre de Marcel et Bernadette, c'étaient des discussions à propos de l'épicerie que Laura entendait à travers la cloison. Tous les soirs.

Elle n'avait jamais si bien dormi.

Marcel non plus.

Petit à petit, d'anciennes clientes étaient revenues puis, un peu plus tard, de nouvelles s'étaient ajoutées.

— Je sais pas ce que vous leur dites, à vos côtelettes, monsieur Marcel, mais me semble que toute est meilleur quand c'est vous qui coupez notre viande. Ben meilleur ! Quand c'est que vous allez recommencer à livrer, astheure ? C'est ben toute ce qui manque, icitte.

La suggestion avait fait tressaillir Marcel avant qu'il récupère l'idée à son avantage.

— J'y pense, madame Latour, j'y pense. Mais je peux pas être en même temps au comptoir pis dans mon char pour faire les livraisons.

— C'est sûr ! Je comprends ça. Pis si j'avais à choisir, je vous dirais que j'aime mieux vous voir où c'est que vous êtes astheure.

— Vous voyez ben ! La livraison, c'est pas une p'tite affaire, vous saurez. Je peux pas me fier au premier venu. Entre vous pis moé, ça prend quèqu'un de fiable en calvaire pour faire les livraisons. Faudrait pas que votre commande arrive avec des affaires en moins pis que moé j'aye pas toute mon argent.

— Ça, c'est sûr... Pourquoi c'est faire que vous demandez pas à votre fille Laura, d'abord ?

— Laura ? C'est vrai qu'a' serait ben fiable, chus ben d'accord avec vous, mais ça sera pas possible.

— Comment ça ?

— C'est juste que Laura, ma fille, ben a' recommence son université dans pas longtemps. A' veut être psychologue !

Invariablement, quand Marcel donnait cette précision, il bombait le torse. Avec le temps, il avait fini par se faire à l'idée que sa fille, finalement, ne serait pas professeur. Après tout, pourquoi pas ? Si une autre année d'étude lui permettait d'être psychologue, il n'était pas contre. Psychologue, ça sonnait quand même mieux que professeur, non ?

N'empêche que c'est à cette épineuse question de livraison qu'il pensait encore, en ce mardi matin, au retour de la fête du Travail. Il attendait que madame Légaré reprenne son poste en arrière de la caisse pour ouvrir l'épicerie.

Finalement, à la satisfaction de tous, madame Légaré et Estelle se partageraient les heures derrière la caisse et le reste du temps, madame Légaré serait sur le plancher, tel que proposé par Bernadette. Avec Pierre-Paul qui avait accepté d'augmenter ses heures, ça devrait suffire. Comme elle l'avait fait durant l'été, Bernadette serait dans le bureau tous les matins, pour les commandes et la tenue des livres. Contrairement à Marcel, elle aimait bien les chiffres, sauf aujourd'hui puisqu'elle devait reconduire Charles à l'école pour la rentrée et par exception, elle ne viendrait que plus tard, en après-midi.

Quant à Évangéline, elle aiderait un peu tout le monde, selon ses capacités qui variaient d'un jour à l'autre au rythme de son arthrite.

— Si je pouvais régler le problème de la livraison, ça serait parfait, murmura Marcel en refermant le livre des comptes qu'il venait de vérifier. Me semble qu'on passerait une belle année, calvaire !

L'idée surgit à l'instant où il entendit frapper contre la vitre de la devanture. Pas de doute, madame Légaré était arrivée. Il n'y avait qu'elle pour cogner à la vitre aussi vigoureusement.

— Antoine ! s'exclama Marcel tout en se levant vivement pour aller ouvrir la porte. M'en vas demander à Antoine de venir nous aider. Comment ça se fait que j'ai pas pensé à lui avant ? Y' est ben assez vieux, astheure, pour apprendre à conduire un char. Pis en plusse, y' aime ça, les chars. La preuve, c'est qu'y' travaille dans un garage quand y' barbouille pas sur ses cartons.

Marcel passa la journée à soupeser les pour et les contre de son idée, entre ses côtelettes et ses rôtis, puis décida que les pour l'emporteraient. Il n'avait pas envie de se creuser la cervelle plus longtemps quand une solution possible était à sa portée, d'autant plus qu'Antoine avait clairement signifié qu'il ne comptait pas retourner aux études.

— Maudit calvaire ! Y' peut ben nous donner un coup de main, lui avec. Comme Laura l'a fait avant lui. C'est juste normal de s'aider comme ça quand on vit dans une famille qui a de l'allure !

Il attendit cependant, pour lui parler, que son fils soit descendu dans l'appartement où il passait de nombreuses heures depuis que sa grand-mère l'avait mis à sa disposition. Comme s'il avait deviné ce qui s'en venait, Antoine avait justement dit, au souper, qu'il commençait à en avoir assez de son travail de pompiste.

— Je peux-tu vous dire que j'ai hâte d'avoir juste mes peintures à faire ? Bon astheure, je pense que j'vas descendre en bas tusuite. Merci moman, c'était ben bon à soir ! Du steak en grains, j'ai toujours aimé ça.

La porte de la cuisine s'était refermée sur ces mots, et Marcel avait entendu Antoine dégringoler l'escalier à toute allure. Puis une autre porte s'était refermée.

Le temps d'un café, d'une seconde pointe de tarte et il annonça qu'il allait faire une petite marche.

— Depuis quèques jours, j'ai de la misère à digérer. Ça va me faire du bien.

Marcel partit à son tour, sans parler de ses intentions. Ses relations avec Antoine n'ayant jamais été des plus cordiales, il n'avait aucune idée de la manière dont son fils le recevrait. Marcel avait donc décidé de ne pas ébruiter la demande qu'il voulait lui faire.

— Jamais je croirai, calvaire, qu'y' va me revirer quand y' va savoir que j'veux y montrer à conduire.

Marcel s'arrêta quand même sur la dernière marche de l'escalier, indécis, sachant à l'avance que les mots ne viendraient probablement pas comme il le voulait et qu'encore une fois, la discussion virerait à l'affrontement. Avec Antoine, c'est toujours ce qui arrivait.

Marcel regarda autour de lui.

La journée avait été assombrie par un amoncellement de lourds nuages d'automne, grisâtres. La pluie ne devrait plus tarder.

La noirceur commençait déjà à envahir la cour. Du potager, il ne restait pas grand-chose, à part les poireaux et quelques navets dont les fanes dessinaient une grosse tache sombre contre le bois du hangar. La laitue était montée en graine, les carottes avaient été mangées et il ne restait que quelques cotons portant encore des épis de maïs.

Le jardin de Bernadette, cette année, s'était résumé à ces quelques légumes. Faute de temps. Mais comme elle l'avait si bien dit, maintenant qu'elle devait se rendre à l'épicerie tous les jours, ce n'était pas grave. Des légumes, elle pouvait en avoir tant qu'elle voulait !

Marcel soupira.

L'été était venu, il avait été beau et il repartait déjà, sans qu'il ait pu en profiter vraiment.

— Deux pique-niques, calvaire, murmura-t-il. On a fait juste deux pique-niques.

Un à Pointe-Calumet, un dimanche de juillet, et un autre à Saint-Eustache, au début du mois d'août. Voilà à quoi avaient ressemblé les vacances de Marcel et Bernadette. Encore cette année, la détente avait été brève et elle avait dû se contenter de ces courts intermèdes.

Marcel s'arracha à sa contemplation évasive du jardin. À ses yeux, les regrets n'étaient que l'expression d'une certaine faiblesse, et il avait toujours estimé qu'il n'était pas un homme faible. De toute façon, il n'avait pas de temps à perdre à ruminer inutilement sur ce qui aurait pu être et n'avait pas été.

Marcel descendit la dernière marche de l'escalier et fit les quelques pas le séparant du petit logement qui avait été celui d'Adrien.

Considérant depuis longtemps que la maison de sa mère était aussi la sienne, Marcel entra sans frapper.

— Antoine ?

Marcel tendit l'oreille. Aucune réponse.

Il inspira bruyamment, contrarié. Antoine devait avoir reconnu sa voix et volontairement, il faisait la sourde oreille. Ça ne serait pas nouveau.

Se guidant sur la seule source lumineuse qui filtrait dans l'appartement et sur une musique qu'il entendait en sourdine, Marcel se dirigea alors vers le salon.

— Antoine, calvaire, on répond quand quèqu'un nous parle. Me semble que c'est pas de même que ta mère t'a élevé pis si tu veux avoir mon avis, on va…

Médusé, Marcel se tut brusquement dès qu'il arriva à la porte du salon.

Appuyées contre le mur ou suspendues à des clous de fortune, cinq ou six toiles finissaient de sécher.

Paysages de neige et de froidure. Marcel eut alors l'impression d'entrer dans une immense carte de Noël. Surpris, il reconnut la maison de sa mère sur une des toiles et celle de la musicienne au coin de la rue sur une autre.

Lui tournant le dos, concentré sur son travail, Antoine ajoutait des taches de couleur sur un sapin enneigé. Sifflotant avec la radio, son fils ne l'avait probablement pas entendu entrer.

Marcel ramena les yeux sur les tableaux, curieusement gêné d'interrompre le travail d'Antoine.

Il était impressionné par la précision des tableaux.

« Calvaire, pensa-t-il en promenant son regard d'une toile à l'autre, on dirait des photos. Comment c'est qu'y' peut ben faire ça ? »

À l'exception d'une peinture accrochée au-dessus de sa télévision par Bernadette un certain soir où il était particulièrement fatigué, Marcel n'avait jamais rien vu du travail de son fils. Ça ne l'intéressait pas. À ses yeux, la simple idée d'imaginer que l'on pouvait gagner décemment sa vie en vendant des bouts de carton avec des dessins dessus était une aberration. Donc, pour lui, Antoine perdait son temps et plutôt que de se choquer, Marcel préférait l'ignorer. Personne de sensé n'allait dépenser du bel argent durement gagné pour avoir des dessins sur ses murs.

Quelques photos, d'accord, pour les souvenirs, mais une peinture…

Par choix, par manque de vision, Marcel n'avait jamais été sensible aux arts, sous quelque forme que ce soit, pas plus qu'il n'était attiré par les paysages qu'il traversait lorsqu'il était en auto. L'esprit toujours en ébullition par une chose ou une autre, il ne voyait ni les villes ni les campagnes le long des routes qu'il empruntait. Pour lui, faire de la route n'était qu'une manière d'aller du point A au point B, par nécessité, et il profitait de ce temps sans occupation manuelle pour régler certains problèmes.

Pour ne s'y être jamais attardé, les couleurs de l'automne, une neige fraîchement tombée ou les premières fleurs du printemps le laissaient totalement indifférent. Seules les décorations des fêtes, lumineuses et colorées, arrivaient parfois à attirer son attention. Le temps de se dire que Noël était déjà là, qu'encore une fois, il n'avait pas vu le temps passer, le temps d'admirer un décor particulièrement réussi parce qu'il lui rappelait ses Noëls d'enfant et Marcel passait à autre chose.

Mais là…

Cette sensation particulière d'être partie prenante d'une immense carte de souhaits le déroutait, le troublait.

Comment était-ce possible de se sentir ailleurs simplement parce que, contre les murs d'un salon, il y avait quelques peintures ?

Était-ce cette sensation qui poussait les gens à acheter des tableaux ?

Marcel se promit de creuser la question puis il reporta les yeux sur le dos d'Antoine. Toujours aussi hypnotisé par son travail, le jeune homme posait encore de légères touches de couleur, et, Marcel l'aurait juré, le sapin s'était mis à briller.

— Antoine ?

Cette fois-ci, le jeune homme l'entendit. Il sursauta parce qu'il était persuadé d'être seul, puis il se retourna.

— Le père ? Mais veux-tu ben me dire ce que tu fais icitte ?

— Je… J'étais venu pour te parler, mais ça peut attendre.

D'un large mouvement du bras, il montra toutes les toiles.

— C'est toé qui a fait toute ça ?

— Ouais… Pourquoi ?

— Pour savoir… Pis si j'ai ben compris ce que ta mère m'a raconté, c'est toutes ces peintures-là que tu vas envoyer à New York. C'est ben ça ?

— T'as ben compris. Faut que j'aye au moins quinze toiles de prêtes pour la fin du mois d'octobre.

— Quinze ? Calvaire, on rit pus. Tu penses-tu y arriver ?

— J'ai pas le choix. J'ai signé un engagement pis j'ai pas l'habitude de manquer à ma parole.

— C'est correct, ça. Dans la vie, faut toujours respecter ses promesses. Même celles qu'on a pris trop vite.

— C'est de même que je pense, moé avec... Astheure, tu vas m'excuser mais faut que je continue si je veux pas me coucher trop tard. Demain, c'est moé qui ouvre le garage pis...

— Justement, en parlant du garage...

— Quoi, le garage ? T'aurais-tu une réparation à faire faire ? Pasque si c'est le cas, va falloir que tu prennes un...

D'un geste impatient de la main, Marcel interrompit son fils.

— C'est pas ça... Je...

Comme il l'avait anticipé, Marcel ne trouvait pas les mots. Il n'était pas censé parler du garage en premier lieu, mais bien des cours de conduite. À cause de ces fichues peintures, tout avait été mélangé.

Marcel soupira. Tant qu'à être perdu à cause des dessins d'Antoine, autant repartir de là.

— Je trouve ça beau, ce que tu fais, admit-il enfin. J'ai l'impression d'être dans une grosse carte de Noël.

— Tu trouves ?

— Ouais. C'est de même que je me sens...

Brusquement, un certain souvenir revint à l'esprit de Marcel. Il était à la cuisine et Antoine, tout fier, venait de lui montrer le dessin d'une auto qu'il avait fait. Il n'était alors qu'un gamin et Marcel avait été impressionné.

C'était la seule fois, d'ailleurs, où il s'était intéressé aux dessins d'Antoine.

— Me semble, si tu veux mon avis, que tu devrais ajouter un char sur le bord de la rue. Juste là, précisa Marcel en pointant la toile où l'on voyait la maison d'Évangéline. Me semble que ça aurait l'air encore plusse vrai, ton affaire. Si je me rappelle ben, tu sais dessiner ça, des chars. Pis pas mal bien, à part de ça. Moé, je trouverais ça beau, une peinture d'hiver avec un char.

Pour Antoine, qui n'avait jamais été habitué aux félicitations de son père, ces quelques mots furent le plus beau des compliments. Il fut surpris, aussi, de voir que Marcel Lacaille se rappelait qu'à une certaine époque, son fils Antoine aimait dessiner des autos.

— Ben, j'vas y penser, le père. C'est vrai que ça serait petête une bonne idée d'ajouter une auto.

— Me semblait aussi... Pis, toujours en parlant de chars, ce qui serait une bonne idée, avec, ça serait que t'apprennes à conduire.

Marcel était fier d'avoir amené la conversation là où il le voulait. Malheureusement, Antoine ne sembla pas enthousiasmé par sa proposition.

— Moé ? Apprendre à conduire ? Pourquoi c'est faire que je perdrais mon temps pour apprendre à conduire ? C'est pas demain que j'vas avoir assez d'argent pour me payer un char pis...

— Calvaire, Antoine ! J'ai-tu parlé de t'acheter un char ? Pourquoi c'est faire que c'est toujours compliqué de parler avec toé, coudon ? Tu me fais penser à ta mère dans le temps ! J'ai juste dit que tu devrais apprendre à conduire. Pour un gars de ton âge, ça peut être ben utile, tu sauras. Pis viens pas me dire que ça te tente pas ! T'étais tout p'tit pis t'en parlais déjà. T'arrêtais pas de me fatiguer avec ça.

Antoine esquissa un sourire.

— C'est vrai que ça m'a toujours tenté, t'as pas tort. Sauf que pour astheure, c'est pas des blagues quand je dis que j'ai pas le temps. Avec mes peintures pis le garage, je vois pas comment…

— Pis si t'étais pus obligé de travailler au garage ?

Cette fois-ci, Antoine éclata franchement de rire, déstabilisant son père qui ne comprenait rien à ce brusque accès d'hilarité.

— Ben là, le père, tu viens de mettre le doigt sur ce que j'espère le plus dans la vie : avoir juste des peintures à faire. Mais faut que je me fasse un nom, d'abord. Ça non plus, c'est pas pour demain. Ça prend du temps se faire un nom, du temps pis ben de l'ouvrage. Ça fait que l'argent que je gagne comme pompiste, je peux pas cracher dessus. J'en ai besoin pour acheter mes fournitures.

— Pis si moé, je t'offrais une autre job ? Une job qui te demanderait juste quèques heures par jour ?

— Toé ? T'aurais une job pour moé ?

— Petête. Mais pour ça, faut que t'apprennes à conduire, par exemple, pasque tu ferais les livraisons pour l'épicerie.

— Les livraisons ? Pour l'épicerie ?

— Calvaire ! T'as-tu fini de répéter toute ce que je dis ? Ouais, les livraisons pour l'épicerie ! Me semble que c'est pas dur à comprendre, ça ! Pis en plusse, tu sauras, j'y ai ben pensé, pis tu ferais ça avec mon char à moé. J'veux pas qu'on passe pour une gang de tout-nus si tu faisais les livraisons avec la vieille minoune de ta mère. Pis ? Que c'est t'en penses, de mon idée ?

Antoine resta songeur un moment même s'il savait que son père détestait les gens indécis. La proposition était tentante. Pour en avoir souvent parlé avec Laura, durant le dernier été, il savait que travailler avec Marcel pouvait s'avérer une expérience agréable.

— Le Marcel de l'épicerie, Antoine, c'est pas le même que celui de la maison, lui avait-elle répété régulièrement, cherchant à briser l'incrédulité de son frère.

D'une certaine façon, Antoine aurait bien aimé vérifier cette affirmation par lui-même, surtout après ce que son père venait de lui dire concernant ses tableaux. Par contre, il avait promis à Bébert de l'aider maintenant que son ami était le seul patron du garage.

Antoine leva enfin les yeux vers son père.

— Ça me tente, ta proposition. Ça me tente ben gros. Donne-moé jusqu'à demain pour que je parle avec Bébert pis...

— Que c'est que Bébert Gariépy a à voir avec le fait que t'ayes envie de travailler pour moé ou pas ? Ça le regarde pas, calvaire !

— Détrompe-toé, le père, ça le regarde. Tu le sais petête pas, mais Bébert a racheté le garage à monsieur Morin. C'est lui le boss astheure. Pis j'y ai promis de l'aider, rapport que je connais pas mal bien le garage pis les clients. C'est comme je disais t'à l'heure : une promesse, c'est une promesse.

— C'est beau, j'ai compris.

Déçu mais voulant le cacher, Marcel avait retrouvé sa voix froide et cassante.

— M'en vas te donner jusqu'à demain soir pour me répondre. Mais pas plusse. Ça fait un boutte que les clientes veulent ravoir de la livraison, j'ai pas envie de les faire attendre jusqu'à Pâques, calvaire !

Sur ce, Marcel tourna les talons. Mais il n'avait pas encore regagné la cuisine qu'Antoine le relançait depuis le salon :

— C'est beau, popa.

Ça faisait une éternité qu'Antoine n'avait pas appelé son père ainsi. Pour lui, Marcel était *le père* comme Marcel appelait Évangéline *la mère.*

Entendre *popa* fit une drôle d'impression à Marcel, comme un petit chatouillis à hauteur de cœur. Il s'arrêta brusquement et prêta l'oreille avec un peu plus d'attention.

— J'vas m'arranger, annonça Antoine. C'est pas une couple d'heures par jour qui vont changer grand-chose à mes peintures. Astheure que j'ai pus à perdre mon temps dans les autobus pour aller chez madame Émilie, c'est sûr que j'peux m'arranger pour toute faire.

Marcel resta immobile, échappa une petite grimace qui pouvait à la rigueur passer pour un sourire de soulagement ou de satisfaction, puis il répondit :

— Ben là, tu me fais plaisir, Antoine ! Je savais qu'on vous avait ben élevés, ta mère pis moé. On a des bons enfants. T'es comme ta sœur Laura. Toé avec, t'es fiable... On se revoit au souper demain pour trouver du temps pour tes cours de conduite. Pis on se reverra à l'épicerie dans pas longtemps pour parler de ton salaire.

— C'est ça, à demain.

La réponse d'Antoine se perdit dans le claquement de la porte.

Marcel inspira profondément en adressant, cette fois-ci, un franc sourire à la lune qui glissait paresseusement d'un nuage à l'autre.

Finalement il ne pleuvrait pas et finalement, parler avec Antoine n'avait pas été aussi pénible qu'il l'avait craint.

Deux bonnes raisons pour se réjouir. Marcel détestait la pluie et les discussions interminables où, la plupart du temps, il finissait par s'embrouiller.

Puis il pensa à Bernadette. C'est sa femme qui devrait être heureuse d'apprendre qu'Antoine travaillerait avec eux. Elle avait toujours eu un petit faible pour son fils Antoine.

Sans attendre et sans se soucier des voisins qui pouvaient l'entendre, Marcel attaqua l'escalier, les yeux fixés sur la fenêtre entrouverte qui donnait dans la cuisine, en lançant d'une voix qui portait loin :

— Bernadette ! T'es-tu encore dans cuisine, toé là ? Attends de savoir ce qui s'en vient. Toé avec, tu vas être contente en calvaire !

Pendant ce temps, Antoine plongeait délicatement la pointe de son pinceau dans le vermillon.

Puis, il se pencha sur la toile posée sur le chevalet.

Mais là, tout en ajoutant quelques lumières rouges à son arbre, ce n'était plus un sapin qu'Antoine voyait, c'était l'auto de son père.

Une Oldsmobile, rouge et rutilante comme une décoration de Noël.

* * *

Songeuse, Charlotte raccrocha le téléphone.

Qu'est-ce qui se passait encore avec Alicia ?

L'hiver avait été en dents de scie, avec elle. Dès l'automne dernier, pour une première fois depuis sa toute première journée à l'école, les notes de sa fille n'avaient pas été à la hauteur de son talent. Même si Jean-Louis, son mari, ne s'en faisait pas outre mesure, alléguant qu'à vingt-deux ans, Alicia en avait peut-être assez d'étudier, Charlotte, elle, s'inquiétait grandement.

À preuve, le dernier bulletin de l'année avait été catastrophique : Alicia avait obtenu de justesse les notes de passage lui permettant de commencer son internat.

Ce n'avait guère été mieux par la suite.

À peine le temps de pousser un soupir de soulagement en se disant que le pire devait être enfin derrière eux, et Charlotte avait reçu un appel de l'Hôpital Notre-Dame qui cherchait Alicia. La jeune fille, qui depuis juillet dormait régulièrement à l'hôpital, ne s'était pas présentée à son tour de garde. Serait-elle à la maison ?

Charlotte était allée vérifier.

Effectivement, Alicia, revenue durant la nuit, dormait comme un loir dans son lit. Le temps d'une douche rapide et d'un sermon bien senti, puis Charlotte avait reconduit sa fille à l'hôpital pour qu'elle puisse remplir ses obligations.

Le reste de l'été s'était bien passé.

Malheureusement, cet après-midi, le scénario venait de se répéter. Encore une fois, Alicia brillait par son absence. Mais aujourd'hui, Charlotte savait pertinemment que sa fille n'était pas à la maison.

Son inquiétude n'en fut que plus grande.

Que se passait-il avec Alicia pour qu'en l'espace d'un an, la jeune fille responsable qu'elle avait toujours été se transforme à ce point ?

La mort d'un grand-père, qu'elle avait quand même peu connu, ne pouvait causer autant de ravages. Pourtant, quand Charlotte y repensait, c'était bien depuis ce dernier voyage en Angleterre qu'Alicia avait commencé à changer.

Pourquoi ?

Mille et une hypothèses lui avaient traversé l'esprit. Une agression, une rencontre amoureuse, l'envie de rester avec grand-ma, comme elle appelait affectueusement sa grand-mère… Oui, durant quelques semaines, Charlotte s'était accrochée à toutes ces petites raisons qui peuvent affecter la vie d'une jeune femme sensible comme l'était Alicia.

Cela avait pris des mois avant que Charlotte admette que le problème n'était pas là. Il y avait tellement de zones d'ombre et de non-dit entourant la naissance et les jeunes années d'Alicia que Charlotte savait d'instinct que c'est là qu'elle devait chercher et nulle part ailleurs. L'Angleterre se rapportait trop directement à ces années pour qu'il en soit autrement.

Son intuition de mère ne pouvait se tromper, et le problème d'Alicia résidait dans ce passé un peu trouble, Charlotte en était convaincue.

Pourtant, elle avait sincèrement cru pouvoir oublier, à un point tel que même Jean-Louis, en qui elle avait une confiance absolue, n'était pas au courant de tout et qu'elle-même n'y pensait plus depuis des années. Pourquoi remuer de la boue quand ce n'était pas nécessaire ? C'est pour cette même raison qu'elle espérait tant qu'Alicia se reprendrait toute seule sans qu'elle ait besoin d'intervenir.

Il semblait bien que ça ne serait pas le cas. Charlotte n'aurait pas le choix de parler à sa fille, d'essayer de savoir ce qu'elle avait vu ou entendu lors de son dernier séjour en Angleterre.

Voir sa fille briser sa vie comme elle le faisait présentement lui était intolérable.

Durant une bonne heure, Charlotte arpenta sa maison, incapable de rester en place.

Non seulement la naissance d'Alicia lui encombrait-elle l'esprit, mais toute sa propre jeunesse et son enfance en faisaient autant.

Les erreurs commises, les décisions prises, les hommes, aussi, qui avaient traversé sa vie.

Tous les hommes.

C'est alors que Charlotte eut une pensée pour sa sœur Émilie et elle dut s'asseoir.

C'était impossible; Alicia n'avait pu remonter jusque-là.

Quand Charlotte entendit la porte d'entrée s'ouvrir, au bruit qu'avait fait la clé, elle sut que c'était Alicia.

Avant, quand elle entrait dans la maison, Alicia l'appelait joyeusement. Aujourd'hui, le pas qui montait l'escalier était lourd.

Charlotte attendit que sa fille soit dans sa chambre pour se décider à la rejoindre, le cœur battant. Tout en montant à l'étage, elle eut envie de se croiser les doigts de façon puérile en se disant qu'elle se trompait peut-être du tout au tout et que sa fille vivait simplement une grosse peine d'amour.

Charlotte frappa doucement à la porte et sans attendre de réponse, elle l'entrebâilla.

— Alicia ?

La jeune fille était déjà couchée, le couvre-pied remonté sur ses épaules. Elle ne tourna même pas la tête vers sa mère quand elle répondit :

— J'ai mal à la tête. Laisse-moi dormir, s'il te plaît.

Malgré cette demande qui aurait pu être légitime, Charlotte entra dans la pièce et sans hésiter, elle vint s'asseoir sur le lit.

Ce simple geste lui rappela qu'à une époque pas si lointaine, elle s'asseyait ainsi tous les soirs pour discuter avec sa fille.

Cela faisait combien de temps, maintenant, qu'Alicia et elle n'avaient pas pris le temps de parler ensemble ?

« Au moins un an, pensa alors Charlotte. Une trop longue année. »

Elle regretta de ne pas être intervenue avant.

La peur d'être jugée l'avait retenue. Comme avant, comme toujours.

Et le secret qu'elle avait juré de garder avait fait le reste.

Charlotte regarda avec tendresse le long corps de sa fille blotti sous les couvertures. Longtemps, Alicia avait été plutôt petite pour son âge. Puis, sans crier gare, elle s'était mise à pousser comme une asperge à l'adolescence. Aujourd'hui, à vingt-deux ans, elle…

Charlotte sursauta. Alicia n'avait pas vingt-deux ans, elle en avait vingt-trois.

Les mensonges dataient bien de ce temps-là.

Charlotte leva la main pour venir la poser sur le dos de

sa fille, mais curieusement, elle n'osa pas. Elle ramena les deux mains sur ses genoux.

— Alicia, je crois qu'il faut parler, toi et moi.

Pas même un tressaillement sous les couvertures n'indiqua qu'Alicia l'avait comprise. Puis, quelques instants plus tard, une voix étouffée lui répéta:

— J'ai mal à la tête. Laisse-moi dormir.

Charlotte hésita un bref instant, pria le ciel qu'Alicia change d'attitude et se jette dans ses bras comme elle le faisait enfant, avouant enfin la cause de ses tourments. Devant l'absence de réaction, Charlotte articula d'une voix qu'elle voulait la plus rassurante possible:

— Même si tu as mal à la tête, Alicia, je crois qu'il faut parler, toi et moi. Ça ne peut plus continuer comme ça... L'hôpital a appelé encore une fois.

— Ne crains pas, ils n'appelleront plus. Demain je donne ma démission.

Étouffée par l'oreiller, Charlotte ne sut si Alicia pleurait ou si elle était d'un calme imperturbable. Mais la nouvelle était tellement énorme qu'elle resta sans voix pour un moment. Depuis qu'elle était une toute petite fille, Alicia clamait sur tous les toits qu'elle voulait être médecin. Pédiatre comme Jean-Louis.

Ce ne serait plus le cas?

Le problème venait peut-être de là, après tout.

— Tu veux en parler? arriva enfin à demander Charlotte.

— Parler?

Alicia avait repoussé la couverture et, appuyée sur un coude, elle dévisageait sa mère, sans la moindre complaisance.

— Parler? répéta-t-elle sur le même ton.

La jeune fille fit mine de réfléchir avant de reprendre avec une nonchalance qui semblait étudiée.

— Non, je n'ai pas envie de parler avec toi. Pourquoi le ferais-je ? Pour me faire mentir encore une fois ?

— Mentir ? Je ne t'ai jamais menti, Alicia.

Charlotte avait la désagréable sensation de marcher sur un terrain miné. Un mot mal interprété, une phrase maladroite pourraient fermer les portes à tout jamais. Par contre, elle avait compris que son intuition ne l'avait pas trompée. Il lui faudrait remonter à la naissance d'Alicia et là, elle n'était plus libre de dire tout ce qu'elle voulait, d'où peut-être cette notion de mensonge dont venait de parler Alicia.

— Tu mens encore ! Comment veux-tu que je te fasse confiance maintenant ?

— Et si tu m'expliquais pour que je puisse te suivre, Alicia ? Parce que là, je ne sais pas de quoi tu parles.

— Autre mensonge.

Alicia semblait curieusement sûre d'elle. Était-ce emmêlé à une certaine tristesse ou déception, Charlotte n'aurait su le dire, mais elle entendait aussi une pointe d'arrogance et cela lui était beaucoup moins tolérable. Elle n'était pas parfaite et n'avait jamais prétendu l'être. Oui, elle avait commis des erreurs, avait peut-être menti par omission, en effet, mais ses intentions avaient toujours été louables : elle voulait protéger sa fille et lui offrir la meilleure vie possible. Et elle avait réussi. Alicia avait eu une enfance et une adolescence dorées, entourée d'amour et de respect. Alors, qu'importe si à sa naissance, par réflexe de survie, Charlotte avait effectivement commis certaines erreurs ?

Durant un long moment, Charlotte soutint le regard de sa fille qui, effrontément, ne baissa pas la tête. Le geste fut rapidement insupportable aux yeux de Charlotte.

— Bon ! Maintenant, ça suffit, Alicia ! Je n'aime pas le ton que tu emploies. Ni ton attitude. Si tu as quelque chose à dire, fais-le clairement, respectueusement, ou tais-toi !

— D'accord.

Alicia s'était recouchée. Elle tourna la tête vers la fenêtre. L'érable, dans le fond de la cour, commençait à se couvrir d'or. L'été était bel et bien fini.

Verrait-elle tomber la première neige ici, à Montréal ?

— Je vais parler, reprit la jeune fille, sans quitter l'arbre des yeux. Ensuite je te poserai une question. Une seule. Si tu as le courage de me répondre, peut-être que tout pourra redevenir comme avant… Quand j'étais chez grand-ma, l'an dernier, je l'ai aidée à faire le tri dans les papiers de mon grand-père. Il y en avait une tonne. Je crois qu'il avait tout gardé depuis son mariage. Des factures, des contrats datant de la guerre, l'achat des meubles, leur certificat de mariage, celui de la naissance de leur fils, Andrew. C'est en faisant ce tri que j'ai trouvé un papier d'adoption. Ça te dit quelque chose, maman, un papier d'adoption ?

À cette mention, Charlotte se mit à blêmir et Alicia, qui maintenant la regardait intensément, le remarqua.

— C'était le mien, poursuivit-elle alors. D'abord, j'ai cru que j'avais mal lu. Mais grand-ma m'a confirmé que c'était vrai, sans vouloir me dire qui était mon père. Elle a dit que c'était à toi de me répondre. Pourquoi, maman ? Pourquoi as-tu toujours prétendu qu'Andrew était mon père, alors que ça n'était pas vrai ?

La réponse de Charlotte fusa sans la moindre hésitation.

— Si c'est ça que tu appelles un mensonge, je te répondrai que tu te trompes. Andrew a été un père pour toi.

Alicia eut un haussement d'épaules désabusé avant de détourner son regard vers la fenêtre pour cacher l'eau tremblante qu'elle arrivait difficilement à contenir.

— Arrête de jouer sur les mots, fit-elle avec lassitude, après avoir poussé un long soupir rempli de sanglots. Ce n'est pas cela que je dis et tu le sais fort bien.

Alicia avait ramené les yeux sur Charlotte, la dévisageant de nouveau. À son tour, celle-ci détourna la tête.

— Que veux-tu que je dise de plus ? fit-elle enfin. À l'époque, j'ai cru que c'était la meilleure chose à faire.

— Et dire que c'est toi qui m'as appris qu'il fallait toujours dire la vérité... Je veux savoir qui est mon père, maman. Il doit bien vivre quelque part. Et comme je suis née en 1943 et non en 1944 comme tu me l'as toujours dit, il doit être ici, à Montréal. Si, bien entendu, il y a quelque chose de vrai dans tout ce que tu m'as raconté.

Charlotte savait fort bien où était la vérité, mais chose certaine, elle ne voulait pas la dire. Au-delà du secret qu'elle avait promis de garder, il y allait du bonheur d'Alicia. Charlotte aimait sa fille comme au jour de sa naissance, quoi qu'elle puisse en penser, et elle savait fort bien que si elle lui disait que son oncle Marc était son père, cela n'apporterait rien de plus pour Alicia sinon une amère déception, une désillusion de plus, puisque Marc n'avait jamais démontré d'intérêt pour elle. Et cette révélation risquait de bouleverser leur vie familiale de façon irrémédiable.

— Je ne sais pas qui est ton père, avoua-t-elle simplement, d'une voix qu'elle aurait voulu plus ferme.

C'était la seule chose qui soit venue à l'esprit de Charlotte pour éloigner Marc de la discussion. Pour clore la discussion à tout jamais. Tant pis si Alicia pensait que sa mère avait déjà été une traînée, une dévergondée — son bonheur était plus important que l'opinion qu'elle pourrait avoir d'elle.

Un lourd silence s'abattit sur la chambre. Si lourd que Charlotte fut incapable de regarder Alicia directement pour voir si celle-ci la croyait. Elle se releva et vint à la fenêtre, espérant du fond du cœur que sa fille briserait le silence. Elle, elle en était incapable.

— C'est drôle, mais j'ai la certitude que tu me mens encore.

La voix d'Alicia fit sursauter Charlotte.

— À quoi bon insister ? Dans le fond, c'est pour ça que je n'avais rien dit à mon retour d'Angleterre. Je me doutais que tu mentirais encore. Ça ferait peut-être un bon sujet de roman, n'est-ce pas, maman ? Tu devrais t'y remettre... Finalement, c'est peut-être pour ça que tu as cessé d'écrire. En mariant Jean-Louis, tu pouvais enfin enterrer le passé. Comme tu n'avais plus à mentir, tu n'avais plus rien à écrire.

Tout en parlant, Alicia s'était relevée. Charlotte l'entendit ouvrir une porte, puis un tiroir. Quand elle eut enfin le courage de se retourner, elle vit que sa fille empilait certains vêtements, pêle-mêle, dans un grand sac de toile. Elle tendit la main vers elle, le cœur en charpie.

— Alicia ?

La jeune fille hocha vigoureusement la tête en fermant les yeux pour éviter le regard de sa mère. De grosses larmes coulaient le long de ses joues.

— Non, ne dis plus rien. S'il te plaît, ne dis plus rien.

Alicia referma le sac et se dirigea vers la porte. Sans se retourner, elle ajouta:

— C'est peut-être ton droit de ne pas vouloir me répondre franchement, mais c'est le mien de ne pas vouloir en entendre plus... Pour l'instant, je crois que je vais rester à l'hôpital. J'ai une chambre à ma disposition et je peux manger à faible coût... Pour... pour le reste, je vais rencontrer Jean-Louis à son bureau.

— Mais voyons, Alicia ! Tu ne peux pas...

— N'essaie pas de me retenir. Ma décision est prise...

Sur un dernier regard balayant sa chambre, Alicia referma doucement la porte sur elle.

Hébétée, le visage ravagé par les larmes, Charlotte l'entendit descendre l'escalier, ouvrir et refermer la porte.

Puis la réalité du moment se fraya un chemin jusqu'à son esprit. Se précipitant, Charlotte dévala l'escalier et ouvrit la porte d'entrée à la volée.

Alicia devait être encore sur le perron, espérant peut-être un signe de sa part. Elle ne pouvait partir comme ça, abandonner éventuellement son cours et l'hôpital, quitter la maison. C'était démesuré, sans rapport avec ce qui s'était réellement passé.

Mais Alicia ne l'avait pas attendue. Elle était déjà au bout de la rue. Le bras et le pouce bien haut, elle quémandait un transport pour se rendre à l'autre bout de la ville.

Alors, Charlotte referma la porte, sachant qu'il serait inutile de courir après sa fille pour lui faire entendre raison. Sur ce point, dès qu'il était question d'émotions, Alicia lui ressemblait.

Ce soir, Charlotte parlerait à Jean-Louis. Elle lui dirait la vérité, toute la vérité, et à deux, ils finiraient bien par trouver une solution.

* * *

Au même instant, vers l'est de la ville, Laura revenait chez elle à pas lents. Volontairement, mais aussi par réflexe afin de repousser le moment où elle devrait s'asseoir à sa table de travail, elle était descendue de l'autobus à plusieurs rues de la maison pour prendre le temps de réfléchir. Les cours étaient commencés depuis trois semaines seulement et elle était déjà épuisée.

Trois petites semaines en classe et elle avait déjà un travail de recherche à remettre, un livre de référence à lire et une étude de cas à compléter.

Pour la première fois de sa vie, sans trop comprendre ce qui lui arrivait, Laura avait repris le chemin de l'école à reculons et depuis, elle tentait désespérément d'y voir clair.

Était-elle en train de prendre conscience qu'elle ne voulait plus être psychologue ?

Elle était perdue dans ses pensées, et, de rue en ruelle, ses pas l'avaient amenée devant l'épicerie Perrette. Laura échappa un soupir. Hier au souper, son père avait parlé d'en changer le nom.

— Après deux ans, calvaire, me semble que ça serait le temps d'appeler ça l'épicerie Lacaille ! Tout le monde, astheure, y' savent que c'est moé le propriétaire... Que c'est t'en penses, toé, Antoine ? Me semble que tu dois avoir une opinion, rapport que Bébert vient d'acheter le garage de Jos Morin. Que c'est qu'y' va faire, Bébert, pour le garage ?

Laura avait été déçue que son père ne lui demande pas son avis. Après tout, si tout allait de mieux en mieux à l'épicerie, c'était un peu grâce à elle, non ? Elle s'était réfugiée dans sa chambre, le cœur gros, sachant pertinemment qu'il ne servait à rien de se glisser dans la conversation.

Le Marcel de la maison n'était pas tout à fait le même que celui de l'épicerie. Pas encore.

Pour l'instant, elle se tenait sur le trottoir de l'autre côté de la rue, face au commerce qui portait encore le nom de Perrette.

Derrière la fenêtre de la vitrine, elle vit qu'aujourd'hui, c'était la tante Estelle qui s'occupait de la caisse. La dame aux cheveux gris discutait joyeusement avec une cliente.

Un peu plus loin, entre deux allées, Pierre-Paul passa en coup de vent. Laura esquissa un sourire. Pierre-Paul n'avait probablement jamais appris à marcher. Il ne savait que courir d'une place à l'autre, au grand plaisir de Marcel qui y voyait un signe indéniable de sa grande compétence, de sa grande disponibilité.

Puis Laura ramena les yeux sur la devanture de l'épicerie.

Elle tenta d'imaginer une belle affiche, lumineuse, pourquoi pas, au nom des Lacaille.

— Épicerie Lacaille, murmura-t-elle. Ça sonne bien… Lacaille et fils, peut-être… ou Lacaille et fille…

À ces derniers mots, Laura détourna vivement les yeux et reprit sa marche.

Cette fois-ci, ses pas la menèrent jusqu'au quartier voisin. La seule personne à qui elle pouvait confier son vague à l'âme, c'était Bébert.

À la maison, parler de son indécision face à ses cours relèverait d'une pensée suicidaire. Jamais sa mère, son père ou sa grand-mère ne voudraient admettre qu'une fois encore, Laura se soit trompée face à son avenir.

Et puis, depuis le temps maintenant qu'ils faisaient ensemble la route en direction de Québec, Laura avait appris à mieux connaître le jeune homme. D'une certaine façon, il ressemblait beaucoup à Francine, et Laura se sentait à l'aise avec lui.

Elle fut contente de voir que Bébert semblait seul au garage, dont les portes, grandes ouvertes, laissaient voir deux autos aux capots relevés, attendant d'être réparées.

Laura entra par le garage et se dirigera vers la pièce adjacente qui servait à la fois de bureau et de salle d'attente. Yeux baissés et crayon à la main, Bébert consultait l'agenda des rendez-vous.

Laura lui trouva l'air sérieux. En fait, une fois l'adolescence passée, Bébert avait toujours été sérieux. Plus que Francine.

Laura s'arrêta dans l'embrasure de la porte.

— Bébert ?

Le jeune homme, reconnaissant aussitôt la voix, leva vivement la tête, un sourire large et franc illuminant son visage.

— Laura ! Ça faisait un bail, non ? Que c'est tu fais icitte ?

— Je voulais prendre des nouvelles de Francine, prétexta Laura, sachant que ce n'était qu'un demi-mensonge.

Comme tu viens de le dire: ça fait un bail qu'on est pas allés à Québec.

D'un commun accord, voyant qu'ils perdaient un peu leur temps à se rendre régulièrement à Québec et comme ils étaient fort occupés de part et d'autre, Laura et Bébert avaient décidé d'espacer leurs visites. De toute façon, Cécile veillait au grain.

— Pis? As-tu des nouvelles? Moi, je n'ai eu aucun appel venant de Québec.

Bébert hocha vigoureusement la tête.

— Moé non plus. Francine a pas appelé pis Cécile non plus. C'est petête tant mieux. Comme on dit: pas de nouvelles, bonnes nouvelles!

— Peut-être, oui... Pis toi? Est-ce que tu t'en sors avec le garage?

Bébert ouvrit les bras comme pour embrasser tout l'espace devant lui, visiblement très fier.

— Comme tu vois! J'ai pas une menute à moé, c'est ben sûr, mais toute est sous contrôle.

— Tant mieux. Chus bien contente pour toi.

La voix de Laura manquait tellement de conviction que Bébert lui renvoya un regard interloqué sous ses sourcils froncés.

— Que c'est qui se passe? T'as pas l'air dans ton assiette... Mais rentre, Laura, viens t'assire. T'as ben quèques menutes pour prendre une liqueur, non?

L'instant d'après, Laura était assise devant Bébert, une orangeade bien froide à portée de main.

— Pis? Quoi de neuf pour toi? Tu dois ben avoir recommencé l'école, non?

Le sourire tiède de Laura confirma à Bébert qu'il

venait de mettre le doigt sur ce qui semblait tracasser celle dont il continuait de rêver quand il en avait le temps.

— Oui. J'ai repris l'université. Mais…

— Mais ?

Laura resta songeuse un moment. Puis, levant les yeux vers Bébert, elle éclata brusquement.

— Je le sais pus, Bébert, si ça me tente encore d'être psychologue !

Voilà, c'était dit ! Laura se sentit aussitôt incroyablement soulagée, alors que Bébert, lui, semblait plutôt ahuri.

— C'est à cause de l'épicerie, aussi ! ajouta Laura, comme si ces quelques mots allaient donner un éclaircissement sur son changement de vision face à son avenir.

— L'épicerie ?

— Ben oui, l'épicerie… Laisse-moi t'expliquer.

En quelques phrases, Laura résuma ce que fut son dernier été à travailler avec son père et sa mère. Un été rempli de défis, de discussions animées, de plaisir partagé, finalement.

— Pis en plusse, maudite marde, Antoine est en train d'apprendre à conduire. Ça se peut-tu ? Mon petit frère va conduire une auto avant moi ! J'en reviens pas.

Bébert avait écouté Laura attentivement, sans l'interrompre. Sa dernière réplique lui tira un petit sourire avant qu'il redevienne sérieux. Pour lui, entendre Laura parler de ses études avait toujours été quelque chose de sérieux.

— Je pense, Laura, fit-il enfin, que tu mélanges un peu les choses.

— Mettons, oui. Mais tu admettras avec moi que…

— Laisse-moé finir. À côté de tes études, le fait de conduire un char, c'est juste de la p'tite bière, si tu veux mon avis. Sacrifice, Laura! Si ça prend juste ça pour te rendre heureuse, m'en vas te montrer à conduire. C'est pas ben ben compliqué pis ça prendra pas une éternité non plus.

— Tu ferais ça?

— Pourquoi pas?

— Ben... Je trouve ça pas mal gentil.

— Dis-toé que c'est chose faite. Le dimanche, je travaille pas. Ça fait que si ça te convient, on commence dimanche prochain. Mais avant, je veux qu'on parle de tes études.

Laura balaya cette dernière proposition d'un petit geste de la main.

— Maintenant que j'en ai parlé, me semble que je me sens mieux. C'est à moi de prendre ma décision. Dans le fond, c'est surtout parce que j'ai peur de la réaction du monde chez nous si je continue. Parce que si ça dépendait juste de moi, je pense que...

— Je pense que tu devrais continuer!

Bébert n'avait pu se retenir. Laura écarquilla les yeux.

— Pardon?

— Je pense que tu devrais continuer, répéta Bébert avec une patience et une volonté de fer dans la voix. Voyons don, Laura! T'es toujours ben pas pour toute lâcher à quèques mois de ton diplôme? Ça a pas d'allure, ça.

Ramenée à sa dure réalité, Laura poussa un soupir à fendre l'âme.

— Je le sais bien... Mais j'arrive pas à me voir passer mes grandes journées dans un bureau. J'arrive même plus à me souvenir pourquoi j'ai commencé ce cours-là.

— Ben moé, je m'en rappelle!

Bébert s'était redressé sur sa chaise et il fixait Laura avec une curieuse flamme dans le regard.

— Tu disais que t'avais toujours envie de travailler avec des enfants, mais que tu voulais faire plusse que simplement leur montrer à lire pis à écrire. Tu disais que tu voulais aider ceux qui ont le plusse de misère. C'est pour ça que t'as commencé ton cours en psychologie. Tu m'en as tellement parlé, Laura, t'avais l'air de tellement y croire que j'ai pas pu l'oublier. Pis toé non plus, tu devrais pas l'oublier. Faudrait pas qu'un jour, tu regrettes c'te décision-là, une décision que t'aurais pris juste sur un coup de tête.

— Je le sais.

La voix de Laura n'était plus qu'un murmure.

— Je le sais que tu as raison.

Laura regarda tout autour d'elle, enviant Bébert qui lui, n'avait jamais eu de doutes quant à son avenir. Un peu comme Antoine. S'apercevant qu'il commençait à faire plus sombre, elle se releva.

— Va falloir que je rentre, maintenant. Merci, Bébert, merci de m'avoir écoutée. Pis je te rappelle samedi pour le cours de conduite.

— C'est sûr que tu me rappelles ! Si tu le fais pas, c'est moé qui vas le faire... Pis fais-toé pas de tracas pour ton cours. Donne-toé du temps pour réfléchir ben comme faut à toute ça. Des fois, dans la vie, y a des réponses qui nous arrivent de même sans qu'on les aye vues venir. Pis si jamais tu décidais d'arrêter tes cours, chus sûr que ta famille t'en voudrait pas. Après toute, c'est de ta vie à toé qu'on parle, pas à eux autres.

Amère, Laura détourna les yeux. Bébert ne pouvait

comprendre, et elle n'avait pas envie de lancer le débat sur la réaction probable de ses parents si elle leur apprenait qu'après quatre années d'études, elle abandonnait l'université sans avoir obtenu de diplôme. Et elle n'osait même pas penser au sermon magistral que sa grand-mère lui servirait !

— D'accord, approuva-t-elle simplement. Tu dois avoir raison… Bon ben, je m'en vais. À dimanche, pis merci pour la liqueur !

— À dimanche !

Quand Laura arriva chez elle, la cuisine était plongée dans l'ombre. Les journées étaient de plus en plus courtes. Machinalement, Laura poussa l'interrupteur, un peu déçue de voir qu'il n'y avait personne. Tout au long du chemin, les paroles de Bébert lui avaient trotté dans la tête, et elle aurait bien aimé pouvoir tout oublier ça. Seule, elle se doutait bien qu'elle n'en serait pas capable.

Sur la table, comme elle l'avait toujours fait, Bernadette avait laissé un petit message adressé à celle qui arriverait la première. Évangéline ou Laura.

Débordée à l'épicerie, elle ne rentrerait qu'à six heures, avec Marcel et Antoine. Elle demandait de mettre le pâté chinois à réchauffer et d'appeler Marie Veilleux, leur voisine, pour dire que Charles pouvait revenir à la maison.

Mais comme Laura s'apprêtait à faire ce que sa mère avait demandé, soulagée d'avoir au moins quelque chose à faire, le téléphone sonna.

C'était Cécile.

Juste au timbre de la voix, Laura eut la désagréable intuition que cet appel ne lui plairait pas.

À peine quelques phrases, et la main de Laura se mit à

trembler. À tâtons, elle chercha la chaise la plus proche et la tirant vers elle, elle s'y laissa tomber.

— T'es bien certaine de ça ?

La voix de Laura n'était qu'un filet.

— Plus que certaine. Au début de la semaine, j'ai essayé de la joindre à plusieurs reprises pour l'inviter à venir passer la fin de semaine ici. On aurait pu aller chercher Steve ensemble, en profiter pour magasiner, pour aller au cinéma. Mais il n'y avait jamais de réponse. C'est pour ça que cet après-midi, après le travail, je suis passée la voir à son appartement. Il n'y a plus personne, Laura ! Les meubles sont disparus et sur la fenêtre, il y a un écriteau annonçant un logement à louer.

— Ben voyons don…

Laura était atterrée, dépassée par cet événement qu'elle n'avait jamais vu venir.

Puis elle pensa à Bébert… Et à Steve.

— Steve, cria-t-elle dans l'acoustique. Où est Steve ?

— Chez matante Lucie, sa gardienne. Crains pas, j'ai vérifié… Aurais-tu un numéro pour que je puisse rejoindre Bébert ? Avant toute chose, il faut que je lui parle et à son garage, ça ne répond pas.

Quand Laura raccrocha, elle avait la sensation d'avoir une chape de plomb sur les épaules et le souffle court. Et dire qu'une heure auparavant, elle s'apitoyait futilement sur son sort.

Puis les mots de Cécile, un à un, lui revinrent à l'esprit, et Laura éclata en bruyants sanglots.

Francine avait disparu !

À suivre…

Tome 8

Laura II
1966 –

À Lucie A., cousine, amie et fidèle lectrice,
avec toute mon affection

NOTE DE L'AUTEUR

Cette chère Laura !

Vous rappelez-vous du moment où vous l'avez rencontrée pour la première fois ? Elle n'avait que dix ans et elle sautait à la corde devant la demeure de sa grand-mère, une femme qu'elle voyait aussi grande qu'un géant, aussi féroce qu'un ogre. Évangéline Lacaille faisait peur à bien des gens autour d'elle avec sa voix rauque et ses répliques cinglantes. Laura n'était pas différente des autres. Elle craignait viscéralement sa grand-mère et elle avait la conviction profonde que celle-ci était le maître absolu dans sa famille. Un vrai dictateur ! Après tout, la maison où Laura habitait appartenait à cette vieille dame sévère et, à ses yeux d'enfant, cela faisait foi de tout.

Que de chemin parcouru depuis ce jour, n'est-ce pas ? Évangéline s'est bonifiée, Marcel s'est adouci et l'atmosphère dans la maison est nettement plus sereine qu'auparavant, à l'époque où Laura était encore une enfant.

Pourtant, à certains égards, Laura a encore l'impression, parfois, d'être cette petite fille craintive qui ne sait comment dire les choses pour se faire comprendre.

Quelques années d'études universitaires en psychologie, après avoir touché à la pédagogie, n'y ont rien changé, et Laura éprouve encore bien de la difficulté à parler de ses émotions, de ses sentiments. Alors, devoir expliquer à sa famille qu'elle pense s'être trompée d'orientation, encore une fois, ressemble à un cauchemar.

Et s'il n'y avait que cela !

Depuis deux semaines, Laura admet qu'il y a pire que d'avoir à annoncer qu'elle songe à quitter l'université sans avoir obtenu de diplôme.

Francine, son amie de toujours, a disparu sans laisser la moindre trace à l'exception de son petit garçon, Steve, qu'elle a confié à sa gardienne avec la vague promesse de venir le chercher dès que sa situation se sera stabilisée. Ce sont les mots que Francine a utilisés : dès que sa situation se sera stabilisée. C'est à n'y rien comprendre.

Après en avoir discuté avec Cécile, Laura et Bébert ont donc décidé d'aller chercher le petit Steve. Le temps d'y voir un peu plus clair, ou le temps de retrouver Francine, le petit garçon vivra chez Cécile.

C'est pour tout cela que Laura ne pense plus vraiment à ses études. Elle se laisse porter par la routine, un œil fixé sur le dimanche à venir, car depuis la disparition de Francine, Bébert et elle passent leurs dimanches à Québec à arpenter le quartier où Francine habitait, élargissant le cercle de leurs recherches d'une semaine à l'autre. Même Évangéline, qui voue une rancune féroce aux Gariépy, a démontré de la sollicitude et de l'inquiétude quand Laura a parlé de la disparition de son amie. Quant aux policiers qu'ils ont avisés, ils n'ont rien trouvé.

De toutes mes forces, je vais tenter de soutenir Laura. Tant pour les décisions à prendre face à ses études que pour partager ses inquiétudes devant Francine, je serai là pour elle. Et je sais que vous aussi, vous y serez. Ensemble, nous allons accompagner encore une fois la famille Lacaille dans sa quête de bonheur. Nous sommes à l'automne 1966. L'époque du *Peace and Love* bat son plein, les gens parlent de retour aux sources en vivant à la campagne, et Montréal s'apprête à recevoir le monde entier à l'occasion de l'Expo 67…